岩波文庫

32-062-1

ケサル王物語

――チベットの英雄叙事詩――

アレクサンドラ・ダヴィッド=ネール
アプル・ユンテン 著
富樫瓔子訳

書店

Alexandra David-Neel et Le Lama Yongden

La vie surhumaine de Guésar de Ling, le héros thibétain,
racontée par les bardes de son pays

Paris: Adyar, 1931.

凡例

一、文中の章題、小見出しは原著にはないが、読者の便宜のために解説者が付けたものである。

二、チベット語のカタカナ表記については、標準的な発音に準じて統一した。また、意味上のまとまりに従って適宜「・」を入れた。

　例　サンド・ペルリ宮殿

三、インド由来の尊格の名称、地名等は、原則としてチベット語表記を採用した。しかし一部はサンスクリット語表記のままとした。

　例　カンドマ（サンスクリット語ではダーキニー）
　　　ドルマ（サンスクリット語ではターラー）
　　　パドマサンバヴァ（チベット語ではペマ・ジュンネー）
　　　ブラフマー神（チベット語ではツァンパ）

四、ただし、日本語で漢語表記が広く通用しているものは、漢語表記した。

例　観音菩薩、馬頭観音、極楽

五、原著者による本文中の（　）内の補足説明や言い換えは、原則としてそのまま訳文中に（　）に入れて示した。

例　白い行い（善行）

（解脱への）道の入り口

ただし、訳文の読みやすさを考慮して、注として巻末にまとめたものもある。

六、原著になく訳者が補った箇所は〔　〕内に示した。

例　〔人間界に〕生まれた後

七、解説者による同定、または解釈は、〔　〕内に示す際に＝を付した。

三十三の神々の宮殿〔＝忉利天（とうりてん）〕

八、注の大半は原著者によるものであるが、一部はこの翻訳に当たって解説者が新たに加えたものである。両者に共通の通し番号を付し、後者は〔訳注〕と記して区別した。原著者による注には、著者の旧著に言及するものがいくつかあるが、日本語訳のないものに関しては、読者にとっては実質的な意味がないので削除した。

目　次

『ケサル王物語』の世界と概要

今枝由郎

この物語全体はチベット仏教という日本人にはあまり馴染みのない特殊な世界の中で展開するので、当初戸惑われる方も少なくないであろう。それを少しでも緩和して、この世界に入り込みやすいように、一言説明しておきたい。

物語全体は神界と人間界との二重構造になっているので、人間界での登場人物はそのほとんどが本来は神であり、各人がいってみれば神界と人間界での二重のアイデンティティを持っていることになる。その典型がケサル王で、彼は神界では賢人成就者の長トエパ・ガワにしてアス・ケンゾ神の子である。そしてパドマサンバヴァ師の要請により仏教を護るために人間界に転生することになるが、そこではリン国王センロン王とその召使いの龍女ゼデンとの間にできた私生子とみなされた。幼少時には嘲(あざけ)りを込めてジョルとあだ名されていたが、リン国王となってからはケサル王と呼ばれるようになった。読者にとって、こうした経緯の理解をいくらかでもわかりやすくするために、解説者は冒頭に主要人物の神界・人間界での二重のプロフィールを用意したので参照されたい。

物語そのものの概要は以下のとおりである。

かつてチベットに母娘の二人の女性がいた。母親の方は信心深くて、晩年になってインドに巡礼に行き、ブッダの教えによって幸福な人生を終えた。

娘の方は不幸な人生を送り、ブッダの大いなる御教えに対する際限のない憎しみを抱き、「わたしの三人の息子たちとわたしが、強大で裕福な王者に生まれ変わり、ブッダの大いなる御教えとそれを説く人々を永遠に滅ぼすことができますように」という恐るべき誓願を言い終えると息を引き取り、三人の息子も程なく彼女の後を追った。

神界の偉大なパドマサンバヴァ師は、ことの重大性を理解し、この誓願が実現するのを事前に防ごうとしたが、失敗に終わった。その結果、母親はケサル王が国王となるリン国の北に位置するホル国の三部族の王クルカル、クルセル、クルナクとして生まれ変わった。また、母親と同様に三人の息子も生まれ変わり、一番上の息子は北国のルツェン王となり、下の二人の息子は、西方と南方に位置する王国のサタム王とシンティ王となった。これらの六人の国王はすべて恐るべき仏敵であり、パドマサンバヴァ師は彼らを征伐するための偉大な計画を企てた。その計画実行のために神界から人間界に送り込まれたのがトェパ・ガワという英雄である。彼は人間界ではリン国に生まれ、ケサル王の名で国王となり、仏敵である周囲の国々の王たちを次から次へと征伐することになる。

この征伐の武勇譚はたんなる戦闘の話ではなく、馬頭観音菩薩の化身でリン国のセンロン王の弟として下生(げしょう)しながら、貪欲で利己的なトトゥンとか、白ドルマ女尊の化身でケサル王の正室でありながら、敵国のホル王との間に一子を設けたりする不貞のセチャン・ドゥクモ妃といった様々な神々・人物が介入するユーモラスな面も多々ある楽しめる読み物である。

こうして人間界に出現した仏敵王(悪鬼王)たちを征伐した後、ケサル王は一旦この世を去り、神界に戻ることになる。ここで注意しなくてはならないのは、ケサル王はここでもって生涯を閉じたのではなく、神界に戻って生き続け、再び人間界で果たすべき役割が生じれば、人間界に再来するという形になっていることである。

これはパドマサンバヴァ師の生涯と同じで、師はこの世での活動を一旦終えられた後、現在も神界のサンド・ペルリ宮殿に住まわれている。しかし月の十日(チベット語では「ツェチュ」)に信者からの要請があればいつでもこの人間界に戻ってきて、仏敵を滅ぼし、仏教徒を助けるという建前になっている。これがブータン各地で行われる最も盛大なお祭りである「ツェチュ祭」の起源・意義である。

＊

解説で述べるが、『ケサル王物語』は現状で完結したものとは言えない。たとえば、一九七五年になってドイツに関する新たな章('Jar gling)がインドで出版された。このことからもわかるように、今後も新たな章が書き加えられる可能性は十分にあり、『ケサル王物語』は未完であり、今後もさらに拡大される性格のものである。

主な人物・事物・土地のプロフィール

今枝由郎

アク・チポン：リン国の主馬頭。五百歳の齢を重ねた長老として、臣民を代表し、出征するケサル王にはなむけのことばを述べたり、戦いにはやる王を諫めたりする。

アス・ケンゾ神：ケサルの人間界での誕生に超自然的に与った父親。

イシェ・ツォギェル：パドマサンバヴァの妃のひとり。チベット人。

カダル・チォクニエ：ケサル王の臣下のひとり。

ガルツァ・チュデン：ホル国の鍛冶屋チュタ・ギェルポの娘。女神の化身。

カルツォ・セルト：トトゥンの妻。

ガルベ・パンツェン：クルカル王の臣下のひとり。

ギャサ：リン国のセンロン王の妃。

ギャツァ：リン国のセンロン王の息子で、ケサルの異母兄にあたる。リン国に攻め込んできたホル軍に立ち向かい、戦死する。息子ダプラはケサルの養子となる。

キャング・カルカル：ケサル王の乗る神馬。「野生の（グ）白い（カルカル）ロバ（キャン）」

という意味。大日如来の化身。

クルカル王：ホル三部族の三兄弟王の内の、最年長で、最強の王。仏法を滅ぼそうと誓って亡くなった母親の三化身のひとり。

クルセル王：ホル三部族の三兄弟王の内の、真ん中の王。仏法を滅ぼそうと誓って亡くなった母親の三化身のひとり。

クルナク王：ホル三部族の三兄弟王の内の、最年少の王。仏法を滅ぼそうと誓って亡くなった母親の三化身のひとり。

ケサル王：リン国王。神界では父コルロ・デムチョク、母ドルジェ・パクモの子である賢人成就者の長トェパ・ガワ。パドマサンバヴァの要請により仏教を護るため人間界に転生する。リン国では、センロン王とその召使いである龍女ゼデンとの間にできた婚外子とみなされ、幼少時には嘲りを込めてジョルとあだ名された。

コルロ・デムチョク：「法輪勝楽」。神界でのトェパ・ガワの父親。

コンカル・タオ峠：リン国とホル国の境界にある峠。

ゴンモ：龍女ゼデンのリン国におけるあだ名。

サタム王：仏法を滅ぼそうと誓って亡くなった母親の下の息子二人の内のひとりの生まれ変わり。

サティク神：ホル国の守護神のひとつ。
サテ・ナクポ神：ジャン国の守護神のひとつ。
シェツェン・ユンドゥプ：龍女ゼデンの臍から出てきた袋から現れた三人の童子のうちの青い童子で、ホル国のクルセル王に育てられる。またの名トンツ・ユンドゥプ。ケサル王のホル国征伐においてケサルを助けると約束した神々の化身のひとり。
シンティ王：仏法を滅ぼそうと誓って亡くなった母親の下の息子二人の内のひとりの生まれ変わり。
シンドゥ国：チベット文化圏の南に隣接している王国。
ジョル：ケサルの幼少時のあだ名。
セチャン・ドゥクモ：ドゥクモは「龍女」の意。白ドルマ女尊の化身でタンパ・ギェルツェンの娘。ケサルの妃となる。敵国ホル国に連れ去られ、クルカル王との間に一子をもうける。
ゼデン：龍王メンケンの娘で、リン国に行き、ゴンモと名付けられる。センロン王夫妻の召使いとなり、王が巡礼に出て不在中に、アス・ケンゾ神の与りによりケサルを産む。
センロン王：リン国王で、妃はギャサ。ケサル王の人間界における形式上での父親。

タジク王：過去世では、巨万の財の持ち主に生まれ変わりたいと願った悪鬼。現世では、リン国の西方十三日の行程に位置するタジク国の王。名馬の誉れ高い青い馬やおびただしい牧獣と巨万の富を占有する。

ダプラ：ケサルの異母兄ギャツァの息子。ケサル王の養子で、センロン王の孫にあたる。

タモ・トンドゥプ：シンティ王の司令官のひとり。

タング・ダワ：タジク王の息子。

タンパ・ギェルツェン：ガ国の金持ちで、セチャン・ドゥクモの父親。

チァカル・デンパ：タジク王の大臣のひとり。

チュタ・ギェルポ：ホル国の鍛冶屋。ガルツァ・チュデンの父親。少年に化身したケサルを養子にし、弟子とする。

チュラ・ポンポ・セルワチェン：ジャン国のサタム王の兄弟。

ディクチェン・シェムパ：「罪深い屠殺人」の意。龍女ゼデンの臍から出てきた袋から現れた三人の童子のうちの赤い童子で、ホル国のクルカル王に育てられ、彼の重臣として仕える。ケサル王のホル国征伐において、彼を助けると約束した神々の化身のひとり。ケサルの兄にあたる。

ディプ・シン：人や物を透明にする魔法の棒。

デマ・サムドン：神界ではセラ・フル神。人間界に天下ってケサル王の大臣となる。

デュモ（＝魔女）・メサン・ブムチェ：ルツェン王の妃

ドゥクモ：⇒セチャン・ドゥクモ

ドゥルワ：龍の国で、メンケン王の弟で、王女ゼデンの叔父にあたる。

トゥンチュン・カルポ神：龍女ゼデン（＝ゴンモ）の頭から生まれた神で、ケサルの兄で守護神。

トェパ・ガワ：「その名を耳にするだけで、聞いた人に喜びが生じる者」の意。ケサル王の神界での前身。父親はコルロ・デムチョクで、母親はドルジェ・パクモ。

トトゥン：馬頭観音の化身。リン国のセンロン王の弟として生まれ、ケサルの叔父にあたる。

トプチェン・トゥグ・メバル：龍女ゼデンの臍から出てきた袋から現れた三人の童子のうちの黒い童子で、ホル国のクルナク王に育てられる。ケサル王のホル国征伐においてケサル王を助けると約束した神々の化身のひとり。ケサルの兄にあたるが、自分の出自や使命を忘れ、ホル国軍の一員としてリン国に攻め入り、ケサルの異母兄ギャツァを殺す。

ドルジェ・パクモ：「金剛豚母」。神界でのトェパ・ガワの母親。

トンチュン：シンティ王の将軍。

トンツ・ユンドゥプ：クルカル王の臣下のひとり。トンツは中国語「通事(=通訳)」の音写。シェツェン・ユンドゥプと同一人物。

ナムティク・カルポ神：ホル国の守護神のひとつ。

ナムテ・カルポ神：ジャン国の守護神のひとつ。

パドマサンバヴァ：「蓮華から生まれた者」の意味で、蓮華生と訳される。チベット語ではペマ・ジュンネー。チベット仏教では一般にグル・リンポチェ「尊い師」と呼ばれ、第二のブッダと崇められる存在。

バルティク神：ホル国の守護神のひとつ。

バルテ神：ジャン国の守護神のひとつ。

ペテュル：ジャン国のサタム王の大臣のひとり。

ペトゥル・チュン将軍：クルカル王の臣下のひとり。

ペマ・チョツォ：知恵のカンドマの化身で、外道ルンジャク・ナクポの娘。

マギェル・ポムラ：ケサルが用いる武器が隠してある山。

マ・ネネ：神意の伝え手、女神。

マンダラワ：パドマサンバヴァの妃のひとり。インド人。

ミタク・マルポ神：龍女ゼデン（＝ゴンモ）の右肩から生まれた神で、ケサルの兄神。

メト・ラゼ：「花のように美しい女神」の意。シンティ王の娘で、トトゥンの息子と結婚する。

メンケン王：龍王で、ゼデンの父親。ドゥルワは彼の弟。

メンチェン・クラ：過去世で、人類を滅ぼしたいと願った悪鬼。現世ではシンティ王の大臣のひとり。

ユラ・トンギュル：神界ではディクチェン・シェムパの兄弟であり、ケサルの友人。ジャン国のサタム王の長子に生まれ、父王の死後、ケサルにより王に任命される。

リクパ・タルブム：ホル国の大臣。トンツ・ユンドゥプの養父。

ルツェン王：北国の王。仏法を滅ぼそうと誓って亡くなった母親の長男の生まれ変わり。妃はデュモ・メサン・ブムチェ。

ルトゥク・オセル神：龍女ゼデン（＝ゴンモ）の左肩から生まれた神で、ケサルの兄で守護神。

ルンジャク・ナクポ：薬剤の所有者たる外道。ペマ・チョツォの父親。

ロンポ・ペカル：インドの大臣。

ケサル王物語

チベットの英雄叙事詩

プロローグ Ⅰ　悪鬼王誕生の経緯

菩薩の苦行

　その昔、菩薩①はあまたの場所で、まったき喜捨と惜しみない慈悲をおこなったのち、その献身を完遂するために森の中に隠棲していた。もはや無一物となり、身に纏(まと)うぼろ布一枚すらなく、餓(う)えに苦しむ生きものたちに施しとして自身の身体を与えるつもりであった。彼はすでにこれまで何回も生々死々を繰り返すなかで、同じようなふるまい、つまり全身を生贄(いけにえ)として自己を喜捨し、限りない憐れみを示すことによって、証しを立ててきたのであった。こうした惜しみない慈愛の尊いみちのりを、一段また一段と踏み越えてゆくことによって、ブッダ、すなわち生きとし生けるものたちを教え導く師になりたいと願う人たちは、その栄(は)えある目的にむかって進むのである。

　菩薩が住む森から遠からぬところに、母と娘のふたりの女が暮らしていた。非常に裕福というわけではなかったものの、安楽に暮らせるだけのものはそろっていた。ヤク②と羊の群れからは、乳、バター、チーズ、肉がたっぷりとれたし、毛皮で冬の衣類を仕立てていた。さらに、羊毛もたくさんとれたので、ツァンパ[3]や小麦粉、米、小間物、装身具などと交換していた。ふたりとも菩薩のなみはずれた行いを目にしていたが、毎日の仕事に忙しく、それほど注意を払っていなかった。

　しかし、みずからの肉と血を餌として昆虫や猛禽(もうきん)たちに与えたのち、聖なる隠者はある夕べ、息絶えた。ときあたかも太陽は、はるか目路(めじ)のはてに連なるすみれ色の峰々――さらにそのかなたには豊かに富んだ悠遠なる王土ヌプ・パラン・チェ[4]がある――に沈んだ。

　ちょうどそのとき、ふたりの女のうち母親の方は、山の上で羊の群れを集めていた。突如、菩薩が宿りとしていた樹の根元から、この世のものならぬ光が高く昇るのが遠望された。驚き、恐れにとらわれて女は足を止め、釘付けになって震えおののきながらこの驚異を見守っていた。するとその光は森の上に昇って行き、天を駆け、インドの方角に消えていった。

　そこで彼女には、はっと直観がひらめき、奇妙な苦行をしていたあの風変わりな隠者がこの世の生を終えたのだ、とわかった。そして、今までのかくも多くの英雄的な行いと、繰り返し立ててきた誓願がまさに成就しようとしており、インドでブッダに生まれ変わり、生きとし生けるものに苦しみから解脱(げだつ)する方法を教えるために法輪を転ずるだろう(5)と。

信心深い母とその娘

彼女は、あの賢者が生きているうちに、ふさわしい敬意を捧げなかったこと、無知の闇をかき消す大いなる御教え(みおしえ)を彼から学ぼうとしなかったことを痛切に悔やみ、かなりの高齢にもかかわらず、インドに行き、その地で好機を得てブッダの説法を聴こうという企てを心にいだいた。

この思いで頭がいっぱいの彼女は、家畜たちを連れていることなどお構いなく、谷へと降りていったが、家畜たちはひどくおとなしくかしこまった様子で、道をはずれもせずに、彼女のあとを追った。子羊たちはふだんのようにふざけることなく、従順に母羊の足跡をたどって歩いたし、いつもたがいに角突き合わせている暴れん坊の若いヤクたちは、群れの長老の年老いた雄牛たちのように、みずからの責任を心得て、おごそかに歩を進めた。轟々(ごうごう)と流れる急流は、その声をひそめた。大いなる沈黙が牧草地を包み、万物が言いようのない静けさに浸っていた。

家に帰るとすぐに、母は娘に自分の見たことを語り、みずからの決断を告げた。善良な母は、自分の熱意と敬虔な望みを娘と分かち合えると信じて疑わず、ためらうことなく、ふたりの持つ財産をなげうってインドへと出発し、将来ブッダが説法するであろう地を探しに行こう、と娘に提案した。

　母親というものは、自分の望みはごく当然の道理を反映していると考えて、たやすく思い違いするものである。母親の思いの中では、子どもたちは自分にどこもかしこもそっくりで、母自身が喜ぶ道を子どもたちもついて来ると信じているが、実はそうではない。父親も母親もそれぞれ、ひとりの人間の誕生をもたらすはたらきにおいては、他の多くの要因のうちのひとつに過ぎない。生まれた子どもは連綿と続く数々の物質的、精神的な作用の結果であって、それらの作用をひきおこしたもともとの原因など、識別するのは不可能であり、永遠の闇の中に消え去っている。子どもとは、行きずりの客であり、母親とは、彼らが旅を続けるにあたって衣類を借りに足を止める一時（いっとき）限りの宿にすぎない。だから、息子たちの性向は父親たちとは違うし、娘たちと母親たちの性向も然りであり、その相違は凡人の目には見えない過去の事柄に起因している。

　善良な老母の娘は、地上の財産以上のものへ心を高めることはなかった。自分の持つヤクと羊をなげうつとか、糊口（ここう）をしのぐために「インドへの」道なかばにして髪飾りの珊瑚（さんご）の玉や首飾りの琥珀（こはく）の粒を売らねばならなくなるとかいった考えは、彼女には正気の沙汰とは思えなかった。

「お母さんは、考えたことがあるの？」と、娘は言った。「乞食（こつじき）巡礼者たちの身の上を。お母さんはあんなふうになりたいの？　あの人たちが施しを求めて戸口に立ちつくしているのを、見たことがあるでしょう。ぼろを纏（まと）い、凍（こご）えて、冬にはがたがた震え、雨季にはずぶ濡れになり、餓えて、身を寄せるあてもなく、雪の中や泥の中で寝るのよ。若者たちがそうやって聖地を訪ねてまわるのなら、まあいいけれど、そんな巡礼を、安楽な暮らしに慣れた女が思い立つ必要があるかしら。しかもお母さんの年齢になって」

　こう言いながら、若い娘の口調はかすかにからかいをおびていた。あたかも母親が歳のせいで分別がつかなくなってしまった、と思っているかのようだった。

「富が何になるというの？」と母親は答えた。「風の一吹きでけし飛んでしまう煙さ。雲でできた城、蜃気楼（しんきろう）の中に浮かぶ都、夢の中で見た人影のように、次の瞬間にはどこかに運び去られてしまう、つかの間の幻。世の中のすべては、そういうものさ。若いうちは、命には終わりがないような気がするけれど、老いはあっという間にやって来る。そして次には死が。そのとき、家畜や装身具が何の役に立つの？　自分たちの白い行い（善行）と黒い行い（悪行）以外、何一つわたしたちの道連れにはならないわ。わたしたちが不幸な来世を迎えるのも、楽園に赴くのも、わたしたちの所業しだいなのよ」

こう言うと、彼女は信心深く付け加えた。「オン・マニペメ・フン！⑥　どうか西方極楽浄土に生まれ変わることができますように」

こうした賢明なことばは、そのほとんどが聖典に説かれているものだったが、若い娘には何の感銘も与えなかった。来世で至福を得られるかどうかなど、彼女にはどうでもよかった。

「わたしにはちっとも大事ではないわ」と娘は答えた。「ブッダも、その偉大な教えとやらも、西方極楽浄土だろうと畜生道だろうと。この近所に暮らしていたあの苦行者は、昔はお金持ちだったとみんな言っているわ。財産は一切合財、施しのために使いはたしてしまい、もう何も残らなくなると、自分の身体を動物たちに食べさせてやり、そうやって彼は死んだ。あんなばかげたふるまいの、何がよいというの？　それこそ、自分で自分を拷問にかけているのよ。みずからに課した数々の責め苦から、彼がどんな利益を引き出したというの。わたしには何もわからないわ。そんなふうにふるまうなんて、まったく正気の沙汰ではないし、わたしがまねするわけがないわ。もし何が何でもあくまで計画どおりにするおつもりなら、どうぞご自由に出発なさい。わたしは絶対ついて行きませんよ」

何日もかけて、娘の心の中に潜在するよりよい心を呼び覚まそうと試みたのち、善良な老母は、すべての努力は無駄だとさとり、ある朝夜明けにただひとりで旅立った。

母親のインドへの旅立ち

はじめのうちは、何日も何日も歩いても牧畜民の天幕ひとつ目にすることがないような無人の大草原を横切って、その後は石ころだらけで乾ききった広大な高原を、とぼとぼと進んだ。雲近くそびえる峰へと登ってゆく細い小道を、やっとのことでよじ登り、川を渡ろうとしては何度も溺れかけた。しかし、集落や牧人の野営地にさしかかるたびに、住人たちは彼女の巡礼の目的を聞いて、小さな背負い袋をツァンパでいっぱいにしてくれ、ときにはバターのひとかけや、少量のチーズ、茶を、心ばかりの施しとして付け足してくれた。

こうして数年がかりの旅のすえに彼女はインドにたどり着き、さらに何年か経ったある日、ブッダが弟子たちに教えを説いている場所にとうとうたどり着いた。

信心深い巡礼は、そのとき老いのきわみに達していて、立っているのもおぼつかないほどだった。彼女は、ブッダ(7)の大いなる御教(みおし)えを、その霊妙な深みのすべてにおいて把握できるような知性の持ち主ではなかったが、説明されたことを尊敬の念をこめて聴くうちに、（解脱への）道の入り口に進んでいた。

到着してからほどなく、彼女はブッダに、自分がまだ長生きするのかどうか、尋ねた。「なぜ、これ以上ここに留まろうというのか」とブッダは答えた。[8]「あす、日の出のとき、灯明（とうみょう）を灯し、生きとし生けるものすべての幸せを願って、十方におわすブッダを拝みなさい。無量光仏から放たれる一条の光があなたの頭上に射し、あなたの〈意識〉[9]は、天空に敷かれた光り輝く一筋の道をたどり、大いなる至福の西方極楽浄土を目指して行くであろう」

この指示に従い、老母が明け方から灯明を灯し、瞑想にふけっていると、最初の曙光とともに、告げられたとおり、輝くばかりの白さで、一条の光が射すのが見えた。そのとき老母の〈意識〉は、われわれひとりひとりに宿る守り神たちに導かれて上昇し始め、心臓から頭のてっぺんに達した。そこまで来ると、輝く道に沿って三十三の神々の宮殿〔＝忉利天（とうりてん）〕がかいま見え、そのかなたの西方の楽園には、赤い無量光仏が千二十二のブッダが取り巻く中、玉座に坐っておられるのが見えた。その瞬間、信心深い巡礼の〈意識〉は、それまで一体となっていた身体から抜け出し、輝く道に沿って鷲の速さで天翔（あまがけ）り、ありとあらゆる至福の宿るところに到達した。

残った娘

母親が旅立った後、娘は日々の営みを続け、歳月が流れるうちに三人の息子を持つようになった。

彼女は、ブッダの説法を聴くこと以上に大切でかけがえのないものと思っていた財産を存分に使って、平穏な毎日が送れるものと期待していた。ところが、ある不思議な災いが降りかかり、疫病が次から次へと家畜を襲い、最後の一頭まで死んでしまった。持っていたものは一切合財、壊れたり盗まれたり、あるいは借金を返済できなかったために債権者の手に渡ってしまった。切り詰めた暮らしに弱りはて、息子たちも彼女も病に倒れ、彼らを援助してくれる人は誰もいなかった。

いつも目が向くのは、自分から奪われてしまった幸せを享受している、自分より裕福な人々の方であり、彼らの身勝手さと無情さを彼女は呪い続けて止まなかった。しかし、自分だって恵まれた境遇にあったときには、似たようなふるまいをしていたことを、すっかり忘れていた。

いまや彼女は、誰かが大地の生み出す富を独り占めしている、と考えるようになった。富を奪われた人々には、運に恵まれた人たちが必要以上に持っている財産から、自分たちが必要とする分を貰い受けてその苦境を軽減できるような、いかなる手だてもない。子どもたちの命を救うには、ほんのわずかなもので足りるのだが、そのわずかなものを手に入れることもできずに、自分たちは死のうとしている。

彼女は苦悩のためにわけがわからなくなってしまい、自分がかつて、隠遁生活を送る聖人を、そのあまりに行き過ぎた憐れみゆえに非難したことを、思い出しもしなかった。しかし、その至高の慈悲をばか扱いし、絶対にまねなどしないと固い決意を高らかに宣言したのは、彼女ではなかったか。

もし彼女がブッダの説法を聴く機会に恵まれていたとしたら、世界とものごとの本質についての誤った考えの結果、権利を行使したいという利己的な欲望が人々を互いに苦しめあうように仕向け、完全な安心感のもたらす喜びを味わうことをまったく不可能にしている、ということが、彼女にもきっとわかっただろうに。自分の不幸はすべて、ブッダに会いに母と一緒にインドに行くことを拒んだせいで起こった、と彼女は信じていた。彼女には熱意と敬意が欠けていたから、ブッダが仕返しをしたのだ。そう思い込んだ彼女の心の中に、大いなる師と大いなる御教え(みおしえ)に対する際限のない憎しみが生まれた。彼女が両者を冒瀆(ぼうとく)しない日は一日たりともなく、餓えのためにいまわのきわに追いやられたとき、彼女が最後に口にしたのは、呪いのことばであった。

「わたしの息子たちとわたしが、強大で裕福な王者に生まれ変わり、ブッダの大いなる御教えとそれを説く人々を永遠に滅ぼすことができますように」

この恐るべき誓願を言い終えると、⑩彼女は息を引き取った。三人の息子たちもほどなく彼女の後を追い、全員葬場に運ばれた。

プロローグⅡ　悪鬼王調伏の英雄の選出

悪鬼の転生阻止の試み

不幸な母親が不信心な誓願を口にしたとき、パドマサンバヴァ①はサンド・ペルリ宮殿②に住まわれていた。その声を耳にして、彼は冒瀆者の女とその息子たちが死んだことも察知なさった。大急ぎでふたりの妻、イシェ・ツォギェル③とマンダラワ④を呼び寄せ、何が起こったのか説明した。

「この女の最後の願いは、われわれが事前に防がないかぎり、実現し、致命的な影響が及ぶことになるに違いない。わたしは魔法の環（わ）を築いてその中に四人の遺体の一部を投じることによって、仏教を脅かす危険を払いのけることができる。あなたたちふたりははげ鷹に変身し、死骸が打ち捨てられた山をめざし、急いで飛んで行け。そして、両眼、心臓、爪と肉を数片、それに髪を一房切り取って、そのすべてをわたしのところにすぐに運んで来るように」

パドマサンバヴァ師像のタンカ
（ドルジ・ワンディ画）

一瞬のうちに、ふたりのカンドマ⑤は大きな翼を持つ二羽の大はげ鷹となり、サンド・ペルリ宮殿を後にした。超自然の力によって、ふたりはほんの数瞬ではるか遠国に着いた。人里離れた山中に、四人の遺体が横たわっていた。数羽のはげ鷹がたまたま転がり込んできた餌食の上空を円を描いて飛びまわり、さらには地平の果てから全速力で飛んできたはげ鷹もいた。しかし〔パドマサンバヴァの〕魔法の力によって、さしも貪婪なはげ鷹たちも、一羽たりとも目の前に横たわる死体に近づこうとはしなかった。こうして、何のさまたげもなく、大はげ鷹となったふたりのカンドマは、指示された部位を切り取り、血まみれの断片を爪でつかんで、サンド・ペルリ宮殿めざして飛び去った。

その瞬間、突如激しい風が起こった。強い翼をもってはいたが、二羽のはげ鷹は突風に巻き込まれ、わらしべのようにくるくる旋回しつつも、主人から命じられた遺骸の一部を、必死で爪に握り締め、手放すまいとした。しかしつむじ風が静まることはなかった。二羽は、それまでよりさらに激しい一陣の狂風に翻弄され、せっかく手に入れた死骸の一部を落としてしまった。それはある村のそばに落ち、犬たちが一瞬でむさぼり食ってしまった。

嵐がおさまり、ふたりのカンドマは悲しみにくれて、夫〔＝パドマサンバヴァ〕のもとに帰ってきた。

次のような定めだったのである。

「地に蒔(ま)かれた種から木や果実が生じるのと同様に、さまざまな行為や思考は種となり、そこから新たな行為や思考が生起する。結果は原因についてまわる、歩きまわる人を影が追うように」

パドマサンバヴァの力がいかに大きくとも、死んだ女が願をかけるにあたって思いを凝らした、その思念の集中力の効果を打ち消すことはできなかった。四人の敵が誕生し、ブッダの教えを滅ぼそうと躍起になるであろう。そうなったからには、大いなる御教(みおし)えを脅かす危険を払いのけるべく、できる限りの力を尽くすほかはなかった。

悪鬼王の転生

死んだ女とその息子たちの〈意識〉は、六十年間いかなる楽園にもいかなる煉獄(れんごく)にもたどり着けぬまま、中有(バルド)⑥の中をさまよった。その後、四人ともこの地上に生まれてきた。母親は三つの姿で同時に出現し、⑦クル三兄弟、すなわちホル三部族⑧の王、クルカル、クルナク、クルセルとなった。一番上の息子は北国のルツェン王となり、下のふたりは、サタム王⑨とシンティ王⑩となった。このふたりはそれぞれ、〔この物語の主人公ケサル王のリン国の〕西方⑪と南方に位置する王国の国王となった。

神々の会議

パドマサンバヴァは、四人の邪悪な人物が地上に出現し、大いなる御教えに対する彼らの攻撃がまもなく始まるとおわかりになり、サンド・ペルリ宮殿の正面にある楽園に行かれ、そこに住む神々に伝えたいことがあるので集まってほしい、と懇願された。

百十の賢人成就者[12]、千二十八の神々、そしておびただしい数のカンドマが参集し、大いなる御教えを脅かす王たちが出現する原因となったできごとについての話に、注意深く耳を傾けた。卓越した洞察力のおかげで、〔パドマサンバヴァ〕師には、この世でただひとりの英雄だけが、その王たちを打ち負かすことができるとわかっていた。その英雄とは、ここにいる百十人の賢人成就者の中のひとりであったが、それが誰なのかは師にもわからなかったし、その能力を持っているはずの成就者自身も、ことさらそれを自覚してはいなかった。そこで居並ぶ神々、カンドマ、成就者たちは各々が占いによって、未知の英雄を見いだすことになった。

英雄の選出

満場一致で、コルロ・デムチョク[13]とドルジェ・パクモ[14]の息子、トェパ・ガワ[15]が指名された。検証のため二回続けて占われたが、結果は同じだった。

そこでパドマサンバヴァはその成就者にさしむかい、おっしゃった。

「神々の息子よ、占いによってあなたに白羽の矢が立った。大いなる御教えと人類に敵対する者たちを打倒する責務は、他ならぬあなたにかかっている。地上に転生し、かの悪鬼のような王たちとの戦いを開始せねばならない」

このことばに大いに困惑して、トェパ・ガワは答えた。

「この至福の住まいを離れることを、わたしに望まないでください。昔々インドで、わたしは清らかな生涯を送り、ありとあらゆる徳を行い、ひたすら瞑想に励みました。努力の結果、このようなすばらしい場所に生まれることとなり、今日その果実を味わっています。わたしはここで黄色の僧衣を喜んでまとっております。それを脱ぎ捨てて、俗人の着物を着て下界に赴くのは、失墜であり、わたしにとっては苦しみでしかありません。どうかわたしを当てにしないでください。絶対に地上には行きません」

言い終わると、黙って自分の席に留まった。決意は固く、師の求めを頑として聞き入れなかった。その顔は純金のように輝いていたが、それに比べれば僧衣の黄色は鮮やかであったとはいえ、しおれた花のように色あせていた。

するると師は、トェパ・ガワの抗弁を説き伏せようとして、ブッダの説教を聴くために家を捨てた善良な老母の物語と、不信心で冒瀆的なその娘の物語、そしてその後に起こったことのすべてを、くりかえしさらに詳しく語ってお聞かせになった[16]。それから、託された責務をまっとうするようお命じになった。

「あなたのほかにあの悪鬼たちを打ち負かせる者はひとりもいない。彼らの力は日に日に強くなる。彼らは大いなる御教えと世界の敵なのだ。尊い神よ、どうかあなたに託された栄光の使命を辞退せぬように。あなたが成しうる数々の驚異的な行いによって、よき教えを支え、悪鬼たちが害そうとする生きものたちを守り、苦しみから遠ざけてやり、数々の武勲によって皆を喜ばせなさい」

トェパ・ガワには、パドマサンバヴァが雄弁に自分に懇請なさる、これほどまでに緊要不可欠で尊敬に値する使命への協力を拒むのは、困難だった。とはいえ、即座に承諾したわけではなかった。

使命を引き受けるにあたっての様々な条件と要望

「お約束する前に、いくつか知っておきたいことがあります」と彼は答えた。

「この神々の住まいでは、わが父は威力あるコルロ・デムチョク、母は名高いドルジェ・パクモ、わが名はトェパ・ガワです。わたしが人間界に転生するとしたら、どのようにして生まれるのでしょうか。誰を父に、誰を母に、どんな名前で？
たとえ人間の姿になることを甘んじて受け入れるにせよ、十八⑰のものを要求します。
あなたはそれらのことをわたしに請け合えるかどうか、おっしゃってください。

願わくば父は神、母は龍女⑱であらんことを。

死神も追いつけない駿馬(しゅんめ)が欲しい。天空を飛びわたり、世界の四大陸⑲をあっという間に駆け抜け、人間や動物のことばがわかり、またどちらにもそれぞれのことばで話すことができる馬が。

宝石で飾られたきらびやかな鞍(くら)が欲しい。

人間の手で作られたものではない兜(かぶと)と鎧(よろい)と太刀が欲しい。

弓とその寸法にぴったり合う七本の矢が欲しい。それも人間の手に成るものではなく、奇跡によって出現したものでなくてはならない。矢羽根は鳥の羽で矧(は)がれてはならず、弓は木や動物の角(つの)で作られたものであってはならない。

戦友として、ふたりの英雄が欲しい。若すぎず老いすぎず、男盛りの阿修羅⑳のように強い英雄が。

精力にあふれ、戦略家として巧みな技を持つ叔父(おじ)がひとり欲しい。

地上で比類ない美しさの妻が欲しい。すべての男たちの欲望に火をつけ、彼女をめぐって戦いが起こるほどの妻が。

さらに、この楽園に住む神々とカンドマたちの幾人かが、わたし同様、人間界に転生し、わたしの戦いを支えてほしい。また、それ以外の全員が、いつ何時(なんどき)でも、わたしの呼びかけに応え、救援に来る覚悟でいてほしい。

今や、これらの条件に同意できるかどうかを検討するのが、尊敬する師とあなた方神の息子たちの役目です。わたしの返事はそれ次第です」

こう言うと、トェパ・ガワはふたたび黙って、トルコ石と珊瑚で美しく飾られた自分の席に留まった。その心は超然と静かであり、どんな返事が返ってくるかにも関心がなかった。世界とそこで繰り広げられるいっさいのできごとは夢幻にすぎず、無知と欲望とさまざまな行為から虚空という不動の背景の上へ投影されるもろもろの影の戯れ(21)でしかない、とさとっていたのである。

条件と要望が満たされる

そこでパドマサンババヴァと神々は熱心に議論し、トェパ・ガワの要請を満たすにはどうしたらよいか、方策を考えた。彼に力を貸すことには全員が心から進んで同意したが、彼が列挙した途方もない品々を、どうしたら彼に持たせてやれるのか、誰にもまったく見込みが立たなかった。

そのとき、パドマ師が高い玉座から立ち上がられた。それは貴重な毛氈（もうせん）で覆われ、金と貴石で象嵌（ぞうがん）された座であった。[22]師は、自分の知恵と才能がどれほどまわりの人々から尊敬されているかをご存じなので、彼らにその任務を指示し、トェパ・ガワが要求した条件を満たすような品々がある場所を各人に示すことで、彼らの当惑に終止符を打とうと決意された。

「トェパ・ガワよ」と師は成就者に向かっておっしゃった。

「そなたには、いかなる躊躇（ちゅうちょ）も許されない。悪鬼王たちと戦い、生きとし生けるものの幸せのために数々の使命をまっとうすることは、そなたの務めである。そなたの出した数々の条件は聞き入れられた。いかにしてそれらが満たされるのか、これから説明しよう。

馬頭観音[23]が化身して、そなたの叔父となるだろう。[24]白ドルマ女尊[25]が妻となるだろう。金剛手菩薩[26]とジェ〔＝長（おさ）〕・サラ・アルパ[27]が戦友となる。父はアス・ケンゾ神だ。あなた方指名された者は皆、みずからの担うべき役割について、今から心構えしておくように」

それから、再度トェパ・ガワにむかって、師はこう続けられた。

「そなたの母になるべき人は、龍の一族に属しているので、ここにはいない。その宮殿は大海の底に建っている。彼女を地上に連れてくる手だては、わたしが考えよう。武器、兜、鎧については、要望どおりのものが、畏怖（ジクダク）すべきマギェル・ポムラ山㉘というところにある。かつてわたしが、そこに隠しておいたのだ。持っていれば不死身になれる護符も一緒にある。それらは全部、そなたが取り出すがよい。

あとは、そなたが望む駿馬を調達しさえすればよい。大日如来が、姿も色も申し分のない馬として化身するだろう。その馬は、そなたが望むとおりの素質をすべてそなえているはずだ。それがそなたの乗馬になる。

ここに居並ぶ神々の息子たち、カンドマたち、成就者たちは全員、そなたが助けを求めたらそなたの呼びかけに応え、戦いにあってはそなたを支援する。わたしは、そなたの使命が続く限り、そなたの導き手ともなり、相談相手ともなろう」

パドマサンバヴァが話を終えられると、トェパ・ガワはみずからに託された使命を果たすことを誓い、集会は解散した。

まもなく、馬頭観音（タンディン）の化身がリン国㉙に誕生し、トトゥンと名づけられた。

第一章　ケサルの誕生と少年期の苦難

パドマサンバヴァは龍の国に疫病を蔓延させ、救助を求めさせる

ケサルの数々の冒険においてしかるべき役割を演じることを運命づけられた三人、すなわちトトゥン、ギャツァ、デマ・サムドンが〔人間界に〕生まれた後、師は英雄の母となるべき龍女を地上に連れて来ようとお考えになった。この任務には、無数の困難が待ち構えているにちがいなかったが、かけがえのない師グル・リンポチェ(1)はあらゆることに通暁しておられ、その能力はまったく比類がなかった。

師は、数々の魔法の作用に使われる成分についての知識の限りをかたむけて毒薬をお作りになり、川に注がれた。その川が大海の水底の龍神たちの世界に流れ込んだ。まもなく龍神たちの間にある奇妙な疫病がはやりだした。病人の肌は乾き、傷だらけになり、緩慢な発熱にむしばまれて、体力が奪われた。そして深い悲しみが国じゅうに広がった。

この災厄がいつまでも続くため、龍王は大臣たちを集め、自分たちを苦しめるこの災

いから逃れるには、いかなるラマ[2]、あるいはいかなる神に助けを求めたらよいのかを知ろうと、全員そろって占いに取りかかった。いかなるラマもいかなる神も彼らを苦しめるこの不幸を終わらせることはできず、その力があるのはパドマサンバヴァただひとりである、との宣告がくだされた。そこで、師のもとに助けを請うために誰を代表として派遣すべきか、再度占った結果、ツクナ・リンチェンが任命された。

彼はただちに一頭の青い馬[3]に鞍をつけ、出発した。彼はヤムドク湖の近くのルンセル・ゴコンマル湖の水面に姿を現し、人間界に到着した[4]。

ここに至って、龍の使いはすっかり当惑してしまった。なにしろ、パドマサンバヴァのお住まいになる場所も、どの方角に向かうべきかも、わからなかったのだから。馬から降りると、彼は敬意を込めて何回もひれ伏して、自分が使命を果たすことができるようお導きください、とパドマサンバヴァに祈った。

パドマサンバヴァはどんな些細(ささい)なことでもお見通しなので、そのさまを見て、ふたりのカンドマ、すなわち白色のグツォンと褐色のチダに、彼のもとに行き、白い虹の道を通ってサンド・ペルリ宮殿まで彼をつれて来るよう、お命じになった。

ふたりは直ちに命に従い、湖のほとりに達し、くだんの龍を見つけた。そしてまず最初に、彼がどんな人となりか、どこの国から来たのか、旅の目的は何か等々、さまざまな質問をして、その身元を確認した⑤。

その答に満足したカンドマたちは、自分たちは道案内のために遣わされたのであり、光り輝く道を通って彼を〔サンド・ペルリ宮殿に〕お連れします、と告げた。一分もたたぬ間に、ツクナ・リンチェンはグル・リンポチェの玉座の前にいた。

師に拝礼し、持参してきた豪華な贈り物をささげた後、彼ら龍たちを襲った未知の病による悲惨な状況について説明し、最後に「どうかわたくしどもの国にお越しになって、この窮状からお救いくださ い」とパドマサンバヴァに懇請した。

師はその一部始終を誰よりもよくご存じだった。というのも、哀れな龍たちを絶望に追いやった病を引き起こしたのは、師ご自身だったのだから。しかし、計画を遂行するため、その使者の話を注意深く聴き、自分に伝えられたいたましい知らせに驚愕したふりをなさった。

「あなたの友人たちの不幸に心から同情する」と、師は使者にお答えになった。「だが、彼らの求めに応じてかくも長い旅に出るのは、わたしには難しいだろう。わたしは年をとっている上に、ひどく忙しいのだ。あなたに薬を進ぜよう。それを病人たちに配りなさい。その効能は、あなた方がわたしの来訪に期待するのと同じだ」

「医師ご本人から受ける手当てと、遠くから送ってこられた薬とでは、雲泥の差があります」と使者は反論した。「神聖なるあなた様が直々（じきじき）にお越しになることが、回復をもたらすのであり、治療の成否はもっぱらそのことにかかっています」

こうして彼は、説得力あることばによって、そして篤い信仰の証しを示すことによって、大いなる師がその願いを快く聴きとどけてくださるよう、懸命に努力した。

パドマサンバヴァの計画の中には、龍の国に行くことも入っていた。しかし彼らから使者が来て、そのたっての願いに負けたふうになることを望んでおられた。彼らの住む川を汚染し、疫病を引き起こしたのは、その疫病を撲滅するために来てほしいと哀願させるように仕向けるためだった。

なおも難色を示すようなふりをなさったあげく、パドマサンバヴァは龍の使者の切望にとうとう根負けなさったようであった。

「ではあなたの願いどおり、わたしみずから病人を見舞いに行こう。あなた方の贈り物など、何も要らない。わたしの望みはただひとつ、ある小さな、些細なものだけだ」

そのことばをおしまいまで聞くまでもなく、使者は、自国の君主と半神半蛇の全住民の名にかけて、「もしわたくしどもの力で叶（かな）いますことでしたら、何なりとお望みのものをさし上げましょう」と約束した。

ケサルの母となるべき龍女探し

パドマサンバヴァは満足げな様子で、「わたしは、あなたが国にもどってから七日後に、そちらに参りますので、その旨皆さんに伝えてください」とおっしゃりながら、使者を見送られた。

師がそうおっしゃると、カンドマたちはツクナ・リンチェンを、以前に彼と出会った湖の岸に送りとどけた。彼は水中にもぐってゆき、人間には足を踏み入れることができない地下の道を通って、龍の国へ大急ぎでもどって行った。

使者によってもたらされた朗報に、龍たちは全員喜びでいっぱいになった。ツクナ・リンチェンは、皆のためにたくみに弁じたとして熱烈に誉めそやされ、人々は即刻パドマサンバヴァを迎える準備に取りかかった。贅を尽くした敷物や刺繍のほどこされた豪華な壁掛けの数々、椅子⑥、金や銀の卓、瑠璃(るり)の象嵌(ぞうがん)入りの白檀(びゃくだん)製の調度品、宝石類で飾られた花瓶、その他無数の貴重な品々が国の宝物庫から取り出された。飾り付けが終わると、グル・リンポチェのお住まいになることとなる宮殿は、太陽と月がひとつになったようにまばゆく輝いた。

ツクナ・リンチェンの帰還から七日たって、パドマサンバヴァがお越しになった。随行する数百人のラマ、カンドマ、女神たちは、宝傘(ほうさん)や花房、かぐわしい香りを燻(くゆ)らせる香炉をささげ持ち、思い思いの楽器を奏でていた。この豪奢な行列は、グル・リンポチェのために用意されたお住まいへ、ゆっくりと入っていった。そのさまを見ただけで、病人たちの心には希望が生まれ、苦しみはやわらいでいた。

パドマ師は龍の国に三か月留まり、さまざまな薬を調合し、病人たちに服用おさせになった。こうして三か月経つと、全員が回復し、歓喜が悲嘆にとって代わった。

パドマサンバヴァがサンド・ペルリ宮殿に帰るつもりだ、とお告げになると、龍王とその重臣たちは、王国の宝物庫に納められていたありとあらゆる財宝を、師の前に運ぶよう命じた。山のようにうず高く積み上げられたのは、数え切れないほどの宝石類、真珠、珊瑚、トルコ石、水晶、琥珀、ルビー、象牙、マカラ⑦の口となる白いほら貝、毒蛇の皮、虎の毛皮、青い色をした龍の卵、その他おびただしい数の珍しくて貴重な品々であった。そのすべてが、感謝のしるしとしてグル・リンポチェにささげられ、王と重臣たちは師に尋ねた。

「尊い師よ、わたくしどもの贈り物はあなたにふさわしいものでしょうか。お気に召しますでしょうか」

「すばらしい贈り物だ」とグル・リンポチェは慇懃にお答えになった。「これらの品々を贈られてうれしく思うけれども、わたしには必要ないものばかりだ。反対に、あなた方が持っている、取るに足りない価値しかないあるものが、この中にはない。わたしが欲しいのはそれだ。それをいただけないだろうか」

王はびっくり仰天して、師に尋ねた。

「高名な師よ、そのあるものとは何でしょうか。わたしには見当もつきませんが、何であろうと、あなたのものです」

「よろしい」とグル・リンポチェはおっしゃった。

「それというのは、龍王メンケンの娘で、ドゥルワは彼女の叔父(おじ)に当たる。わたしが欲しいのはその娘だ」

この宣告を聞いて、あたりはしーんと静まりかえった。驚きでいっぱいの龍たちは、互いに顔を見合わせた。

「何とおっしゃいましたか」と、メンケン王は聞き違いだったと信じて、つぶやいた。

「わたしたちのゼデンをお望みだとおっしゃるのですか」と、傍にいた弟のドゥルワが答えた。「それはさし上げるわけにはいきません」

気性の激しいドゥルワには、とても我慢がならなかった。彼はその娘に父としての愛情を抱いていた。ふだんは「姪」扱いしているものの、兄と共有している⑧妻の娘だから、自分の実の娘かもしれなかった。ふたりの貴婦人を正妻に持ちながら、気まぐれで道ならぬあまたの色恋沙汰の主人公でもある年老いたグル・リンポチェが、今度はゼデンに目をつけたかと思うと、怒りがこみ上げてきた。

「奥深い教えの入門者たちは、この世のすべては戯れであり、まったくの幻に過ぎないと断言している。そして彼らは、博学なる師のなさることはすべて、深遠な動機に由来すると確言している。しかし、それほどの叡智は、俗人には計り知れないし、姪にはわかりようがないだろう。戯れだろうが、夢だろうが、はたまた現実だろうが、彼女にとっては老いぼれと一緒になるということに他ならず、悲しみ以外の何物でもないだろう。はやり病から救われた娘を、医者自身がひどい目にあわせるなんて、そんなことがあってたまるか」

ドゥルワの近縁の人々は、この恐れを知らぬ発言を耳にして、震え始めた。彼らの中でも、何人かの不信心者は、心の底では賛同しないでもなかったが、このことばがグル・リンポチェのお耳に届いたのではないか、と恐るべき師の怒りを危惧したのである。

パドマサンバヴァのまわりに集まった龍の重臣たちは、師の望みについて遅滞なく討議し、師への満腔の敬意から、満場一致で決議した。

「その娘がわれらの救い主のお役に立てるのなら、さし上げましょう」と。

この結論で、ドゥルワの激怒は頂点に達した。ささげものとして差し出された龍女の首に巻くために広げた白絹のカタ[9]をひとりの龍からもぎ取り、両手で大きくこれ見よがしに持って、師の前に大股で進み出た。

「われわれの持てる限りのものはすべてさし上げました」と、彼はつっけんどんに言った。「わが国の宝物庫をからにして、あなたの足もとに差し出したのです。この贈り物をもってしてもご不満だとおっしゃるのなら、この国には他にさし上げられるものなどないとご承知あれ。あの娘を手に入れようとは、間違ってもお思いにはなりませんように。どれほど権力があり凄腕（すごうで）だろうと、そうは問屋が卸すまいぞ。

天に輝く太陽と月が、世界を照らす
　褒（ほ）むべきかな！
ときに惑星が日月を呑み、闇が宇宙を覆う
　残念無念！
種が蒔かれて、稔（みの）りをもたらす
　褒むべきかな！
雹（ひょう）が降れば、だいなしだ
　残念無念！

僧衣をまとうラマが、聖なる教えを説き、かつ実践する
　褒むべきかな！
ラマが女を我が物にしようとは
　残念無念！

まさに、この俗諺通りだ。姪はさし上げられません」

パドマサンバヴァは気むずかしいお方で、お怒りを買うと大変なことになる。ドゥルワの不遜な態度が逆鱗に触れないわけがなかった。席を立たれると、お顔は満面朱を注ぎ、両の眼は爛々と光を放っていた。龍たちは皆、恐ろしさのあまり、後ずさりした。「こっちに来い、俗諺の大学者とやら」と、師は有無を言わさぬ口調でお命じになった。「お返しに、別の俗諺を聞かせてやろう。

ある村の大広場で罪人が裁かれていた。そこにたまたま通りかかった人が、哀れみにかられて調停に入り、赦免を得てやった。しかしその人はひとたび自由の身になると、とりなしてくれた人の親切を忘れてしまった。

ある人が、とある煉獄でみずからの罪ゆえの罰を受け、苦しんでいた。かわいそうに思ったひとりの菩薩が、彼をそこから救い出して楽園に連れて行った。彼は安住の地を

得て幸せになるとすぐに、自分を責め苦から解放してくれた菩薩を忘れてしまった。病にとりつかれていたとき、おまえたちはわたしの叡智に訴えた。他のすべての龍たちと同様、おまえも、わたしが助けてやるのと引き換えに、何なりとわたしの望みどおりのものをくれるつもりだった。そしておまえは、他のおおぜいの者たち同様、疫病にとりつかれていたのに、わたしのおかげで癒えた。それなのに、そのことを忘れ約束を裏切っている。みじめなぺてん師め、おまえはいかなる憐れみにも値しない。

おまえの姪など、わたしにはまったく必要ない。もう彼女は欲しくない。わたしは即刻出発する。おまえたちを病から救ってやったが、その病がふたたびおまえたちを襲うだろう。おまえたちは元どおりうめき声を上げるだろうが、わたしに救いを求めても無駄だ」

恐ろしい形相で、パドマサンバヴァは歩を進め遠ざかっていかれた。ラマ、カンドマ、女神たちがふたたび行列を作ると、グルの天上の旅路たる白い虹が現れ、その末端が龍たちの宮殿の棟の上にかかった。龍たちは恐れおののき、畏怖すべき成就者をなだめることばを見出せないでいた。

するとメンケン王が、白絹のカタを手によろよろと進み出て、グルの足もとにそれを置くと、三回ひれ伏して、恐ろしさのあまり息を詰まらせながらこう申し上げた。

「かけがえのない師よ、どうかご立腹になりませんよう。弟が軽率なことを申しましたが、あなたへの敬意を欠くつもりはございませんでした。どうか彼をお許しください。ゼデンはあなたのものでございます。わたしはその父であり、もっぱらその庇護者となっています。そのわたしが、彼女をあなたにさし上げます。どうかわたくしどもの総意として、彼女をお受け取りください」

「兄さんに何がわかるっていうんだ。彼女の父だというが、年上だから権利があるだけだ」と、度しがたい反逆者のドゥルワが反駁(はんばく)し始めたが、二十人ほどの龍たちが彼に跳びかかり、まだ手にしていたカタでその口をふさぎ、宮殿の外に連れ出した。

いくらかやわらいだものの、あいかわらず厳しい表情のまま、パドマサンバヴァは手短かにお答えになった。

「よろしい、彼女をもらおう。七日後、ゼデンをルンセル・ゴコンマル湖のほとりに連れて来い。その近くで、彼女はひとりの庇護者と出会うだろう[10]」

そうおっしゃると、師は超自然の方法で、群がる龍たちの上へ高く昇って行かれた。華々しいお付きの者たちに囲まれて、天をよこぎってのびる光り輝く道をお進みになり、やがて雲の中へとお姿が見えなくなった。

龍女ゼデンの人間界への到着

七日が過ぎ、数百の龍たちが、パドマ師の指定した湖へとゼデンに付き添って来た。

「娘よ」とメンケン王は言った。「おまえとはここで別れねばならない。われらがかけがえのないグル・リンポチェがそうお命じになったのだから、広大な人間界に入って行きなさい。師を拠りどころとし、ご信頼するように。生きとし生けるもののためにはそうせねばならない、と師はご存じなのだし、けっしておまえをお見捨てにはなるまい。おまえに雌馬、雌牛、雌羊、雌ヤギ、雌犬を一頭ずつやろう。それらの獣たちは、行く先々でおまえの役に立つだろう」

かわいそうな龍女は熱い涙を流して泣いた。故郷を遠く離れて、こんな淋しいところにたったひとり取り残されると思うと、恐怖で胸がいっぱいになった。

「父上」と彼女はしゃくりあげながら言った。「行けとお命じになりますが、こんな見知らぬ国で、道もまったくわからないのに、どこへ行ったらいいのですか？　見上げると見えるのは、大きくてうつろな空、目を落とせば、何一つない大地がはてしなく広がるばかりです⑾。どの方角をめざしたらよいのですか。むこうの方に赤い道があり、もっと遠くには白いのが、ちがう方には黄色いのが見え、さらに別のいく筋もの道が遠くにかいま見えます。どれを選べばいいのか、わたしにはわかりません。どうかお願いですから、龍の国へ帰らせてください。わたしを置いて行かないでください。あなた方と別れたくありません」

　メンケン王は、娘の願いを叶えてやることはできないとわかっていたので、彼女の道しるべになるような指示をいくつか与え、彼女を置き去りにするつらさを、どうにかしてやわらげようとした。

「娘よ、すぐそこのあの青い道をごらん。そのさまはまるで谷底に潜む巨大な蛇のようで、そのうろこはあたかもトルコ石でできているかのようだ。あの道の続く先には、無数の湖が永遠に雲のない紺碧の空を来る日も来る日も映している国がある。そちらに足を向けてはいけない。それは飢えと渇きの国だ。湖の水は塩からく、無人の湖畔には一張りの天幕も立っていない⑫。

　遠くの方に狭い道が見えるだろう？　曲がりくねっていて、あまりにも白いから、さながら岩山にかけられた数珠、〈マニ〉⑬を何百万回も唱えるために作られた、ほら貝でできた数珠と言ってもいいだろう。その道を行かないように気をつけなさい。その白い道は、風に掃き清められ乾ききった高原へ、悪鬼が出没する万年雪の方へと通じている。

　おまえのうしろの、草木が青々と茂る道は、小さな花が点々と咲き、見かけはすてきだが、とんだ落とし穴を隠している。道はずっと向こうの地平線のあたりで、大きな沼地の中へと消えて行く。旅人は夕闇が迫る中、沼のような地面に囲まれて道がわからなくなり、足を取られてずぶずぶと底なしの泥沼に呑み込まれ、それっきりになってしまう。そんな危ない方へ行ってはいけない。

今は太陽の光で金色に染まっている山々のふもとの黄色い小道は、琥珀の玉を連ねた細い糸、女神がうっかり天宮から落っことしてしまった首飾りにそっくりだが、道に沿って黒熊や白熊たちの住む洞窟があり、ひとり歩きは危険だ。足を踏み入れないように。だが、この平原のずっとむこうのはてに、雲の這う峠へとゆるやかに昇る、珊瑚色のリボンが見分けられるだろう[14]。この道を行きなさい。その先には平和で幸せな国がある。その名はリン王国といい、そこでパドマサンバヴァがお約束になった庇護者に会えるだろう」

龍の少女は、父親は感謝と畏怖の念からパドマ師に従わざるをえず、考えを変えることはないと知り、ひとことも答えなかった。涙ながらに、峠へと登ってゆく赤い道をじっと見すえた。その峠には雲が、揺らめく帳となって、心をしめつけるような神秘を隠していた。彼女が深い思いに浸っているうちに、父親と他の龍たちはこっそりとその場を去って行った。ふとふりかえってみて、自分がひとりぼっちになったと知り、ふるさとに帰る望みはすっかり断ち切って、彼女は動物たちを連れて、珊瑚色の道へとゆっくりと歩みを進めた。

たそがれになって一軒の家にたどり着き、宿を求めた。その家の住人たちは彼女を親切に迎え入れ、彼女は三か月そこに滞在した。その期間が過ぎると、リン王国がある方角を教えてもらって、指示された方向をめざして出発した。

龍女ゼデンのリン王国到着の予兆

そのころ、トトゥン――馬頭観音(ばとうかんのん)の化身――はリン王国で重臣のひとりとなっていた。ある夜、彼は奇妙な夢を見て激しい衝撃を受けた。夜明けとともに部下を遣わして、兄王と近くの天幕に暮らす戦士たちに、話を聴きに来るよう頼んだ。その夢が自分たちの部族にとって重要なできごとの前兆ではないのか、検討するためである。

人々が集まると、トトゥンはお茶をふるまい、人々の前にツァンパとバターを入れた箱を置かせた。めいめいがパー⑮を食べ終わると、彼は夢の話を人々に聞かせた。

「わたしはトヤン・チャム・ツェマ峠の草が風に飛ばされてリン国に落ちるのを見た。その草はその地で根を張り、新芽の一つ一つが宝石になった。その中に、チャン⑯のような暗い色の宝玉があり、わたしはそれを取って玉座にはめ込んだ。おそらく、強大な首長、もしくはどなたか神聖なラマが、わが国に恩恵をもたらすために、われわれのもとに向かっているのだろう。それを知る必要がある。わが兄上センロン王よ、占ってくれ」

センロン王は自分の天幕に召使いのひとりをやり、一冊の占いの本を探させた。その男は、頼まれた本とさいころがふたつ入った小さな袋を持って、すぐにもどってきた。まずはじめにセンロン王は三宝(17)の加護を祈り、次にふたつのさいころを投げて、出た目の数字に該当するその本の一節を参照した。それから、さいころを使って得られた答を検証するために、数珠を使って再度占いを行った。

彼がこの作業に没頭している間、すべての人が無言のままかたずを飲んで、その一挙手一投足を注意深く見守った。ついに、王が宣言した。

「われわれのもとに来るのは、ラマでも首長でもなく、ひとりの娘だ。雌馬、雌牛、雌羊、雌ヤギ、役立たずの雌犬を一頭ずつ連れて峠を降りて来る。今日にもここに着くだろう」

人々は笑い出したが、トトゥンは失望を隠すことができなかった。あの前ぶれの夢を見て鼻高々だったというのに、自分がその中で重要な役割を演ずるはずのいかなる快挙とも、本当にあの夢は無関係だったのか。それを認めるのは彼には気に食わなかった。

「わたしにはどうしても信じられない、わたしが見た数々の宝石が、小娘ひとりと何頭かの動物を意味しているなんて」と彼は兄王に言った。「きっと兄上は占いによって得られた答をはっきり理解できなかったのだ。どちらにせよ、まもなくわかるだろう。あらゆる事態にそなえておこう。名だたるお方が当地にお着きになったなら、それ相応にお迎えするがよかろうし、乞食が現れたなら施しをせねばなるまい」

それをきっかけに、もう一杯お茶を飲んでから、めいめい自分の天幕に引き返した。帰宅したセンロン王は、妃のギャサにことの顛末を笑いながら話して聞かせ、うぬぼれ者のトゥンがどんなにがっかりし、悔しがったことか、と冷やかした。

龍女ゼデンがリン国に到着し、ゴンモと名付けられ、王の召使いとなる

そのすぐ後、ギャサは川に水を汲みに行き、ゼデンが動物たちとともに到着したのを目にした。

占いによって予言された内容を夫から聞いていたので、風変わりな旅人を見ても、彼女はさほど驚かず、娘が近くまでやって来ると、どこから来たのか尋ねただけだった。

「ゴン国[18]から来ました」と龍女は答えた。

「その国で生まれたのかい？」とギャサはまた尋ねた。

「そうです」とゼデンは答えた。

こうして彼女にはゴンモ(19)という名が与えられた。彼女は自分の本当の名を明かさなかったので、ケサルが王位に即くときまで、リン王国ではこのあだ名で呼ばれることになった。

ギャサは新来者を自分の天幕に招き入れ、何日か留まって休息するよう勧め、娘はその招きを受け入れた。

龍たちはどんな姿にもなることができ、人間の姿に変身するのを、とりわけ得意としている。外見からは、ゼデンの出自がうかがえるものは皆無であり、牧畜民たちは彼女をごく自然に自分たちと同じ種族とみなした。

ギャサはその娘を一週間身近に留めおいて、彼女が気に入ったので、召使いとして採用する許しを夫に求めた。彼は同意し、その龍女は連れてきた動物たちとともに、彼ら夫妻のもとに身を落ち着けた。

センロン王が龍女に心惹かれたことと王妃ギャサの嫉妬

ゼデンがリン国王のもとに来てから三年が過ぎた。その間、彼女はなすべき仕事を几帳面に果たした。家畜たちを山に連れて行き草を食ませ、牛乳を攪拌してバターにし、燃料にするためにヤクの糞を乾かし、その他何やかやと重宝がられるようになった。

当初、センロン王は彼女に何の注意も払わなかったが、彼女が優雅で容姿がととのい、顔だちも感じがよく、ほほえむと魅力的なことにしだいに気がついた。それから、わが家のかまどを明るくするこの若々しい娘をわが物にしたいと思うようになるまでは、ほんの一歩のことだった。センロン王は五十歳という年齢にもかかわらず、身のうちに若者の心がよみがえるのを感じ、それをかわいらしい召使いに伝えた。

つつましいゴンモとなっていた龍女も、主人に対して単なる敬意や感謝を越えたこまやかな感情を抱いていた。彼女は、いまだに美丈夫で、けっして心変わりしない良心の持ち主だったセンロン王の二番目の妻となることをよろこんで承諾した。しかし妃のギャサは、競争相手の存在を許すつもりはなかった。この国のならわしでは一夫多妻も一妻多夫も許されていたが、彼女は夫との間に息子をひとり授かった以上、夫には二番目の妻を迎えるいかなる正当な理由も主張する余地はない、と言い張った⑳。

それまで王の天幕はなごやかそのものだったが、それからというもの、ギャサが召使いに頻繁にけんかをしかけるようになり、調和はかき乱されてしまった。センロン王はことのなりゆきを見て、もう若くはないのだし、夫婦の仲を危うくするのは間違いのもとだと考え、あえて欲望のままにふるまおうとはしなかった。

嫉妬深い妻は、夫の自己犠牲に対してなんら感謝などしなかった。夫を信じられなくなり、龍女を憎むようになった彼女は、出し抜かれるのを避けるもっとも確実な方法は、相手を亡き者にすることだと考えた。

とはいっても、野営地の近辺でみずから手を下して殺めることなどできるわけがなかった。策略をめぐらし、娘を悪鬼たちに喰わせてしまえばよいと思いついた。ある思いがけない事情が、彼女の悪しき計画には好都合となった。

センロン王の巡礼への旅立ちと王妃ギャサの策略

深い信心に衝き動かされてのことか、あるいは諦めねばならなかった愛欲の念を静めたいと願ってのことか、センロン王ははるか遠くの聖地への巡礼に旅立った。うら若い娘の疑念を招かぬよう、ギャサは何か月か、仲直りしたようなふりをして過ごし、その後ある日彼女に言い渡した。

「ゴンモよ、わが息子ギャツァの馬の手綱を引き、トヤン・チャム・ツェマ峠のあたりの山中に連れて行き、草を食ませなさい。わたしはある予言の書を読んだことがあります。それによると、馬がその地方でトルコ石の色をした青い草を食めば、その馬は南のツィブダで宝を見つけるだろう、とあります。その宝は、人間には誰にも見つけることができないもので、それを掘り出すには馬がその脚で土を掘らねばなりません。ひとたび馬がそれを白日のもとにさらせば、馬の主人はそれを持ち出すことができます。わたしたちがひとり占めできるとしたらどんなにすばらしいことでしょう」

龍女はひとことも答えなかったが、女主人の策略にだまされたわけではなかった。宝など何も見つからないだろうし、トルコ石色の草なんてどこにも書かれてはいない、と思った。この人がそのような書物を読んだはずはなく、嫉妬にかられて、センロン王の留守をよいことに、わたしを厄介払いしたいのだ。わたしを行かせようとしている峠のあたりには人喰い鬼が出るのは誰もが知っている、奥様はわたしが喰われてしまえばいいと願っているのだ。

悲しみは大きかったが、女主人の命令を拒むわけにはいかなかった。そこで、彼女は出発し、長い綱で馬を引き、ゆっくりと歩いて行った。

山すそにたどり着き、小道が登りにさしかかったところで、遠くの方に悪霊たちの恐ろしい姿をちらりと目にした。あわれな娘は怖くなり、どうしてもそれ以上先には進めなかった。馬をいばらの茂みにつなぎ、岩陰に身を隠して坐りこんだ。そこでさんざん泣いたあげく、疲れの方が恐怖を上回り、彼女はとうとう眠り込んでしまった。

アス・ケンゾ神が龍女のもとに降りてきて、魔法の飲み物を飲ませる

ケサルの父となるようかねて指名されていたアス・ケンゾ神は、住まいとする〔神界の〕楽園の高みからそのありさまを見おろし、自分の使命を果たすには願ってもない機会だと判断した。青い〔＝銀灰色の〕駿馬にまたがり、金色の虹の上を、娘のもとへと降りていった。六百柱の神々が勝幡（しょうばん）[21]と宝傘を掲げて供奉（ぐぶ）した。きらびやかな行列が、まばゆい光の中を進んで行った。

この世のものならぬ明るさに目を覚ました娘は、光り輝く神々の群れがまわりを取り囲んでいるのを見て、すっかり恐れをなした。

アス・ケンゾ神は馬を降りて娘に近づいた。甘露[22]をなみなみと湛（たた）えた金の瓶（かめ）を手にし、その中に孔雀の羽の束を浸した。成就者トェパ・ガワ[23]がこの神聖な水の中に映りこみ、その映像をそこに刻みつけた。

「龍女よ」とアス・ケンゾ神は言った。「何も恐れることはない。わたしが何者かわからないのなら、覚えておきなさい、わたしはパドマサンバヴァ師から遣わされた尊者（ニチェン）アス・ケンゾという者だ。この神聖な瓶は魔法の成分で満たされており、百十の成就者たちの長（おさ）を隠しこんでいる。飲みなさい。そうすることで、ある王国がおまえの手に入るだろう。そして悪鬼たちは退散し、おまえは至高の教えの果実を獲得し、すべての望みが叶うだろう」

アス・ケンゾ神が聖なる水を八吉祥印㉔の飾りのある黄色い翡翠の杯に注いで差し出すと、娘はその水を飲んだ。するとアス・ケンゾ神はひとことも付け加えずに、金の虹の上をふたたび天高く昇って行き、六百柱の神々が付き従った。しばらくの間、神々の行列を取り巻く楽の音と光がなおも空中に漂い流れていたが、そのうちに山の上はまたすっかり暗く静かになり、龍女は自分が夢を見ていたのではないかといぶかった。

夜が明けると、彼女は女主人の馬を連れて、引き返した。召使いが無事もどって来たのを見て、ギャサはたいそうくやしがったが、落胆を隠そうと努めた。「草を食んだか」と馬のことを尋ねたが、質問を長引かせることなく、ゴンモをお茶を飲みに行かせた。

未来のケサル誕生の予兆

帰った次の夜、龍女は頭に激しい痛みを覚え、三日間重病だった。四日たってもまだ同じ状態で、病気は軽くなることも悪化することもなかったので、女主人は考えた。「あの娘の面倒を見てやらねばなるまい。もしわたしが知らぬふりをしたら、この国の人々は、わたしには思いやりがない、と悪しざまに言うだろう」

そこでラマと医者をひとりずつ呼ばせた。ラマはさまざまな法要を執り行い、医者は病人に薬を飲ませた。しかし病人には、自分の病気がよくなったとも悪くなったとも思えなかった。

センロン王の妃は、召使いが病に倒れたときから、その死を願っていた。病気がどのような結末を迎えるのか、さっぱりわからないままなので、時が経つにつれて王妃のいらだちはつのっていった。

ある夜、もう我慢ができなくなった王妃は、自分の天幕のそばに立てられた、ゴンモが臥(ふ)している天幕に行った。

「死を前にして、何か思い残すことがあるのか」と、ずけずけと言った。「何か、どうしても別れがたいものへの激しい執着が、おまえをこの世に引きとどめ、死出の旅立ちを邪魔しているのではないか。㉕それとも、おまえの中には悪鬼がいて、おまえを治らせないようにしているのではないか」

「お妃様」とあわれな龍女は答えた。「そういうことはまったくありません。わたしが治らないのは、わたしのかかった病が重いからです。わたしが死なないのは、もともと丈夫なたちだからです」そして娘は泣き出した。

ギャサは、病気の娘にきつい物言いをしたことが恥ずかしくなり、何も言わずに自分の天幕に引き返した。

龍女の身体から三人の童子とひとりの童女が出現する

王妃が出て行ってからいくほども経たぬうちに、龍女は白い虹の端が自分の頭上にかかるのを見た。と同時に、彼女の身体から光が立ちのぼり、その虹につながった。そして、ほら貝のように白い童子(どうじ)が、頭のてっぺんから出現した。その子は、彼女のまわりを右回りに三周し、言った。

「お母さん、誰かがやって来るでしょう。その人からあなたは、わたしを産んでくださったご好意に対する報いを得ることでしょう」

それから、その子は天へと飛び立ち、観音菩薩が住む楽園に着いた。

翌日、天から降りて来る赤い微光が龍女の右肩にかかった。その肩から炎のように赤い童子が飛び出して、彼女のまわりを回り、先に彼の兄が言ったことと同じことばを口にし、赤光の中を燃灯仏の楽園に昇って行った。

次の日、彼女の左肩に射したのは青い光だった。その中から出てきたのはトルコ石のように青い童子だった。その子は彼女のまわりを回り、先にふたりの兄が言ったのと同じことをくりかえし、青い光の道の上を「まったき喜び」の楽園(26)へと昇って行った(27)。

この奇妙な一連の奇跡が始まって四日めの明け方に、太陽の光が龍女の胸に当たるのとほとんど同時に、なみはずれて美しい童女がそこから飛び出した。その子は、瞑想する五仏の像をいただく帽子をかぶり、人間の骸骨でできた首飾りやその他さまざまの装身具で装われていた。母の前に三回ひれ伏し、先に彼女の兄たちが言ったことと同じことばを口にし、太陽の光線に沿って、ドルマ女尊の楽園へ向かった。

龍女から生まれ出た奇怪な袋

五日め、ほのかな光が龍女の臍の上に現れ、そこから袋が出てきた。

これらの不可解な出来事があいつぐにつれて、ゴンモのおびえはつのる一方であり、このうんともすんとも言わない袋を目にして、彼女は恐怖で気が狂いそうになった。

「これはいったい何かしら」と彼女はいぶかった。「人間の子がこんな風に生まれてくることは絶対ない。そうしてみると、わたしは自分と同じ種族に属する生きものを産み落としたということだろうか」

女主人はあの夜、龍女に対してあれほど厳しい態度をとってからというもの、彼女をずっとひとりきりに放っておいたが、龍女はもうこれ以上その孤独に耐えられなくなり、我を忘れて天幕の帳を開き、ギャサ王妃を呼んだ。王妃が入ってくると、隅にころがっている袋を見せた。

「それは何?」と王妃は肝をつぶして叫んだ。「このようなものを見たことがない。おまえにこれを遣わしたのは、神だろうか、悪鬼だろうか。誰ならこの正体がわかるだろうか。トトゥン叔父様㉘にこの袋を見せて、ご相談せねば」

「わたしにはとてもできません」とゴンモは震えながら答えた。

「おまえに話す勇気がないなら、わたしが自分で話そう」とセンロン王の妃は答えた。

王妃は大急ぎで義理の弟トトゥンのもとに走り、自分が見たことを語った。

トトゥンの思惑

トトゥンは黙ったままで、何も答えず、この奇妙なできごとが何を意味しているのか、ありうる可能性を探っているようだった。

実は彼はこのできごとを、一族の蔵書が保管されていたシャロク・ツァンタン邸に滞在していたころに読んだ、昔の予言と結び付けていた。それに関してある書物には、ひとりの娘が何頭かの動物たちを連れてやって来るであろう、その娘は何柱かの神々の母となり、それからリン王国の王となっていくつもの国々を征服するであろう人物の母となる、と書かれていた。

義理の姉〔＝ギャサ〕と同様、トトゥンも三柱の神㉙と一柱の女神㉚がこの龍女から生まれたことを知らなかったが、彼女〔＝ゴンモ〕が五頭の動物とともに到着したことはよく覚えていた。おそらくこの奇妙な袋は、一連の予言と関係があるにちがいない。

天下無敵の王となるべき人物の誕生は、リン王国にとっては幸いかもしれないが、自分には迷惑千万な話だ、と彼は考えた。兄センロンがリン王国の部族の王であるかぎり、自分も重臣のひとりとして留まることが保証され、自分の権威も事実上、王と同等である。別の人物が王となれば、そのような権威は、全部が全部奪われないにしても、取るに足りないほどに削られてしまうだろう。権力を失うことは、それにともなう利益を失うことである。今の安楽な暮らしを保証している、家畜や羊毛、バター、その他たくさんの贈り物の品々が、これからは自分の前を素通りして、別の誰かに届けられることになる。何ということだ！　悪者は誰か、手遅れにならないうちに見つけ出さねばならない。

トトゥンは沈思黙考から覚め、ゆゆしき一大事だという風によそおった。

「ゴンモと袋を見に行こう。だが、わたしの見るところでは、この奇妙なできごとはよい前兆ではない」と彼は言い渡した。

ギャサが出ていった後、トトゥンは一頭の馬に鞍(くら)をつけ、兜(かぶと)をかぶり、幾振りもの太刀を腰にたばさみ、おそろしく不機嫌そうに、龍女の天幕に向かった。

着くと、袋を見せるように言い、目の前にそれが置かれると、深い嫌悪と大きな悲しみをあらわにし、自分の胸を打ちながら叫んだ。

「アカー！　アカー！　なんてひどいことだ。中国でもチベットでも、どんな女からであれ、この種の代物が生まれたためしはない。おまえはいまわしい娘だ。だからこんな怖ろしいものがおまえの身体から出てきたのだ。これ以上長くその袋をここにおいて置くと、リン王国の災いのもとになる。すぐに川に投じねば」

トトゥンの命令で、三人のラマと三人の家長、三人の女がその袋を川のほとりに運んで行き、日没とともに流れに投じた。

袋は流れ流れてホル王国に到着する

その夜、ホル国王は川の中で輝く宝石の夢を見た。目が覚めると、大臣リクパ・タルブムをそば近くに呼び、漁師でもあった大臣に、何か網にかかったら、何でもよいから持ってくるよう命じた。

その日のうちに、リクパ・タルブムは流れに運ばれてきた袋を掬（すく）いあげ、王に見せた。王もその側近たちも誰ひとりとして、この未知の物体をどう考えたものかわからなかった。王は、調べに来てほしいとラマのティロンを招請させた。このラマは多方面に通暁しており、袋を一瞥するやいなや、ためらうことなく宣言した。

「これは人間の子宮だ。何が入っているか、見てみよう」

居合わせた人々のひとりから小刀を借りると、ラマは袋を裂いた。

中から最初に取り出したのは、炎のように赤い童子だった。

クルカル王は言った。

「その子をわたしにくれ。その子がほしい」

王は赤い絹の布でその子を包み、連れて行った。

次いで、ラマがトルコ石のように青い童子を取り出すと、王の弟クルセル王がその子をほしいといって、青い絹のはぎれで包んで連れて行った。

袋の中にはまだ、黒い童子がいた。今度は一番年下の弟クルナク王がその子をほしがり、黒い絹の産着（うぶぎ）に包んで連れて行った。

この三人の王たちは、はるか数百年も昔ブッダを冒瀆し、この世で権力者に生まれ変わってブッダの教えとそれを唱える人々を滅ぼしたいと願った、例の母親の三つの化身(31)であった。自分たちが連れて行った童子たちの素性を見分けられなかったばかりに、彼らはみずからの敵を育てることになった。というのは、この三人の童子は、〔みずからの育ての親である〕ホルの王たちに対する戦いにおいてケサルを助けると約束した神々の化身だったからである。

赤い童子はディクチェン・シェムパ、青い童子はシェツェン・ユンドゥプ、黒い童子はトプチェン・トゥグ・メバルと名づけられた。

ケサルの奇跡的な誕生

袋が川に投じられた翌日、龍女は心臓の上のあたりで話す声を聞いた。まるで誰かがそこに閉じ込められているかのようだった。

「お母さん」とその声は言った。「今こそ、わたしの生まれてくるときですか。あなたの頭のてっぺんから出てきてもいいですか」

またしても、あわれなゴンモは驚愕に襲われた。

「もしも悪鬼なら、頭から出ていらっしゃい」と彼女は答えた。「でも、もし神なら、お願いだから普通に生まれてきて。トトゥンとギャサはわたしのことを怒っています。彼らが目にしたあの奇妙な袋のせいで、彼らはわたしが悪鬼の種族だと思い込み、わたしが生きていることが、この国に災いを招くのではないかと恐れています。きっと彼らはわたしを殺すつもりでしょう」

その声は答えた。

「何も心配しないように。あの人たちはあなたに全然害をなさないでしょう。あなたの頭から生まれ出るのはよいことです。でも、まずはじめに、あなたは兆しを調べてみないといけません。

連れてきた動物たちが子を産んだかどうか、見に行きなさい。白い米の雨が天から降っているか。金の花々が開いたか。黄、赤、青、黒の雪が大地を覆っているか。自分で確かめに行きなさい」

天幕から出ると、ゴンモは、すべて体内の話し声が言ったとおりであることを見てとり、仰天した。

父の龍王メンケンが与えてくれた家畜たちそれぞれのそばに、新たに生まれた子が寝ていた。赤、青、黒と色とりどりの雪が積もり、そこから黄金色の花が伸び広がり、夢のような敷物となって土を覆い、天から白い米の雨が降り、その一粒一粒がまるで銀箔の小片のように、きらきら輝いていた。

龍女は一瞬、この驚異に目を奪われたものの、先ほど聞いた声のことが気にかかり、前の童子たちと同じ奇跡的なやりかたでまた子どもが生まれようとしていると知って、自分の天幕に身を隠した。

すると、頭のてっぺんに開いた白い節目から、三つの目に似た三つの点のある、白い卵が出てきた。

なんて奇妙なものだこと、とゴンモは思った。しばらく前、身体の中から男の子の声が聞こえたが、生まれてきたのは卵だった。彼女はそれをぼろきれに包み、服のふところに入れた[32]。まもなく卵は自然に割れて、チャンのように暗い色[33]の肌を持つ男の子が出てきた。その顔には三つの目があった。

今度新しく生まれた子は、兄たちのように飛び去ろうとはしないようだった。母は、その顔に開いた三つの目を悲しい思いで見つめ、こんなおかしなことではまたトゥンとギャサの怒りをかい、ひどく責められるもとになるだろうと予想した。

そのような先行きがあまりに耐えがたいことに思われて、彼女は幼子の額のまん中、両眼の間にある、第三の目を親指でつぶした。そして子どもを両手に抱いて、問いかけた。

「どこから来たの。なぜわたしから生まれたの。なぜわたしの家畜たちは今日、いっせいに子を産んだの」

童子は答えた。

「何年も何十年もの間、わたしはヒンドゥー教の隠者として、深い森の奥でただならぬ厳しい苦行を行いました。こうして徳を積んだおかげで、コルロ・デムチョクとドルジェ・パクモの息子として神々の世界に生まれ変わりました。名前はトェパ・ガワといいます。

何人もの悪鬼が地上に出現し、大いなる御教え(みおしえ)を滅ぼそうとしています。彼らと戦い、彼らの悪しき企てが実行されるのを防ぐために、わたしはやって来ました。この務めを果たすためには人間の身体が必要であり、そのためにあなたの身体を借りたのです。

動物たちの子について言えば、あなたの雌馬の産んだ子馬は大日如来の化身で、わが乗馬としてわたしが交えるあまたの戦いでわたしを助けてくれるでしょう。他のものたちは吉祥を告げる使者です。

ディ[34]の子牛には金の角があり、子羊と子ヤギは神々の持つ群れから来ています。これはわたしが牧獣を勝ち取り、牧獣がこの国にたくさん増えることを予告しています。子犬が生まれたのは、勝利を予言する喜ばしい兆しで、敵はけっしてわたしを奇襲することはなく、わたしに打ち負かされるでしょう。

黄金色の花々が開いたのは、おおぜいの賢人ラマがリン王国に生まれることを意味します。

黒い雪は北国の黒鬼ルツェン王と関係があり、わたしは彼の眉間(みけん)を矢で射抜くでしょう。

黄色い雪はホル王国のクルカル王に対する勝利を予言するもので、わたしは鞍を彼の首の上に置き、馬乗りになって彼を殺すでしょう。

同様に、青い雪と赤い雪はサタム王とシンティ王の王国の征服を示しています。あなたの上に白い虹の端がかかりましたが、それはわたしと神々との近縁関係の証であり、神々はわたしの相談相手、助っ人となるでしょう」

その日の午後、雪がたくさん降った。龍女は数々の驚異と息子の誕生にすっかり呆然とし、召使いとしての務めを忘れていた。夕方ギャサは、天幕の前に積もった雪は掃かれていないし、小川に水を汲みに行った跡もないのを見て、棒を手にゴンモが閉じこもったままの小さな天幕に行き、怠けた罰として彼女を打ちすえようとした。

龍女は帳の隙間を通して、遠くからそれをかいま見て、恐怖におののいた。

「ギャサがこっちに来るわ」と彼女は息子に言った。「棒を手に、怒りに引きつった顔で。わたしを打つにちがいない。きっと殺されてしまう。三十六計逃げるにしかず」

「安心なさい」と幼子は答えた。「彼女に話してやろう、わたしが強力な悪鬼たちと戦い打ち負かすために、神々の住まいから降りて来たことを。このわたしが女ひとり言い負かせられないなんて、そんなばかなことがあるものか」

「息子や」とあわれな龍女はすっかり震え上がって叫んだ。「そんなに向こう見ずにならないで。あなたは人間の女のことも、愛憎の念が女たちをどれほど恐るべき存在に変えるかも、まだ知らないのだから」

「何も心配はいりません」と童子は答えた。「わたしを地面に降ろしてくだされば いいのです」

ゴンモは言われたとおりにした。ギャサが入ってきて最初に目にしたのは、すっくと立つ男の子だった。大きな目に黒くて長い髪と、非の打ちどころのない美しさをそなえていた。その子はいかめしい態度で王妃をじっと見すえた。

王妃は恐怖のあまり死ぬかと思い、棒を取り落とし、そのまなざしに射すくめられて、ひとことも口がきけなかった。

「わたしの言うことを聴きなさい」と男の子は言った。「もしわたしのことを知らないなら、わたしが何者か、わからせてやろう。

父方について言えば、わたしはホル国のクルカル王の縁戚であり、彼と同様、ハチェン・ホルの家系に属する。わたしの母は黒鬼の一族で、北国の君主ルツェンのいとこに当たる。わたし自身は、実は九つの頭を持つ鬼で、中国とインドを滅ぼすためにやって来た。わたしに逆らわぬよう、気をつけなさい。おまえを喰ってしまおうかと考えているのだから」こう言いながら、あちこち大股で歩き回った。

トトゥンと王妃は、英雄が生まれるとすぐさま殺そうと企む

ギャサは恐怖に青ざめ、あらん限りの力を振り絞って逃げ出し、自分の天幕にはもどらずに、息せき切って走って行き、トトゥンのもとに身を寄せた。

そこに着いたとき、彼女は気が変になったように見えた。ものが言えるようになるまでにはしばらくかかり、お茶を何杯か飲まないとならなかった。

王妃は義理の弟に自分が見聞きしたことを語り、悪鬼を殺させるように、と懇願した。彼女が話している間、トトゥンは思いをめぐらせていた。一族伝来の書物に記されていた予言が、逐一実現しつつあった。もはやそれを疑う余地はなく、以前から感じていた数々の気がかりが、さらに強烈に彼の心を鷲づかみにした。未来の征服者の到来は、リン王国にとっては幸いだが、これまで重臣として尊重され、毎日こつこつと富を増やしてきた彼にとっては、失墜の前ぶれだ。くだんの英雄は正義の味方として厳格な裁きを下すだろうと言われてきた。トトゥンが好きな聖人たちとは、夜、炉辺(ろばた)で強い酒を何杯もあおりながら語られる物語の中の聖人たちに限る。品行方正を絵にかいたようなこの手の連中は、あまり近寄り過ぎると、厄介な人種だ。好きこのんで用もないところに鼻を突っ込み、あの世で福者たちの中に席を占めようと志すより前に、まずはこの世で利益を確保しようと目論(もくろ)む人々の邪魔をするのだ。

こうした考えを心の中でこねくり回したすえに、彼は子どもの死を決した。今すぐあの子を抹殺しておかないと、成長して強くなってからでは、手遅れになると判断したのである。

「その怪物を、しかとこの目で見てみよう」と、彼はギャサに言った。

即座にトトゥンは馬に鞍をつけ、兜をかぶり、腰に剣を帯びた。リン王国の重臣たるトトゥンは、人々の前に姿を現すに当たっては、支配下の臣民から敬服されるようないでたちを、つねに心がけていたのである。

それから、龍女の天幕に向かった。馬から降りる前から、あわれな娘をののしり、怒りを込めて叫んだ。

「悪鬼の娘め、なぜわが国内でその子を産んだのか。邪悪な女だ、おまえがここに着いたその日のうちに、殺してしまえばよかったものを」

そして、母が服のふところにもどし入れていた子どもの頭をつかみ、引き離そうとした。しかし母は子どもの両足を抱え、引きもどそうとがんばり、トトゥンと母親はかわいそうな幼子を反対方向に引っ張りあった。

「放して、お母さん」と子どもは言った。「あなたの優しさとあなたのつらい思いが、わたしを苦しめます。トトゥンはわたしに何もできやしないよ」

ゴンモが抱く手を緩めると、トトゥンは子どもの片足をつかみ、その頭を石で三回、力いっぱい殴った。そして、子どもを地面に落とした。ところが、てっきり殺したと思った子どもは、浅黒い顔に皮肉っぽい笑みを浮かべて立ち上がると、恐れる気配もなく、きらきら輝く大きな目で、自分を虐待する相手をじっと見つめた。

肝をつぶし不安になったトトゥンは、それでもどうにかこうにか気を取り直した。ギャサの助けを借りて、男の子を縛り上げ、隅に束ねてあったぼろで包むと、遠からぬところに穴を掘って埋め、まず棘(とげ)だらけの枝で、次に土で、子どもの身体を覆い、最後に平たくて重い石を置いて墓とした。

龍女は止めに入ることもできぬまま、息子が死んでしまったと思い、悲嘆のきわみにあった。トトゥンとギャサが去るとすぐに、子どもが埋められたところに近づき、話しかけた。

「怖がらないで。かわいそうに」と彼女は言った。「あなたの身に起こったことはすべて、前世の因果なのだから。楽園へお行きなさい。ラマたちを呼んで、法要をしてもらいましょう。あなたの〈意識〉が楽園で幸せになれるよう、わたしはあちこちに巡礼に出よう」

そう語りかける間も、涙が悲嘆にくれるゴンモの息をつまらせた。

そのとき、地面の下から、声が上がった。

「泣かないで、お母さん」と、奇跡の子が言った。「わたしは死んではいません。神々から遣わされたわたしには、死など存在しません。トトゥンがわたしに遭わせたひどい仕打ちの数々からは、吉兆を見いだすことができます。

彼がわたしを埋めたのは、わたしが今いる所の土地が将来わたしのものになるしるしです。わたしの上に置かれた大きな石は、わたしの力が岩のように揺るがぬものとなることの象徴です。わたしが包まれていたぼろ布は、わたしがまとうであろう王者の服の寓意です。そっと家に帰ってください、お母さん。わたしは兄弟神たちのところに行き、三日後あなたのところにもどって来ます」

喜びでいっぱいの龍女は、自分の身のうちに宿り、生まれてきた子どもの力に感嘆しながら、天幕にもどった。

夜になるとカンドマたちが童子の墓へと、白光の道を降りて来た。石を持ち上げると、土を取り除け、トェパ・ガワの化身をその一族の神々のもとへ運んでいった。

凶行の後、トトゥンはセンロン王の天幕に入って行き、ギャサが淹れた茶を、ふたりとも大喜びで笑いながら飲んだ。

「悪鬼は今度こそ確かに死んだ」とトトゥンは言い、これまで気がかりとなっていた数々の予言を未然に取り消せたと信じて、安心していた。義理の姉はといえば、その恨みが歳月によって薄らぐはずもなく、「いくら丈夫なたちのゴンモでも悲しみに打ちひしがれ再起不能になるにちがいないから、巡礼から帰ったセンロン王が生きている彼女に会うことはあるまい」とひそかな喜びに浸っていた。

しばらくギャサとともに過ごした後、トトゥンは自分の天幕に引きあげた。帰ると、数々の心配ごとがまた頭をもたげてきた。

例の書物に記された予言はゴンモの息子にかかわりがある、と彼は確信していた。ヤクの頭蓋骨ですら打ち砕けるほどの力をこめて、子どもの頭を岩で殴っている自分の姿が目に浮かんだ。それなのに、少年は彼を鼻であしらい、立ち上がったのだ。

とはいえ、今となっては土の下に横たわり、大きな石を上に載せられ、あの子は死んだはずだ。もちろん人間の子だったらひとり残らずそうなるだろうが、あの子は生まれていくらも経たないのに、口をきき、歩き、脅しのことばを吐いたのだから、神か悪鬼の化身だったのではないか、……そうだとすれば、どんな目に遭わされても、まだ生きているかもしれない。

不安にかられたトトゥンは自分の天幕で、一睡もせず飲まず食わずで、頭に取りついて離れない考えに悩まされていた。お人よしの兄センロン王に代わってリン王国を支配するであろう王は、彼から重臣の称号を剝奪するだろう。あるいは、彼の財産の出所について報告を求めるだろうが、それを釈明するのは難しい。おそらく財産は没収されるだろう。少なくとも、彼がこれ以上私腹を肥やすことは許さないだろう、と。

子どもを墓から出して神々の住まいに運んでから三日後、カンドマたちは幼子を母のもとに連れもどし、母は子を白絹のカタに包んで服のふところに入れた。

トトゥンは不安に胸を締め付けられ、恐るべき競争相手を厄介払いできたのかどうか、どうしても知りたくなった。もはやこらえきれなくなって義理の姉に会いに行き、あの子がまだ生きているのではないか、と内心の危惧を打ち明けた。

彼には、みずからの手で塞いだ石が取り除かれていないか、最初に墓に行って確かめる勇気がなく、ギャサに見に行かせるための口実を案出した。彼女は、彼の心を圧倒している感情を難なく見抜いていて、彼女自身、彼より勇敢なわけではないから、いっそう恐れをつのらせた。

彼女はそれでも、義理の弟の求めをあえて拒まず、出かけたものの、墓までは行かずに、遠くからその様子をうかがおうとした。

彼女が足を止めた場所からは、母親の天幕の中で子どもが話しているのが聞こえた。そうとなれば、現場検証などまったく不要だ。あの小さな悪鬼がまだ生きているとわかったのである。彼女は一目散に自分の天幕にもどり、ゴンモの息子が母親のもとに帰っていて、目下のところ母とおしゃべりしていることを、トトゥンに知らせた。

この知らせにトトゥンはさして驚かなかった。彼は最悪の事態を予想していた。

「あの怪物を殺すことなど、われわれには絶対に無理だ」と、彼は義理の姉に言った。「そのようなこともあるいは可能かもしれない。しかしそれには、われわれよりもっと練達した人物の手を借りる必要がある。神々と悪鬼を打ち負かせるのは、魔術の手段だけだ。わたしは、外道（げどう）[35]の僧院へ、隠者ラトトナに相談に行こう」

大魔術師ラトトナ

翌日、夜明けとともにトトゥンは馬に乗り、隠者ラトトナの住む山へ向かった。その隠者は毎年春になると、自分が僧院長を務める僧院を出て、夏の間じゅう、ある洞窟で暮らしていた。彼は、かつては長年にわたってその洞窟で孤独と暗黒の中で過ごし[36]、生きとし生けるものとものごとの上に及ぼすけたはずれの能力を獲得したのだった。

隠者のかくれがに着くと、トトゥンはふさわしい敬意をこめて、白絹の長いカタの上に高価なトルコ石をふたつ載せて捧げ、三回ひれ伏し、隠者ラトトナに話しかけた。

ラトトナは彼を招き入れて敷物の上に坐るよううながし、ふたりともしきたりどおりに挨拶を交わし、その後隠者はトトゥンに、何のための訪問かと尋ねた。

「ある深刻な問題についてのご相談です」とトトゥンは答えた。「わたしにとっては、実に重大きわまることなのです。わたしにはひとつ、大きな心配の種があります。そこから救い出していただけるのなら、わたしの持てるものの半分をさし上げましょう」

魔術師はいかにもやさしげにほほえんだ。彼は悪鬼たちを手なずけ、奴隷として駆使する力を獲得していたが、飽くことない貪欲さを制御する力は持ち合わせていなかった。彼はトトゥンが裕福なことを知っており、そこから引き出せるであろう財産の見通しは、彼の金銭欲を快くくすぐった。

「どうしたらお役に立てるだろう」と彼は尋ねた。

どんな些細なことも省かずに、同じことを何回も繰り返して、トトゥンはラトナに、知らせるべきことをすべて知らせた。ゴンモの到着、彼女が産んだ袋、その後産み落とされた童子、その子を殺すためになされた数々の企てが失敗に終わったことなどなど、一部始終が彼の口から語られた。

彼が話し終わると、隠者はもったいぶって言った。

「それはそれは。あなたにとってはまことに一大事でしょう。しかし拙者にとっては些細なこと。その子の身の丈はいかほどか」

「まだほんのちっぽけな男の子です」とトトゥンは答えた。

「よろしい、拙者に任せなさい、そして安心なさい。あした、三羽の黒い鳥を遣わそう。鳥たちはあなたの邪魔ものを片付けてくれるだろう」

そう言うと、客を慇懃に送り出した。というのは、悪霊たちに供物を捧げ、もろもろの儀式や魔術のことばへの加護を願うべき時刻になっていたからである。

晩に帰るとすぐ、トトゥンは義理の姉に、ラトナとの会談とそこで交わした約束について知らせた。ふたりとも、今度こそすっかり安心し、確信しつつ翌日を待った。

しかし、幼い男の子は、トトゥンが魔術師の隠者を訪ねたことや、隠者が自分に対して何をたくらんだかを知っていて、母に言った。

「これから目にすることをちっとも恐れることはありません。あした、天幕の前に開けた谷から、敵がやって来るでしょう。鳥の羽と、あなたの両腕を伸ばした長さ〔＝尋〕㊲の糸杉の枝を、いくらか持ってきてください」

息子が神の化身だと知る龍女は、急いで彼の言うとおりにした。

その木で、童子は弓と矢をこしらえた。母の頭の右側から髪の毛を三本取って弓弦にし、鳥の羽を矢羽根にした。

翌朝、鳥たちが現れた。鉄と銅の細かな薄片でできた燃える甲冑を羽毛の代わりにまとい、そのくちばしは電光を放つ鋭利な剣となっていた。トトゥンとギャサは自分たちの天幕の帳のかげに隠れて、鳥たちの来るのを目にし、仕組まれた惨劇の結末やいかに、と興味津々見ていた。

幼い男の子は怪物たちを見るやいなや、一本の矢を弓に番え、天幕の入り口に進み出た。彼には見えるが、ほかの誰にも見えない、パドマサンバヴァと天の軍勢が彼を囲んでいた。彼が三本の矢を次々に射ると、三羽の鳥は死んで地上に落ちた。男の子は笑いながら家にもどった。

トトゥンとギャサはその場に釘付けになったまま、驚きと恐れで石のようになった。

動揺からいくらか立ち直ると、トトゥンは翌日またラトナのもとに行った。

ラトナは洞窟の前で外気に当たっていた。リン王国の重臣がやってくるのを見て、みじんの疑いもなく、かねて約束した財産の先ぶれとして何か豪華な贈り物をとどけに来たにちがいないと思い、強い満足をおぼえた。

トトゥンが前に立つと、型どおりの挨拶は抜きにして、確信ありげに言った。

「子どもは死んだね！」

そのときようやく、客の打ちのめされたような顔つきに気づいた。これは断じて勝利の知らせをもたらす人の顔つきではない。

「いや、死んでいない」とトトゥンは乱暴に答えた。「あの子はあなたが遣わした鳥たちを殺した。鳥たちをやっつけるのに、ほんの一瞬しかかからなかった。あの子はわたしたちの誰よりも強い。われわれに可能な最良のことは、彼から遠くに逃げることだ」

自分の妖術の予期せぬ結果にとまどいながらも、魔術師は重臣の目にみずからの威信がすっかり失墜するのを恐れ、自信たっぷりを装った。

「そんなことはなんでもない」と隠者は言った。「つまらぬことだ。拙者はただ単に前もって調べてみようとしただけだ。結果は前からわかっていた。あなた方凡人㊳には、われわれの行為やことばの霊妙さをとらえることなど絶対に無理だ。わたしは『子どもは死んだ』と言ったが、それはその子が生きていることを意味したのだ。生きている、とは言っても、死んだのと同じことだ。奥義伝授を受けた者にしか、わたしの言うことは理解できない。しかし、奥義伝授を受けようなどとは試みなさるな。あなた方俗人には無縁のことだ。心配は要らない。あした拙者のもとにその子をよこしなさい。どうしたら厄介払いできるか、わたしにはわかっている」

そして、口調を変えて、

「供物を持って来たのなら、この敷物の上に置きなさい」

トトゥンは、大あわてで来た上、起こったできごとに動揺していて、贈り物の用意を忘れていた、と白状せざるをえなかった。

魔術師は眉をひそめた。

「どうでもよろしい」と隠者はそっけなく言った。そして「その思念によって三界(さんがい)を(39)眼下に見る者は、地上の富には関心がない」と大げさな口ぶりで付け加えた。

トトゥンは、隠者の機嫌を損ねたのではないかと心配になり、不安に感じてくどくどと言いわけや約束を繰り返した。ラトナはそれには答えず、手を一振りして彼を送り出し、威厳たっぷりに一歩きびすを返し、洞窟へもどった。

天幕の立ち並ぶあたりに帰って来ると、トトゥンは遠くからゴンモを呼び、ラトナ隠者が会いたがっているので、息子をあした隠者のもとに遣わすように、と厳命した。

「どういうお方か、わかっているな」と彼は付け加えた。「強い威力をそなえた魔術師だ。もし言うとおりにしなかったら、おまえはたいへんな目に遭うぞ」

あわれな龍女は、トトゥンから受けた命令を息子に伝えた。

「あの恐るべき外道はあなたを殺すでしょう」と彼女は言った。「そうに決まっています。急いで逃げて、中国でもインドでもいいから、どこかに身を隠しましょう」

子どもは笑った。

「ちっともわかっていないね、お母さん」とその子は優しく答えた。「なぜ逃げたりするの？　わたしたちは誰も恐れることはありません。わたしたちの居場所はここです。ここにいれば幸せがやって来るでしょう。お母さんは家にいてください。あしたわたしはひとりで隠者のところに行きます」

魔術師ラトナと幼児の対面

翌日、彼はただひとり、一糸まとわず裸で魔術師の庵に出かけた。

見ると、隠者はゆったりとした長い衣をまとっていて、彫刻をほどこした人骨で作られた前掛けを掛け、髑髏をかたどった象牙製の小さな飾りをいくつも付けた黒い大きな帽子をかぶり、人間の頭蓋骨から切り取った輪切りの玉で作られた数珠を指でまさぐっていた。

三つの大きなトルマ[40]が隠者の手で洞窟の入り口にすでに置かれていた。子どもを見ると、彼はその後ろに立てこもり、前置きなしにいきなり、激しい口調で呼びかけた。

「悪鬼の息子よ、どこから来たのだ」

「ご機嫌いかが、お元気ですか、ラマ様」と幼い男の子は鄭重に尋ねた。

「ああ、元気だ」とラトナはそっけなく答えた。「おまえは前世で何だったのかね」

「覚えていません」と幼い男の子は静かにきっぱり言い切った。「でもあなたは偉大な

魔術師なのだから、そういうことをご存じにちがいない。お願いですから教えてくださ
い。あなたは前世で何だったのですか？」

　ラトナは、その質問が自分に返って来ようとは予想していなかった。藪から棒に尋ねられて、答の用意がないまま、うっかり本当のことを洩らしてしまった。

「わたしにも皆目わからない」と彼は白状した。

「本当に、何もご存じないのですか。そいつは奇妙ですね」と子どもはすかさず言い返した。「あなたは名高い隠者で、半生を瞑想のうちに過ごしたことで知られています。三年以上もの間、この洞窟に閉じこもり、すべての開口部を閉ざし、まったくの闇の中で、ひとことも話さず聞かず、相手が誰であろうと会おうとせず、食べ物を運んできた僕（しもべ）にさえ目もくれずに籠（こ）もりきりでした。それなのに、わたしの質問に答えられない。それならどうして、生まれてからたった数日しか経っていない子どもに、あなたがそんなにも長い間、熟考を重ねても得られなかった知識を見出せると期待なさるのですか」

「生意気な小僧め」とラトナは怒って言い返した。「わたしが長年の隠遁生活の間、生きとし生けるものたちの幸せのために、どれだけのことを行ってきたか、わかっておるな」

「もちろんです」と、素っ裸の幼童は、魔術師の目を見つめ、落ち着いて答えた。「あ

なたは誰かの幸せのためになど、何ひとつしたことはない。もっぱら信じ込みやすい人々をあざむき、供物（くもつ）をだまし取るわざに長（た）けた専門家だ。洞窟に長年立てこもってきたのは、策略を練るためだ」

　隠者は激怒に我を忘れ、自分のような大のおとなが、ほんのひとひねりで息の根を止めてしまえそうな赤ん坊を相手に議論をすることがいかに滑稽か、気がつかなくなっていた。その子の驚くべき返答と、その子についてトゥンから聞いていたことがあいまって、目の前にいる子どもっぽい姿のかげに、人間とは別の何物かが存在することを、彼は確信するに至った。

「何だと！」と彼は憤慨して叫んだ。「わたしが衆生（しゅじょう）の幸せのために何もしなかっただと！」

「わたしは若い」と奇妙な子どもは笑いながら答えた。「わたしの齢は年や月ではなく、日数で数えるしかない。それでも、あなたには話さなかったけれども、わたしは自分がどこから来たのか知っている、わたしはまた、阿羅漢（あらかん）[41]たちは人々に楽園と至高の解脱（げだつ）[42]に至る二重の道をお示しになったけれど、あなたやあなたの同輩たちは、自分たちの僧院に富を溜め込む以外、何もしていない、ということも知っています」

「そうやってわたしにはむかうのだな、悪鬼め」とラトナはわめきたてた。「おまえの一統のようなやからと力比べをするのは、わたしにとってはいつものことだ。われわれのどちらの方が力があるか、試してみよう。おまえはおまえの守護者たちの加護を祈るがよい。わたしはわたしで応援を呼ぼう。われわれのどちらかがこの闘いで滅びることになる」

するとと魔術師は恐ろしい声で自分の守り神たちを招集した。

「いかずちで武装したやからよ、全員馳せ参じよ、馳せ参じよ」そして、魔法の呪文を唱えた。その呪文には、ほんの一言ですべてのものを塵にしてしまうほどの威力があったが、トェパ・ガワ神の化身〔である幼児〕には通用しなかった。

それから、自分が用意したトルマを置いた卓に向かって歩いて行った。それらのひとつは、数々の惑星に捧げられたもので、血で満たされ、人間のはらわたで包まれていた。もうひとつには、生命の維持に不可欠なさまざまな糧がしみ込んでいた。三番めのものは、魔術師が三年にわたり洞窟にこもって過ごした間、ずっとその洞窟にあったもので、この長い隠遁生活の間じゅう、彼はそこに秘密の神通力をおびただしく蓄えこんでいた。

ひとつ、またひとつと、ラトナはそれらのトルマを幼い男の子に投げつけたが、幼子はまるでボール遊びでもするかのように、それらを片手で受け止めては投げ返すだけで、それ以外、何の効果もなかった。

恐怖のあまり、外道の額には汗が玉をなした。本能的に洞窟の入り口まで後ずさりし、身を守るてだてを探そうとした。

するとその子は、自分に向かって投げられたトルマのかけらを地面から拾い上げ、手に持つと、呆然としている隠者に言った。

「あなたは魔法にかけては大家だと言い張るが、ちっともそんなことはない。あなたはみずからの力のほどを示してくれた。今度は生後五日の子どものそれを見るがよい」

そしてトルマのかけらを投げつけると、それは大きな岩の塊に姿を変えて洞窟の入り口に命中し、完全に塞いでしまい、魔術師をそのかくれがに閉じ込めた。

勝利をおさめると幼子は母のもとにもどり、子どもが無傷で帰ってきたのを見たトゥンは、彼を亡き者にできるという望みを失い始めた。

外道の魔術師に対して抱いていた信頼の念は二度にわたって裏切られ、もう彼を頼りにするつもりはなかったが、子どもがどうやって彼の手を逃れたのか知りたいという興味はあった。

そこで隠者の庵に引き返してみた。近づいてゆくと、数羽のカラスが大きな羽音を立てて舞い上がる一方で、もっと大胆な数羽は、地面に散らばったトルマの残骸をむさぼり尽くしたところだった。ラトナがふだん戸外で坐っていた椅子は、洞窟の入り口のそばにひっくり返されてころがっており、洞窟は岩でみごとに塞がれていた。
トトゥンは、魔術師の運命がどうなったのか、もっとじっくり調査せねばと思うほど酔興ではなく、困惑しながら家にもどった。

ケサルは母親とともに無人の地に流される

嘲(あざけ)りをこめてジョル[43]と名づけた子どもを、魔術的な手段によって厄介払いすることは、もはやこれっぽっちも期待できない。そこでトトゥンは、子どもを母親とともに遠方の無人の地に追放することで、排除することに決めた。望みを遂げるためには、食糧断ちの方が、ラトナの学識よりもっと有効だろうと考えたのである。

翌日、彼の命令に従い、九人のラマと九人の家長と九人の女が、龍女とその息子をマメ・サダ・ルンゴと呼ばれる地方に連れて行き、数日歩いてそこに到着すると、ふたりを置き去りにした。そこはまったく無人の地で、キャン[44]の群れと何頭かの熊がうろついているだけだった。この広大な孤絶境に幼い息子とともに捨てられたと知って、哀れな母親は涙を抑えることができなかった。

「ここには長居できないわ」と彼女は息子に言った。「人々が置いていってくれたわずかばかりの食べ物が底をつく前に、中国であれインドであれ、どこか目的地に向かう努力をしましょう。村にたどり着けば、何か食べ物にありつけるでしょう」

幼子は答えた。

「この地は神々の地だ。わたしたちはここで幸せに暮らせるでしょう。あなたは地面を掘ってトゥマ[45]を採集し、わたしはネズミ狩りをしよう。そうすれば飢えに苦しむことはないでしょう」

三年間、ふたりはこうしてこの地に暮らした。龍女の所有する五頭の雌の動物たちと、五頭から生まれた雌の子たちも一緒だった。

第二章　ケサルのリン国王即位

トェパ・ガワ〔＝ケサル〕の窮乏状態

パドマサンバヴァはサンド・ペルリ宮殿の高みから、龍女ゼデンとその息子が惨めな生活を送っているのを、苦々しい思いで見おろしておられた。師は宮殿を後にして、何年か前、神々の集会でトェパ・ガワが大いなる御教え(みおしえ)の敵と戦うために指名された楽園へと向かわれた。

師はしかるべき畏敬の念をもってうやうやしく迎えられ、この楽園に住むさまざまな人々と、カタを贈りあった。そして、しきたりどおりに挨拶を交わしたのち、自分が訪れた目的を説明するので、自分のまわりに坐って、それを聴いてほしい、と神々に懇望された。

全員がまちまちの高さに積まれた座ぶとんの上やただの敷物の上に座を占めたので、パドマサンバヴァは次のようにおっしゃった。

「大いなる御教えに迫る危険を払いのける方法を考えるために、以前この同じ場所で開かれた集会のことを、誰も忘れたことはあるまい。われわれは全員でくりかえし占いを行い運命を探り、占いの結果はことごとく、聖なる教えに敵対する悪鬼と戦い、打ち負かすという困難な任務を果たすべき人物として、トェパ・ガワを指名したのだった。

この命に従い、トェパ・ガワは化身となって人間界に下っていき、龍女ゼデンから生まれた。この化身はすでに、自分を滅ぼそうとする一味に勝利をおさめ、その力をさまざまなやり方で示してきた。しかしながら、今は母とともにマメ・サダ・ルンゴの無人の荒野に放逐され、最悪の窮乏状態に陥り、やむなくネズミを食べて命をつないでいる。

こんなありさまで、神託が示すようにリン国の王になり、強大なルツェンや、ホル国王、サタム王、シンティ王を滅ぼすことができるだろうか」

神々は、パドマサンバヴァのご指摘がいちいちごもっともであり、自分たちが義務を怠っていたことを認めるほかなかった。

パドマ師はことばを継がれた。

「わたしはさっそく、〔トェパ・ガワの〕化身のもとに行って彼の記憶を呼び覚まし、課せられた任務を自覚させよう。あなた方は全員、援助すると彼に約束したのだから、今後はよく注意して、彼が助けを求め次第、すぐ救援に駆けつける心構えでいてほしい」

全員、グル・リンポチェのことばに喝采し、兄弟であるトェパ・ガワが先頭に立って推進する賞賛すべき企てに対して、めいめいの熱意を吐露した。するとパドマサンバヴァはひとすじの虹を天幕のかたちに撓め、その中にお入りになると、少年のいる場所へと降りて行かれた。

パドマサンババヴァがケサルの記憶を呼び覚まし、任務を思い起こさせる

「神のかけがえのない息子よ」と師は呼びかけられた。「かつて、そなたは成就者トェパ・ガワとして、とある至福の楽園に住んでいた。他ならぬわたしパドマサンバヴァが、そなたに人間界に転生するよう説得した。それは、生きとし生けるものの幸せを邪魔する悪霊どもを滅ぼすという重要な任務を果たすためである。そなたの誕生に与ったのは、そなたの父、アス・ケンゾ神と、母、龍女ゼデンだ。三年もの間、そなたはここで貧窮と無為のうちに暮らしてきた。もはやこれ以上ぐずぐずしていてはならぬ。みずからの出自と、人間界に遣わされた理由を、思い起こすがよい。

これからは、そなたの名はリン国王ケサルである。そなたの内なる力とそなたに定められた運命を自覚せよ。そなたの王座を勝ち取りに行け。リン国の民はすべてそなたの臣下となり、その中でも勇敢な者たちがこぞってそなたの戦士となるであろう。この目的を達するために、持てるかぎりの知恵と手腕を尽くすがよい。

神々の集会でそなたの転生が決まったとき、そなたはわたしにさまざまなことを要望した(1)。それらを得られるかどうかはそなた次第、任命された使命をそなたが引き受けるかどうかで決まる。そなたの求めどおり、そなたの父アス・ケンゾは神であり、母ゼデンは龍女である。そなたと同じ日に生まれた子馬は、そなたが述べたとおりの駿馬の美質をすべて具(そな)えている。今はわからないだろうが、それ以外のもろもろのこともまた、すでにそなたに授けられている。さあこれから、まずは畏怖(ジクダク)すべきマギェル・ポムラ山に隠された八つの宝(2)を取りに行かねばならぬ。

〔一〕最初の宝は、そなたの命に関する願いに答えるものである。そなたはいかなる不慮の事故があろうと死ぬことがないよう願った。それゆえそなたは、吉兆の時代の千柱の神々があらたかな真言を唱えながら結んだ命の結び緒(3)と、命をつかさどる女王神によって加護された命の水と、無限の命という名の至高の守護者によって作られた命の丸薬を見出すであろう。

その他の品々として、〔二〕兜、〔三〕雷(いかずち)の金剛杵(こんごうしょ)(4)、〔四〕剣がある。これらは天上でドルマ女尊がこしらえて地上に投じたもので、わたしが見つけ、その地に隠しておいた。

次に、〔五〕九十八本の矢は、三つの節がある一本の竹に珊瑚の粉が塗られたものだ。

すべての矢羽根は、ありきたりの矢のように鳥の羽ではなく、トルコ石でできている。〈天鉄〉(隕石由来の鉄)でできた鏃(やじり)が、矢柄(やがら)の竹に金の輪で取り付けられている。〔六〕ガルーダ⑤の角でできた弓も、矢とともに見つかるだろう。

最後に、そなたはまた、〔七〕柄にお守りの宝石がはめ込まれた鞭(むち)と、〔八〕トルコ石で飾られ〈三界(さんがい)の征服者〉と名づけられた槍を見出すであろう。

さらに聴くがよい。

タンパ・ギェルツェン――ケサルの妃となるセチャン・ドゥクモの父親

ガ国⑥に住む、タンパ・ギェルツェンという男は、計り知れぬ富の持ち主である。その娘セチャン・ドゥクモは白ドルマ女尊⑦の化身である。そなたの妻にするがよい。

その父の持つ宝の中には、貴重な彫像がいくつもある。そのうちの三体は純金で作られ、かたち〔＝身体〕、ことば、心を人間の姿になぞらえ、巨人として表したものである。青銅の像は財福神ザンバラを表している。ほら貝でできた像は深い洞察力を具えた偉大な慈悲観音菩薩を表している。珊瑚でできた像は無量光仏を表している。トルコ石でできた像は生きとし生けるものの神秘的な母、ドルマ女尊を表している。鉄でできた像は恐るべき護法神、大黒天(マハーカーラ)を表している。瑪瑙(めのう)⑧でできた像は戦慄すべきパルデン・ラモを表し、その乗馬の鞍は血まみれの人間の皮膚でできている。

タンパ・ギェルツェンはまた、十万行の詩句から成る般若波羅蜜多経十二巻、太陽のように大きな金の太鼓[9]、長さがそれぞれ七尋(ひろ)[10]に及ぶ二本のラクドン（チベットのトランペット）、銀製のギャリン（オーボエ）数本、線香を入れるための金の瓶一対、五秘仏の像が彫られたさまざまな銅の瓶、トルコ石の皿二枚、米で満杯の米櫃(こめびつ)百八十個、大麦で一杯の大櫃百八十個、八万頭の羊、八万頭の馬、十三万頭のヤクを持っている。

これらはすべてそなたのものになるであろう」

こうお話しになった後、パドマサンバヴァはそのみごとな天幕の中にお入りになり、天幕はゆっくりと天に昇っていった。そのまわりを取り巻く光が、しばらくの間、雲中に光り輝く一筋の道を描いていたが、やがて遥かかなたに消え去り、グル・リンポチェはサンド・ペルリ宮殿にお帰りになった。一方、師からケサルという名を授かったばかりの少年は、無人の荒野でただひとり、今聞いたことを思い返していた。

ケサルは自らの使命を思い起こす

パドマサンバヴァの話を聞くうちに、ケサルの記憶の上に覆いかぶさっていた闇はあとかたもなく消え去った。そして少年は、自分が何者であり果たすべき任務が何であるかを、完全に自覚した。

師が最初にお命じになったのは、マギェル・ポムラ山の地に隠された品々を取りに行くことであった。仕事に着手する上でなくてはならない品々だが、どうしたら入手できるのだろうか。

「リン国の人々はその地にある宝の存在を知っているはずだ」と彼は考えた。「同国の古い予言の書物には、そのことが記されており、博学のラマたちの間にもこの宝についての言い伝えが受け継がれてきた。それによれば、宝の持ち主となる運命の人物が、いつの日かそれを取りにやって来るであろう、そしてその人以外は誰ひとり、たとえ宝を発見したとしても、それを運び出すことはできないという。

わたしがマギェル・ポムラ山に向かうところを、トトゥンをはじめリン国の人がひとりでも目にしたら、わたしの意図を見破り、それ以上先に進めないように、行くてを阻むだろう。何かはかりごとを巡らさねばなるまい」

ケサルは、パドマサンバヴァの働きかけによって目覚めた知性と神のごとき洞察力を今は存分に駆使して、長い間熟考した。そしてある計画を立てた。

マギェル・ポムラ山の宝物を獲得するためにカラスを使ってトトゥンを欺く

　彼がリン国で召使いのゴンモと呼ばれる女性の息子として誕生する以前から、パドマサンバヴァと神々にはトトゥンに助言するならわしがあり、使者としてカラスを遣わしていたことを、彼は知っていた。そこでトトゥンを欺くために、カラスに変身することにした。

　彼はカラスの姿になって、真夜中トトゥンが寝ている部屋の広廂(ひろびさし)(11)に飛んで行った。はじめは何回もかあかあ鳴いて目を覚まさせ、トトゥンがカラスがそばにいるのを目にすると、こう呼びかけた。

「トトゥンよ、よく注意して聴きなさい。わたしはある重大な知らせを伝えに来た。神々はそなたをマギェル・ポムラ山に隠された宝とタンパ・ギェルツェンの財産の持ち主にするとお決めになった。タンパ・ギェルツェンは娘をそなたと結婚させることとなろう。

　リン王国の人々の不平を招くことなく、争いを避けながら、そなたがすべての富を無事受け取れるよう、今はパドマ師と神々の叡智がそなたに伝える意見に耳を貸しなさい。

　そなたはまずはじめに、センロン王が何年も前に巡礼に出たまま帰国せず、長らく不在であることに、重臣たちと顧問役の長老たちの注意を促すがよい。パドマサンバヴァと神々がそなたに、王がもっとよい世界に生まれ変わったとお知らせになったこと、それゆえ、別の王を即位させるべきであることを、皆に告げるがよい。

さらにまた、グル・リンポチェと神々がそなたにお命じになったので、競馬を開催せねばならぬと言うがよい。老若を問わず、良家の子弟であれ、召使いや乞食であれ、誰であろうと例外なく、騎手として競技に参加を許される。その中から、目的地に置かれた王座に一着で到達し着座した者こそが、リン国王であると宣言され、マギェル・ポムラ山で発見するであろう宝を占有し、タンパ・ギェルツェンから娘を妻として与えられることとなろう。

そなたの持つ最良の馬を選ぶがよい。神々はそなたの味方だ。そなたが勝者となるであろう」

トトゥンは有頂天になって喜んだ。

「これほど思慮深く話すからには、このカラスは単なる神の使いではなく、どなたかわからないが神ご自身にちがいない」と彼は考えた。「神がわたしの取柄（とりえ）を評価なさり、誰にも知られずにわたしに助言するためにカラスに変身なさったのだ」

トトゥンはみずからの慧眼に鼻高々で、トルコ石と珊瑚の玉で満杯の鉢の中身をそっくり袋に空けて、感謝のことばとともにうやうやしくカラスに捧げた。

カラスはその袋を、任せておけと言わんばかりに愛想よく受け取ってくちばしにくわえ、マメ・サダ・ルンゴの荒野へ飛んで行き、そこで人間の姿に戻ると、驚く母に、あまりにやすやすと信じ込んでしまったトトゥンからの豪華な贈り物を手渡した。

騙されたトトゥン

不思議なカラスが飛び立った後、野心満々のリン国の重臣は、今しがた聞いたことがうれしくて、興奮のあまり、もう寝付けなくなった。寝床の上に坐って、暗闇の中でひとりごとを言った。

「神々はわたしの味方だ」と、芝居気たっぷりに声をひそめてつぶやいた。「それについては何の疑いもない。カラスがわたしにそう言った。神々の秀(ひい)でた知性がわたしの価値を見逃すはずはなかったのだ。あの悪鬼の息子はわたしを鼻であしらって見せたが、これで決定的にあいつの手が届きっこない地点に立てた。やつは荒野で死んでしまったにちがいない。

センロン王は、敬虔な巡礼の途中で徳が報われて褒美に与(あずか)ったのだ。旅に出るとは、よくも思いついたものだ。あの善良な兄上は、今ごろ、数ある至福の楽園のどれかに住んでおられるにちがいない。そこは彼にはすばらしくお気に召すことだろう。彼は権力を振るうには少々気弱なところがあった。神々は先見の明によってそれに気づき、われわれにそれぞれふさわしい持ち場をお与えになったのだ。神々のご判断をことほぎ、その叡智を讃えよう。わたしは王になるために生まれたのだ」

とはいえ、転がり込んでくるであろう権力や富の見通しより、美しいセチャン・ドゥクモ姫を妻に迎えるという見通しの方が、もっとずっとトトゥンを歓喜で満たした。

姫のお相手〔となるトトゥン〕は苦行者とはほど遠い人物だった。たいへんな食いしん坊の上、酔いつぶれて寝床の分厚いふとんに倒れこむまで、のどの渇きがおさまることはなかった。わけても、よい歳になっているのにいまだに色好みの癖がなおらず、つねに若い娘を探し求め、妻に対して不平を言っていた。彼の妻は彼の好みからすれば思慮分別がありすぎて、その我慢のならない鋭い洞察力は、しばしば彼の放縦無頼（ほうしょうぶらい）なもくろみと真っ向から対立したものだった。

さて、老成した妻カルツォ・セルトは、いかにして反論できるだろうか。神々の命令ははっきりしている。トトゥンは、リン国で最も美しい女をふたりめの妻に迎え、幸せな夫になるだろう。もうひとりの妻〔＝カルツォ・セルト〕は、台所で心ゆくまで愚痴をこぼすがよい。

もちろん、そうなるにちがいない。しかし当面は、トトゥンは孤独に押しつぶされそうだった。自分に約束された輝かしい未来について誰かに打ち明け、賞賛してもらいたい、という欲望に、彼は燃えていた。

「妻（チャム）よ、妻よ⑫」と彼は叫んだ。いつもの習慣で、心を許した相手として妻を呼んだのであり、また声の届くところには彼女しかいなかったからでもあった。

奥方は深い眠りについていたので、彼は何回も呼ばねばならなかった。とうとう彼女が隣の部屋から大急ぎで駆けつけ、尋ねた。

「どうなさいました？　お加減がすぐれないのですか」

「いや、気分は上々だ」とトトゥンは答えた。「呼んだのは別件だ。よく聴きなさい。グル・リンポチェと神々がご親切にも今しがた、わたしのもとに使者をお遣わしになったのだ」

そして彼は妻に、カラスが彼に告げたことを、新たな婚礼に関することは省いて、自慢げに繰り返し語ったが、それ以外にも、話に重みが増すように、いくつかの細かな点を、自分の思いつきで付け加えた。

カルツォ・セルトは慎重で良識にあふれた女性だった。夫が話している間、彼女はじっくり考え、その結果得た結論は、夫の熱狂ぶりとはまったくかみ合わないものだった。彼が話し終えると、彼女は考え込んで首を振った。

「以前、あなたのもとにカラスが訪れ、パドマ師と神々の伝言を伝えてくれたのは事実ですが、カラスが来なくなってかれこれ三年になります。あなたが見たのは前のと同じお使いかしら、わたしにはどうも疑わしい気がします。こんどのカラスは敵の放った密使で、その話はあなたを騙すのが目的だったのではないか、と心配です。せめてこれからはぐっすり眠って、財産はよこしまな悪鬼かもしれないカラスに分けてやる代わりに、大事にしまっておく方がいいと思うわ。マギェル・ポムラ山の財宝をせしめるなんて、あなたの手に余る難題でしょうよ」

こうした賢明なことばを耳にして、トトゥンは激怒に駆られた。

「黙れ、口を閉じろ、ばかな婆あめ！」と彼は叫んだ。「今の話の何を聞いていたんだ。おまえは未来の王妃にはふさわしくない。神々はそれもちゃんとお見通しだった。おまえはよくてせいぜいわたしの召使いといったところだ。わたしはうら若きセチャン・ドゥクモ姫と結婚することになろう。姫は持てるかぎりの宝石で身を装い、輝く星さながらに、わが王座に席を連ねるだろう。殴られたくなかったら、もうこれ以上わけのわからないことをつべこべ言わぬよう、気をつけるのだな」

こう言うと、彼は大きなこぶしを振りかざして脅した。

気の毒な妻は泣きながら逃げていった。

トトゥンは王を選ぶために、競馬を催すように命令する

最初の暁光が射すやいなや、トトゥンはリン国じゅうの男を招集するために、家来を四方八方に遣わした。皆に伝えねばならないきわめて重大な知らせがあるので、リン・ドゥツィ・タクトン・タモと名づけられた場所に集まるように、とのお触れだった。

翌日、全員がそこに集まった。第一の重臣であるトトゥンは最も高い席に坐った。その右には第二の重臣タルピンが、左には第三の重臣としてセンロン王の息子ギャツァが座を占めた。

三人の前には千グループの天幕の男たちが着席し、彼らを待たせることなくトトゥンが口を切った。

「グル・リンポチェと神々はわれわれに広く恵みをお与えになり、ご親切にもわたしのもとに使者を遣わして、次のとおりのことをお教えくださった。

まず第一に知らせたいのは、わが誉れにしていとしい兄上である、われらがセンロン王は、巡礼の途上で神々の目にとまり、このみじめな濁世（じょくせ）から召し出され神々の世界に迎えられた、ということである。

次にわたしに告げられたのは、マギェル・ポムラ山に隠された宝はわが国の外に出る

ことはなく、われわれのうちの誰かひとりがその持ち主になる、ということだ。

マギェル・ポムラ山の地所はリン国の三部族の共有であり、それゆえパドマ師と神々は、争いが起こってわれわれが分裂するようなことがあってはならず、平和に暮らし続けるように、とお命じになった。

〔センロン王の後継者は競馬によって選出されるが〕リン国の領土に生まれた男は誰もが皆、貴族であろうと乞食であろうと、競走への参加が認められる。ゴールは王座だ。そこに一着で着いて着座した騎手がリン国王になる。われわれ三人の重臣は、みずからの権力をその人物の手にゆだねることとする。王となった人物は意のままに宝を探すことができ、発見できた場合、その宝は分割せずにすべて彼のものになる」

それからトトゥンは、その莫大な富ゆえに重臣たちのそば近くに名誉ある席を与えられていたタンパ・ギェルツェンの方に向き直り、こう付け加えた。

「タンパ・ギェルツェン叔父(おじ)さま⑬、神々はあなたの娘御(むすめご)を勝利者に与えるよう、お命じになりました」

タンパ・ギェルツェンは喜んで承諾した。彼はリン国じゅうで誰よりも裕福だったが、その自分にふさわしい娘婿をどうやって見つけたらいいのか、よくわからなかったのである。幸運にもマギェル・ポムラ山の財宝の持ち主となって、娘を王妃にしてくれるであろう人物ならば、彼からすれば、まさに神々から遣わされたとしか思えなかった。

ほかの人々も皆、パドマサンバヴァのお決めになったことを喜んで受け入れた。古くから伝わる予言には、ひとりのリン国王があまたの国を征服し、臣民は未曽有の繁栄を味わうだろう、と告げられていた。すべての人々を豊かにする勝利の王とは、神慮にかなった競馬によって指名されるであろう人物にちがいない。

こうして全員、嬉々として解散した。そして誰よりも喜んでいたのはトトゥンだった。

競馬

いよいよ競馬の開催日が来た。丈夫たちはおのおの、みずからの持てる最良の馬を鍛え上げ、最良の流儀で飾り立てた。尾を数本に分けて長く編み下げ、中に赤いリボンを編み込んだり、たてがみに色とりどりの布切れを垂らしたり、首にはチリンチリンと鳴る鈴をかけ、背に置かれた鞍は美しい毛氈で覆われていた[14]。馬たちはその主人に負けず劣らず誇らしげで自信満々な様子をしていて、あたかも自分たちがリン国を支配する望みを抱いているかのようだった。

参加者の誰よりも豪勢ないでたちで、老トトゥンが現れた。濃い青の上等なラシャの服をまとい、その隙間から金色の織物で幅広く縁取られたトルコ青の絹の胴着をのぞかせていた。みごとな馬は河原毛（かわらげ）で、たてがみと尾が黒く、⑮鞍にはトカゲの皮が付けられ、金銀の唐草模様の装飾が施されていた。

彼は競馬の結果を確信し、早くも恋女房を見る夫気取りのまなざしで、その重さにひしがれるほどおびただしい金銀宝石で身を装った美しいセチャン・ドゥクモ姫を見つめた。それぞれ精一杯美しく着飾ったおぜいの女たちの中で、彼女は女神さながら、誰よりもあでやかで、誰よりも華やかに輝いていた。

騎手たちがスタートラインに向かい始めたとき、若きジョルが姿を現した。リン国の人々は彼の本当の素性を知らず、センロン王と召使いのゴンモとの息子と見なして、そう〔＝ジョルというあだ名で〕呼んでいた。

彼は羊の皮でできた粗末な服をまとい、母がリン国に来たとき連れていた雌馬から生まれた、赤みを帯びた栗毛の馬に、鞍を置かずにまたがっていた。

彼が競馬のスタートラインに並ぶのを見て、大笑いする者もいれば、怒って気色（けしき）ばむ者もいたが、長老たちが人々を黙らせた。競馬の条件は神々によって定められたものであり、それをリン国の民すべてがみずからすすんで受け入れたのだった。それゆえに断じて変更すべきではなく、もしそれに違反すればこの国の上にパドマサンバヴァのお怒りを招くことになる。その条件とは、誰もがわけ隔てなく競馬に参加を許される、というものだった。

人々は皆、すぐにこの意見に賛同した。ほとんどの者は、くだんの少年が競馬に参加するのを、かっこうの気晴らしや冗談の種と見なした。唯一トトゥンだけは、ジョルの力を誰よりもよく知っていたので、不安に胸が締めつけられる思いがした。しかしカラスが自分にあのように語った以上、何の根拠もないことだ、とすぐにその思いを振り捨てた。

王座を一瞥(いちべつ)し、さらにセチャン・ドゥクモ姫を一目(ひとめ)見やると、すっかり自信を取りもどし、他の騎手たちとともに平原のはてに整列しに行った。

合図とともに、馬たちが飛び出した。瞬く間(またたくま)に、ジョルすなわちケサルの馬が先頭に立った。走るというより飛ぶようで、地に足が着くのが目にもとまらぬほどだった。競走相手のうち先頭集団が道のりのやっと半分まで来たときには、すでにケサルはゴールに達して王座に坐り、あっけに取られてことばを失った群衆の上に、神々しい支配者として、静かで自信に満ちたまなざしを投げかけていた。

ケサルの勝利

文句のつけようがない勝利だった。そこで観衆は彼の前に列をなし、競馬の勝者のために用意して来たカタを、祝賀とうやうやしい敬意をこめて、その足もとに捧げた。トトゥンはびりで到着した。ふだんはとてもおとなしい彼の馬が、奇妙なふるまいをし、セチャン・ドゥクモ姫の座所の真正面で、彼を落馬させたのである。美しい姫はお仲間たちと一緒になって、情け容赦なく笑いころげた。

無邪気すぎる野心家〔＝トトゥン〕は、いやいやながらケサル王のもとにカタを捧げに行き、彼を王と認めざるを得なくなった。同時に、それまで自分が行使していた権限を、かねての約束どおり返上することとなった。

いまや君主と仰ぐことになった人物に、その誕生当時自分がおこなった残虐非道なしうちが、心にあざやかによみがえり、勝ち誇った王者が自分に科すであろう罰を思うと、彼は恐ろしさに震え上がった。しかしケサル王は何も覚えていないようなふりをし、年老いた道化役は、静かに身を引いて、みずからの愚かな軽信を嘆くことが許された。カラスとなって語りかけ自分をだましたのがケサルその人であったことはもはや疑いなく、妻の賢明な意見に耳を貸さなかったことが苦々しく悔やまれた。だが、後悔先に立たず、であった。

ケサル王はセチャン・ドゥクモを妃に迎える

タンパ・ギェルツェンは、神々が彼のために用意した思いもかけぬ婿に、かなり驚かされてはいたものの、前言を翻すつもりはなかった。それ以外、考慮の余地はなかった。無一文の少年ジョルは昨日までは軽蔑の的であったかもしれないが、今ではリン国王ケサルとして、遠からずマギェル・ポムラ山の財宝を手中にするであろう、まるで違った人物であった。ためらうことなく、彼は王のもとにセチャン・ドゥクモ姫を連れて行き、父と同様の思いに駆られた姫は、リン国王妃としてその王座の足もとに着座した。

その間に、カンドマたちが英雄のまわりに集まり、パドマサンバヴァがケサルに一本の金剛杵（こんごうしょ）をお渡しになったが、そのさまは彼以外の誰にも見えなかった。それは魔法の金剛杵で、のちにケサルはその力を借りて、財宝が納められている地下の宮殿を開くことになる。

その後何日かは、祝賀に明け暮れた。それぞれの天幕からケサルのもとに贈り物が届けられた。セチャン・ドゥクモ姫の父は、王の婚礼を祝って、祝宴のご馳走をたっぷりふるまった。リン国の女たちは毎日、祭りの衣装で着飾り、男たちの唇はチャンや強い酒に浸りっぱなしで、乾く間がなかった。

しかし少しずつ、ふだんどおりの暮らしがもどってきた。ケサル王は、妻や龍女の母とともにおおぜいの召使いに取り巻かれて住めるような宮殿を建てさせていた。こうして何週間も何か月も過ぎ、誰も彼もが幸せだった。

マギェル・ポムラ山への出発準備

ある夜、ケサルが眠っているとマ・ネネ⑯がその部屋に現れ、彼を目覚めさせた。彼女は白い獅子にまたがり、引き綱につながれた水牛をうしろに従え、片方の手には弓を、もう片方には鏡を持っていた。

「ケサル王よ」と彼女は言った。「わたしはマ・ネネといい、神意の伝え手であり、神々があなたにお授けになった助言者です。

あなたのものとなるべき宝を手に入れるときが来ました。あなたはその地で、使命をまっとうするために必要な品々をはじめ、他にもたくさんのものを見つけるでしょう。それらがあなたのものになったら、気前よくふるまって、その一部をリン国の戦士たちに望みのままに分け与えれば、戦士たちの役に立つでしょう」

こう話すと女神は姿を消し、ケサルの部屋は女神のなごりの光でしばらくは明るいままだった。

朝になるとすぐ、ケサルは妻にマ・ネネが現れて彼に話したことを語った。また、国じゅう四方八方に使者を派遣し、太鼓を打って触れ回らせ、人々を招集した。

その間にセチャン・ドゥクモ妃と召使いたちは、これから開かれる集会を見こして大がかりな準備をした。

何百枚もの絨毯（じゅうたん）が地面に敷かれた。その中には虎の皮や豹の皮でできたものもあった。最上の羊毛で作られた中国伝来のものがある一方で、チベットのティクマ[17]で作られたものもあった。こうして、おのおのが自分の地位に応じて坐る場所を見つけられるようにした。金の瓶（かめ）や銀の瓶が納められていた櫃（ひつ）から取り出され、絨毯の前に置かれたおびただしい数の低い机には、ツァンパとバターの山が載っていた。

数日後、リン国に属するさまざまな部族の人々が招集され、国王との宴につらなった。この宴会のさなか、王はマ・ネネが自分に告げた知らせを人々に話して聴かせ、隠された宝を取りに行こうという構想に、全員が熱狂に沸き立った。

まる一週間かけて遠征の準備がととのった。

出発の日が来ると、大軍が怒濤（どとう）の勢いで宮殿の囲いの外に打って出た。馬どもは棹立（さおだ）ちになったり跳ね回ったりし、騎手たちの弓と槍はぶつかり合い、歩兵たちは羊の群れのように騎兵のあとを追ってどっと押し寄せた。

大地は揺れ、石は人馬に踏まれてとどろいた。人々の頭上には赤、黄、色とりどりの軍旗が風にひるがえっていた。

行軍によってまき起こされた土埃（つちぼこり）は最も高い山の峰々にまで昇り、空を暗くし、厚い雲となって戦士たちを包み込んだ。

マギェル・ポムラ山には、おびただしい数の白い天幕が張られ、そのことごとくが青や赤の模様で飾られていた。ケサル王の天幕には、太陽のようにまばゆく輝く金の王座が据えられていた。

リン国の大ラマが弟子の僧全員を従えて、神々を褒めたたえ、悪鬼たちを平らげるべく、十日間にわたってさまざまな法要を執り行った。

マギェル・ポムラ山の宝物の獲得

その翌日は満月だった。ケサル王は空気の精に姿を変えて、山へと向かった。そこには、炎が燃えひらめく暗い岩々の間に、聖水の入った巨大な瓶の形をした、一本の澄み切った水晶の柱が聳（そび）え立（た）っていた。英雄は、前に進み出ると、手にした金剛橛（こんごうけつ）[18]で〔魔よけのために〕怒りの印（いん）を空に画（か）きながら、雷のような声で宣言した。

「ここなるはパドマサンバヴァご秘蔵の宝で、十二柱の大地の女神がその番人だ。われこそ神々の息子ケサル、その正当な持ち主である。マ・ネネの命により、宝を譲り受けに来た」

次いで、強靱な意志の力に任せて、パドマサンバヴァから授けられた金の金剛杵を水晶の岩塊に打ちつけると、岩にただちに入り口が開いた。

門のように見えるその開口部を踏み越えて、ケサルは壮麗な広間に入って行った。その中央を占めているのは大きな金の台座で、上にはマンダラが載っていた。そのまん中には甘露を湛える壺が輝き、不死の水は湧き上がっては吹きこぼれ、リン国と国王の幸せの予兆として、外へと流れ広がっていた。壺のまわりには、命の結び緒と命の丸薬をはじめ、たくさんの魔法の護符と、ケサル王のために用意された超自然の武具が並べられていた。

莫大な数の弓、矢、兜、槍が、台座の足もとに幾重もの円環をなし、マンダラの外周となっていた。マンダラは、昼の天体〔=太陽〕と夜の天体〔=月〕が合わさった輝きよりももっと強烈な、目がくらむような光に、隅々までくまなく照らされていた。

ケサル王の指揮下、宝が運び出された。この作業にはまる一週間かかった。作業が行われている間、マ・ネネが英雄のもとに現れ、悪霊が王や仲間の命を狙って近辺をうろついているから、おさおさ警戒を怠らぬようにと勧告した。

まもなく実際に悪霊たちがその威力を発揮した。彼らはまず、黒い風を吹き荒れさせた。風は空を暗くかき曇らせ、竜巻のようにリン国の民の野営地を襲い、寺院として使われていた天幕に吹きこんで、三張りの神聖な弓をなぎ倒したが、そのうちの一張りには人々の〈命〉(19)が宿っていた。ケサル王は墨を流したように真っ黒な雲に向かって、かねて宝の中から見つけ出していた、〈天鉄〉(=鉄隕石)でできた金剛杵を投げつけた。すると雲はすぐにかき消え、風がぱたりと止んだ。

とはいえ、弓が倒れたことは凶兆であり、戦士たちは茫然自失していた。ケサル王は、雲の中にいた悪鬼を自分が仕留めたと宣言して、人々の勇気をとりもどさせるとともに、ますます警戒を厳重にせよ、と督励した。

次いで、別の悪霊たちが動物に姿を変えてやって来た。最初に現れたのは幻想的な足取りの一頭のジャコウジカで、戦士テマが矢で射止めた。次に一頭の〈墓場のイノシシ〉が身の毛のよだつような鳴き声を上げて野営地を恐怖に陥れたが、巧みに投じられた石によってついには殺された。夜、一頭の異様な猿がやって来て、夜警の者たちがまどろんでいるすきに野営地を荒らしにかかったが、その猿が悪鬼であることを見抜いていた神馬キャング・カルカルが、一蹴りで蹴殺した。

こうして敵方は攻撃を止めた。ラマたちがたくさんの線香を焚いて当地の神々に敬意を表し、清らかな供物を捧げたのち、ケサル王を先頭に、戦士たちは宝を運びつつマギエル・ポムラの地を去った。

マギェル・ポムラ山からの凱旋

軍勢が行軍を始めると、パドマサンバヴァが天に現れ、師を取り巻いておびただしい数の神々やカンドマたちが勝幡をうち振り、傘蓋を掲げ持ち、花々や米を雨あられと地上に撒き散らした。リン国の人々は喜びに有頂天になって、大音声で叫んだ。「神々に勝利を！　悪鬼たちは敗れ去った！」その歓声は雷鳴さながらに谷という谷にとどろきわたった。

宝はケサル王の宮殿におごそかに安置され、豪勢な宴会が催されて数々の武具がリン国の戦士たちに分配された。

大ラマが、弟子の僧全員を手伝わせて、宝の中から見つかった護符、命の丸薬と命の結び緒の分配にとりかかった。そればかりか、めいめい、汲めども尽きぬ奇跡の壺から湧き出る甘露を数滴ずつ受け、その機会にこの国のすべての人々に、灌頂[20]が授けられた。

とうとうこの喜ばしい大騒ぎもすっかり収まって静かな毎日となり、王家の人々はまたもやのんきで心地よい暮らしの楽しさにかまけて過ごすようになった。その一方で、ケサル王は宮殿の奥まった部屋で長期の隠遁に入った。何年もの間、王はそこに引きこもり、瞑想に耽り、食事を運ぶ妻と、たまに国事に関して王の助言を請いに来る大臣たち以外、誰にも会うことはなかった。

こうして王は十四歳になった。

第三章　外道の魔術師たちの征伐

外道たちに関するマ・ネネの助言

ある朝曙光とともに、隠遁中のケサル王の部屋が、突然日の出の光も薄れるほどの明るさに輝き、マ・ネネが王の目の前に現れた。

「ケサル王よ、あなたは十分長く休息しました。たくさんの任務が待っています。今やそれに着手すべきです。あなたはまもなく十五歳になり、その歳のうちに、北国の黒鬼ルツェンの額を一矢で射抜き、そのおおぜいの臣下を支配下に置くことになります。しかし作戦を開始する前に、彼の住む土地柄と、彼に立ち向かう者誰しもを待ち受ける数々の危険について、知っておくことが肝要です。

ルツェンの王国は、太陽が射すことのない闇の国です。不毛の岩ばかりの暗い山々が真っ暗な天までそびえ、空からは大粒の血の雨がひっきりなしに降ってきます。瘴霧(しょうむ)が草一本生えぬ谷底に立ち込め、切り立った斜面に沿って這い昇り、死をもたらします。

強力な薬がないかぎり、誰ひとりその有毒なガスに耐えられる者はいません。その上ルツェン王は、その魔力によって致死的な蒸気を国境を越えて送り出し、隣国の人や獣を意のままに毒することもできるのです。

チベットには岩石を抽出した薬しかありませんが、インドではありとあらゆる色の薬草の花々が、広大な虹のように地を覆っています。木々の太い幹からは、さまざまな病を癒す樹液が滝のように溢れ出し、梢には病人の身体によい葉が鬱蒼(うっそう)と茂り、屋根となっています。

外道(げどう)たち(インドのバラモン教徒やジャイナ教徒)は、諸薬の王である訶梨勒(かりろく)、その大臣ともいうべきパルラとキュルラ①、そしてもろもろの医薬の大系を大家族にたとえるならば、それぞれ処女、少年、医師、教母、命に該当するサフラン②、樟脳(しょうのう)、ナツメグ、丁子(ちょうじ)、白檀(びゃくだん)を占有しています。彼らはさらに他にも千種の薬を持っており、そのすべてが限りなく貴重なものばかりです。それらの薬を入手することは、世界の黄金すべてを手中にするより、はるかに人々の役に立つでしょう。ところがこれらの有益な医薬品は外道たちが厳重に保管し、国外に持ち出すことを禁じています。

ルンジャク・ナクポの弟子たちが存続する限り、この禁令は解除されません。なぜなら、彼らの繁栄はこれらのすぐれた医薬品を占有することで成り立っているからです。

まさに外道たちの〈命〉の至宝というべき、これらの薬の精髄は、白檀の箱に納められ、トルコ石でできたその鍵は、知恵のカンドマの化身であるルンジャク・ナクポの娘に託されています。このいきさつを覚えておきなさい。あなたがこの手箱の中身を入手するために謀(はかりごと)をめぐらす上で、役に立つでしょうから。手箱の中身が僧院に留まっているかぎり、ルンジャク・ナクポとその弟子たちは無敵です。

さらにお聴きなさい、外道たちの長(おさ)と、そのインド人、カシミール人、ネパール人の弟子たちは全員、誤った教えを説き、悪魔の宗教を広めています。彼らは九つの頭を持つブラフマー神③を崇拝し、太陽と月の加護を祈って血なまぐさい生贄(いけにえ)を捧げます。彼らの精神は無節操で、四つの極端な見解④のうちのどれかひとつを代わる代わる主張し、それを瞑想の主題にします。

彼らは熟達した魔術師で、巧妙な手段によってチベット人たちを騙(だま)しています。チベット人の多くは彼らの信奉者となり、滅びの道へと導かれます。もしあなたが彼らの活動に終止符を打たなければ、彼らはついには大いなる御教(みおし)えを朽ち果てさせてしまうでしょう。

とはいえ外道たちは、どこにも門がない青銅の要塞の中に、門外不出の神聖な経典として、もろもろの経、般若波羅蜜多経、賢人ラマたちによる注釈書、論書からなる完全な叢書を保管しています。これらの貴重な教えのいっさいがインドとチベットにあまねく広められ、人々に知られるよう、あなたは経典を取得しに行かねばなりません。

あなたの持っている魔法の矢をたった一矢射っただけで、城壁は破れます。しかし、そこにいたる道は長く、危険だらけです。狭い関門をいくつも通過せねばなりませんが、そこには虎や豹が待ち伏せしています。中でももっとも恐るべきは、人喰い鬼たちです。あなたは生身の身体では絶対に通り抜けられません。それゆえ、神の化身であるあなたの愛馬を、はげ鷹の王に変身させ、それにまたがって、鳥たちの道よりもっと高い天空を通る道を進んで行けば、瞬く間にインドに着くでしょう。

その地でまず最初になすべきは、外道たちの守護神に打ち勝つことです。ルンジャク・ナクポの〈命の精髄⑤〉は、九つの頭を持つ恐るべき蛇に宿っているということを覚えておきなさい。その蛇は、住みかとする一本の白檀の木に、魔術的な儀式によって封じ込められています。彼の弟子たちの〈命の精髄〉は、塔のように高い、九つの頭を持つ亀の中に集約されています。その亀は、九層に重なった黒鉄（くろがね）の洞窟に住んでいます。〈天鉄〉〔＝鉄隕石〕でできたあなたの金剛橛（こんごうけつ）を投じれば、その洞窟もろともこっぱ微塵になるでしょう。

その上さらに何をするとよいのか、それを考えるのはあなたです。あなたがわたしの助言をよく理解したのなら、それらの助言は砂糖のように甘く感じられるはずです。もしあなたがその意味をとらえそこなったのなら、わたしの話したことは無駄になります。わたしが言ったことを残らずしっかり心にとどめておくように」

このことばを残して、女神は天高く昇って行き、見えなくなった。そして夜が明けた。

ケサルはひとりで外道の国に出征すると宣言する

その日のうちに、ケサル王はリン国の民を集め、マ・ネネが自分に語ったことを繰り返して聞かせた。

「あなた方が敵から身を守ることができるよう、すでに武具はあなた方に渡してある」と王は人々に言った。「今、われらが守護の女神は、われわれを病から守ってくれる薬をお授けくださるおつもりだ。このたびのわたしの遠征は三か月で決着がつくはずだ。供（とも）はひとりも連れずに、ただちに出発せねばならない」

王が話し終わると、人々も戦士たちも口々に異議を申し立て、騒然となった。王様の治世のもと、自分たちはおかげさまでこんなにも安泰に暮らしている、その王様を、ただおひとりで遠国に赴かせ、危険極まりない企てに身を投じさせるわけにはいかない、というのである。

ほかの誰にもまして、セチャン・ドゥクモ妃が、夫の計画に反対を表明した。彼女は泣きながら、「わたしを置いて行かれるなんて、むごい仕打ちです、父はすっかり年老いていて、もう頼りにはならないのですから」と訴えた。

誰もが悲嘆にくれる中、長老の主馬頭（しゅめのかみ）が立ち上がり、ケサル王に向かって言った。

「かけがえのない甥君（おいぎみ）(6)よ、あなたが今わたくしどもに知らせてくださったお話は、わが国の神託の書物に記され、わが国の賢人ラマたちが知るところの、古くからの予言とぴったり一致しています。予言では、外道たちが用いている薬を、あなたがチベットにもたらしてくださると言われています。それゆえ、あなたの慈愛深いご遠征に、わたくしどもは反対することができません。どうかせめてひとつ、ご出発の前にリン国の幸いを願って誓いをお立てください。そうなされば、わたくしたちはあなたのお帰りを辛抱強くお待ちしましょう」

すると誰もが、パドマサンババヴァ師と神々の命令が絶対的なものであることを理解し、抗（あらが）うのをやめた。人々はケサル王が示してくださった思いやりに感謝し、王は臣民の繁栄と幸せを願って、集会は解散し、めいめい自分の天幕にもどって行った。

ケサル王の出征

翌々日、ケサル王は愛馬を巨大な鳥、はげ鷹の王に変身させた。次いで、妻の給仕で別れの食事をとると、神の姿となって威風堂々と大鳥に乗り、神々とカンドマが列をなして取り巻く中、天高く飛び去った。瞬く間にメンリン・ゴンマ⑦と呼ばれる、カシミール、ネパール、チベットの国境が相接する地方に着いた。

彼が地上に降り立った地点の近くに、「太陽の輝ける洞窟」という名の水晶の洞窟があった。太古の昔にシェンラプ⑧が、次いでブッダが逗留し⑨、瞑想を行った場所である。後年ここでパドマサンバヴァ師が八種の苦行に専念して到達された霊的啓示にちなみ、同師はこの洞窟に「囚われぬ洞察の洞窟」という異名を与えられた。ケサル王は二か月の間、ここに隠遁した。その間、神々も人間も悪鬼も、彼を見た者はいなかった。王の愛馬ははげ鷹の姿を捨て去って人間に変身し、召使いとして王に仕えた。

この隠遁の間、英雄はヴァジュラ・キーラ（＝金剛橛（こんごうけつ））尊と三界（さんがい）の主シンジェ⑩の加護を祈り、その助けを借りて外道の二大神格であるワンチュク・チェンポとドゥクリ・ナクバル⑪を「思念の集中の投げ縄」と「憐れみの釣り針⑫」によって捕らえ、完全に調伏（ちょうぶく）した。ケサルはこれら二神を支配下におくと、その縛（いまし）めを解くにあたって、仏教の護法尊としての厳かな誓いを立てさせた。二神はこうしてブッダの大いなる御教えとその信者を支援することになり、彼らによって守られていた外道たちはその保護を失い、無防備なままでケサルに立ち向かうことになった。

　このような手はずが整うと、リン国王ケサルは九つの頭を持つ亀と毒蛇のことを考えた。彼らの巣窟は、王のいる洞窟から遠からぬところにあった。亀の巣窟は、王が頂に住むまさにその山のふもとにあった。ケサル王はもろもろの守護神の加護を祈りつつ、〈天鉄〉でできた金剛橛を、九層の鉄の洞窟に向かって投げ放った。すると亀はその住みかもろとも、粉々に砕け散った。唯一、亀の頭蓋の中にあった、閃光を放つものすごい貴石だけが無傷のまま残り、ケサル王はその石をわが物にした。

　その二日後、ケサル王とその神馬はめいめい、その分身として自分にそっくりの幻像〈化身〉を作った(13)。これら二体の魔法の被造物が、インドとネパールの国境にある鬱蒼たる森に覆われた恐るべき様相の山に着くと、その山上には八重の層を成す闇が広がっていた。

　そこにある白檀の大木の芯の奥深くには巨大な大蛇が棲み、そのすさまじい咆哮はあたかも天と地がぶつかり合ってたてる轟音を思わせた。

　ケサルの幻像が、もろもろの守護神の加護を祈りつつ、大蛇の額のまん中を魔法の矢で射抜くと、すぐさま怪物は息絶えた。そこで勝者は大蛇の光り輝く両の角を切り取り、鉄の瞳を持つその両眼と燃える心臓をえぐり取った。これら三つの部位はすべて、貴重きわまりない薬であった。

その同じ日に、さまざまな不吉な前兆が外道たちの僧院兼要塞に現れた。聖水を湛えた白ほら貝の首つきの金の瓶から、血が流れ出た。本堂の前に立つ、人間の皮膚でできた旗差物(はたさしもの)を、風が引きちぎった。集まった僧たちの昼食の茶を沸かす鍋の底が、突然抜けた。雨が降ったわけでもないのに、厨房が水浸しになった。

外道たちは恐れおののき、僧院の大会堂に集まり、全員で長時間沈思熟考したが、自分たちが目(ま)のあたりにした数々の凶兆の示す意味がどうしてもわからなかった。ついに、神意に任せようということになり、神がこれらの予兆の意味を夢の中で明かしてくださるよう祈って、めいめい自分の僧房に引き取って休んだ。

マ・ネネの助言

その夜中にマ・ネネがケサル王のもとに現れ、こう言った。

「気をつけなさい、英雄よ、厳戒を緩めぬように。外道たちの魔法の技が威力を発揮しつつあります。今まさに、彼らは夢占いの最中です。すぐに彼らの母系の先祖神に変身しなさい。つまり、ガルーダにまたがる若き予言者の姿になるのです。あなたの愛馬は、この鳥そっくりの姿になるでしょう。そうしてルンジャク・ナクポのもとに行き、全力を尽くして、予言によって彼の心を迷わせなさい。もし、偽の神託で彼を欺くことができなかったら、あなたは二度と彼に勝てません。わたしの忠告をよく理解し、幸あれ」

そう述べると、女神は見えなくなった。

ケサルはトンカル神に変身する

ただちにケサルは未来を予言するトンカル（白ほら貝）神になりすまし、すばらしい衣装をまとい、きらびやかな宝石で身を飾った八歳の少年の姿となって、鳥の王〔＝ガルーダ〕の背にまたがった。

ルンジャク・ナクポのもとに着くと、彼が眠っているのを見てとり、九面のブラフマー神と〔その妃〕ウマ女神の加護を祈る歌によって彼を起こした。

そして、「わたしは神々の大予言者の息子です」と告げた。「目を覚ましてください、偉大なる魔術師よ。わたしの話を聴いて、そなたの不安が解消しますように。

昨日、前兆が現れたとき、そなたの弟子たちの心には困惑が広がりました。今や彼らの間には、きわめて理屈に合わない数々の考えが沸き上っています。五百人以上もの人々が集まり、自分たちが見た数々の兆しの意味を夢の中で解き明かしてくれるよう、神々に請い願いました。わたしがそなたのもとに遣わされたのは、彼らの祈りに応えるためです。

数々の前兆の由来について疑念を抱くべきではありません。それらは何ら危険を告げるものではないのですから。むしろ反対に、すべて吉兆なのです。その意味を説き明かして上げましょう。

聖水を入れた瓶から流れ出す血は、天なる母神ウマがあなた方すべてを好意を持って見守っていることを示しています。めざす目的が何であろうと、あなた方は幸運に恵まれ、やり遂げるでしょう。

風で破れた皮の旗は、風を統御する投げ縄を手にした神を、あなた方が勢力下におさめたことを意味します(14)。

茶を沸かす鍋の底が抜けたのは、ブッダの教えが衰微し、ついにはチベットから消滅するであろうことを意味します。

厨房の浸水はブラフマー神があなた方に満足しておられることを示しています。この水を飲めば、あなた方の望みは叶えられるでしょう。

外道の人々の繁栄と栄光、それこそが、そなたを困惑させた数々の兆しが予言するものです。それゆえ落胆することはありません、偉大な賢者よ、神託の真の意味を曲解してはなりません、それが真実であることは、時の流れが証明するでしょうから。占いによって確かめる必要は皆無です。九つの頭を持つ〔ブラフマー〕神の使者が近々来訪し、あなた方にすべてを明かし、忠告を与えるでしょう。わたしのことばを疑うことなく、使者をもてなす支度をしなさい。今聞いたことを心に留めておくように」

そしてその姿が消えた。

数々の恐れや心配は完全に霧散し、ルンジャク・ナクポは喜びの絶頂にあった。大急ぎで銅鑼(どら)を打たせて弟子たちを呼び寄せ、一同が集会堂に集まるやいなや、少年神の頼もしいことばを繰り返し語って聞かせた。歓喜に包まれて、すぐさま全員で九つの頭を持つブラフマー神の使者をもてなす準備にとりかかった。

ケサルはブラフマー神の占い師に変身する

ケサルは再度変身し、正午ごろに姿を現した。彼は今や、予告されたとおりの神の使いの格好をして、九つの頭を持つ象に、血まみれの人間の皮でできた鞍を置き、またがっていた。

その姿を目にして、見張りの者たちがすぐさま合図を送ると、外道たちの大群が一目見ようと要塞兼僧院の城壁に殺到したが、その城壁たるや、切り落とされた人間の頭と皮膚でできた旗で飾られた、恐るべきしろものだった。

自分のために開かれた門には目もくれずに、ケサルは象とともに空を飛び、城壁を飛び越えて、大伽藍の前の広場に降り立った。

その間、外道たちはさまざまな楽器を奏で、勝幡(しょうばん)や傘蓋(さんがい)を掲げ、行列を作って進み出て、神と仰ぐ来訪者への敬意を表し、喜悦と賞賛の念が満場にみなぎっていた。

ケサルが象を建物の扉につなぐと、すぐにとびきり上等な飼い葉(かいば)が運ばれてきた。彼はルンジャクの案内で会堂に入り、ルンジャクの弟子たちも皆、後に続いた。

九つの頭を持つブラフマー神の使者と名乗る人物〔＝ケサル〕が用意された玉座に席を占めると、外道たちの主だった者は、みずからが目(ま)のあたりにした数々の前兆を彼に伝え、全員がその説明を聴こうとそのまわりに詰めかけた。

その中にあってただひとり、長老のノパ導師だけは、皆のように諸手(もろて)を挙げて信用しようとはしなかった。並みいる人々の中に降臨してきた神とやらは、彼の目にはどうも疑わしく見えた。いくつかの徴候からは、仏教徒の魔術師たちが作り出した幻影と見なすべきふしがあるように思われ、疑心暗鬼に駆られた。

心から尊敬しているふりをし、みずからの蒙を啓(ひら)きたいと求めている人らしい天真爛漫な態度をよそおって、彼はケサルのそばに行き、外道の教えとその起こりについてさまざまな質問をした。英雄ケサルだけにその姿が見える、後見役の神々がまわりを取り巻いていて、それらの問いに対する答を口述した。ケサルはこうして疑い深いノパ導師をすっかり得心させたばかりか、提起された問題以外のことにも話を広げ、導師も知らなかった数々の論点にいたるまで詳述した。これほどまでの知識の誇示に圧倒されたノパ導師は、この神の輝かしい知性に驚嘆した外道の学者たちが声をそろえて彼を讃えるのに、賛同せざるを得なかった。

するとと幾人かが、占いによって運命を調べるために使う品々を持ち出してきて、〔占い師に変身した〕ケサルの前に並べ、自分たちのために未来を読み解いてほしいと懇請した。

贋占い師の未来に関する宣託

ブラフマー神の贋(にせ)の使者〔＝ケサル〕はにこやかにほほえみ、彼らの考えに対して、次のように賛意を述べた。

「それは何よりの上策です。それこそが、あなた方の不安を解消し、あなた方を待つ運命を確実に知る、まちがいのない手だてです。わたしはブラフマー神の占い師であり、ブラフマー神は重要な事案に着手なさる前や、もろもろの前兆が現れたときには、けっして欠かさず、わたしに相談なさいます。わたしはこの技を、あらゆる神々が尊崇する神にして名声赫々(かくかく)たる師から学びました。わたしの占いは外れたためしがなく、これまで数百回行って、一度たりとも例外なく真実を当ててきました。わたしがここに来たのは自分の考えによるものではなく、ブラフマー神が、そのしもべであるあなた方への特段のご好意ゆえに、わたしにそうするよう厳命なさったからです。さあ、すぐさまことを進めましょう」

この演説は大いに外道たちの意にかなった。彼らは急いで〔占い師になりすました〕ケサルのもとに、いろいろな住まいや場所を表したさまざまな図が描かれた一枚のなめし革を持ってきた。そして色とりどりの小石で四分の三まで満たされた賽筒(さいづつ)がその上に置かれた。占い師はひとつ、あるいは同時に複数の小石が飛び出すまで、その賽筒を揺すり、その石が落ちたところに描かれた図が、未来の秘密を明かしているとされた。

第一に、白い石が神々の住まいの中に落ちた。

「これは、ブラフマー神がこれからもあなた方を力強く守り続けることを示しています」とケサルは告げた。

試みは幸先よく始まり、満足の呟(つぶや)きが大会堂を駆けめぐった。占い師は解釈を続けた。

ふたつのまだらの石が恐るべき場所に落ちた。

「農業を営む国の民が勢いを増すでしょう」

三つの色とりどりの小石が龍神たちの住みかに落ちた。

「外道の博学の師たちは長寿にめぐまれるでしょう」

四つの黒い小石が図の中央に落ちた。

「仏教が衰え、ついにはチベットから消滅するでしょう」

ごく小さな石がひとつ、皮に跳ね返って外に飛び出した。

「先ほどわたしを問いただしたノパ導師は、わたしの人格と使命を疑っていました。彼は非を認めねばなりません」

六つの小石が飛び散って、図の四隅(よすみ)をかすった。

「ある危険があなた方に迫っています。その元凶はチベットとシャンシュン国⑮にあります」

ケサルは話を止め、いかにも注意深く思いめぐらしているようなふりをした。外道たちは彼のことばに聴き入っていた。

「危険」と彼は繰り返した。「それもきわめて大きな危険です。即刻、祓いのけねばなりません」

ふたたび彼は沈思黙考した。

ついに口を開き、「あなた方が蓄えている、莫大な量の薬草や薬の原料となる樹木を運び出しなさい」と言った。「それを城壁の内側に、動き回るために必要な最低限の空間を残してすきまなく、その山が城壁の高さに達するまで積み上げるのです。四つある門のうち三つを塗りこめて塞ぎ、四つめの門の開口部は、一度にやっとひとりが通れるだけの寸法に狭めなさい。あなた方は災いに遭わぬよう、堅固な城壁の中に閉じこもり、水を運ぶ人夫だけが、必要に応じて出入りできるようにしなさい。

ゆめゆめ警戒を怠らぬように。ブラフマー神はインドの医薬という宝物をあなた方の手にゆだねられたのですから、誰にもそれを分け与えてはなりません。チベット人たちが奪い取るのをけっして許さぬように。

祭儀を絶え間なく続け、神々の御心を和らげる必要があります。強力な首領がチベットからやって来ます。もしもあなた方が彼を捕らえることができなかったら、彼はあなた方が蓄えた医薬品を焼き払い、あなた方の信仰する教えは衰え、あなた方の存続すら危うくなるでしょう」

彼がまたしても賽筒を揺すると、九つの黒い小石がたった一隅にうず高く積み重なった。彼は再びことばを続けた。

「外道の人たちは小石が告げる神託の意味を理解できません。そのため、厄を祓うために彼らが行う祭儀は何の役にも立ちません。彼らはみずからが呼び出した悪霊の力に屈しています。教えを受けるために、あなた方師弟は、占いを行うに当たって根本にある教えについて、わたしのような占い師から奥義伝授を受ける必要があります。この奥義伝授とは、あなた方を覆う法衣なのです」

　ケサルがもう一度、賽筒を揺すった。いくつかの小石が飛び出して、敷き延べられた皮の中央に落ちた。

「あなた方の中でひとりだけ、仏教徒たちの奉ずる神々を崇める人がいます」と彼は言った。「ペマ・チョツォ[16]です。彼女はそれらの神々と縁があるので、今晩、仏教徒たちが魔術を使って彼女に悪夢を送ろうとすれば、彼女はそれに感応するでしょう。もしもあなた方がそれに気を取られると、みずから敵に降参することになります。

　わたしのことばを記憶にとどめておくように。さて、わたしはこれでおいとますべきでしょう。何人もの占い師が長くひとつところにいるのは、よいことではありません。そんなことをすれば、お互いに相手に対して抱くべき敬意を欠くことになりますから[17]」

　外道たちは全員、ブラフマー神の使者のぬきんでた叡智に感服し、危険が迫っているとの予告は受けたにせよ、彼の忠告に従ってさえいれば、うまく避けおおせると信じて疑わなかった。贋占い師は彼らから感謝のしるしに豪華な贈り物を受け取り、それらの品々を九つの頭を持つ象に載せて出発した。外道たちはしばらくの間、つき従って見送ったが、まもなく巨象の歩みの速さについて行けなくなり、神を乗せた象の姿はみるみるうちに見えなくなった。

ケサルは住まいに選んであった洞窟に瞬く間にもどると、外道たちを欺くために使っていた魔法の姿かたちを捨て去って、瞑想にふけった。

外道たちの法要

天からの助言者が去った後、外道たちはすぐに薬用の植物を僧院の街路⑱に山のようにうず高く積む仕事にとりかかった。外で切って来た木々の幹や枝も、僧院の砦(とりで)の中に運び込まれた。同時に、祭儀の知識に精通した人々が集まり、ブラフマー神の使者から勧められたとおりに、神々に生贄(いけにえ)を捧げ、ふさわしいお祈りを唱え、さまざまな宗教儀式を執り行った。

大集会堂にはルンジャク・ナクポと五百人の学僧が何列にも並んで坐り、そのまわりを、もっと下っ端のその他おおぜいの外道たちが取り囲んでいた。人々は鈴や小さな太鼓を打ち鳴らし、シンバルと大太鼓が典礼の章句のリズムを刻んだ。すべての人々がたいそう高い声で詠唱し、ハ！　ハ！　ホ！　ホ！　と祭儀の叫びを大声で発し、その大音響は雷鳴のように会堂の天井にとどろき渡った。何頭もの生贄が屠(ほふ)られ、その血を満たしたいくつもの銀の瓶が、四つの頭を持つブラフマー神と九つの頭を持つブラフマー神の彫像の前や、いくつもの魔法の円〔＝マンダラ〕のあいだに置かれた。

ペマ・チョツォの夢

その夜、人々がこうして集まっていた間に、ルンジャク・ナクポの娘ペマ・チョツォは悪夢を見た。すぐに目を覚ました彼女は、神々を讃える儀式を続行している父をはじめ外道の主だった人々に急を知らせるため、大会堂へと向かった。

「父上、そして博学にして賢明なる学僧のかたがた、どうかわたくしの言うことをお聴きください。わたくしはあるカンドマの化身で、このインドの国であなた方にお話しすることがあります。注意してお聴きください。

ゆうべわたくしは、無数の凶兆を夢に見ました。今からつぶさに申しましょう。

あなた方は全員、まさにこの場所に、銅製の帽子をかぶって坐っておられました。この会堂は瞬く間に燃え上がり、跡には灰しか残りませんでした。城壁の四隅を防御する塔が、屋根から崩れ落ちてしまいました。砕け散った塔の壁から石が落ちて、山の下まで転がってゆきました。僧院の裏手にそびえる雪に覆われた高峰は、太陽の熱で溶けてしまいました。そのふもとでは、一本の矢が谷を貫き、緑の木々が生い茂り戯れる虎たちの吼え声がこだまする谷は、砂塵(さじん)の舞う不毛の地となりました。あなた方は全員、木綿の服を着ておられました。絹の織物をあいかわらず着続けていたのはただひとり、わたくしだけでした。赤い風⑲から雷鳴がとどろき、広大な外道の王国は滅びてしまいました。

今やこれらのことをご承知の上は、恐るべき夢の数々をあなた方がいかに解釈なさるのか、わたくしに教えてください」

少女が話している間、ルンジャク・ナクポとその同僚たちは首を振り、薄笑いを浮かべ、心得顔で目と目を見交わした。彼女が話し終えると、ルンジャク・ナクポはうぬぼれた口調で答えた。

「娘や、もうそれ以上言うな。いったい何者が、何のいわれもなく、われわれを傷つけようとするだろうか。敵というものは、理由もなく出現することはないのだよ」

ペマ・チョツォは繰り返し訴えた。

「それでもやはり、わたくしの言うことをお聴きください。わたくしは、昨日ここにいた、ブラフマー神の使者だという例の占い師も夢に見ました。彼は手にしていた投げ縄を、城壁の上に立てられた勝幡に向かって投げ、それを抜いて持ち去りました。あの占い師は強力な魔術師です。わたくしの見た夢をよく吟味し、じっくりお考えくださ い」

苛立ち(いらだ)がありありとわかる声で、ルンジャク・ナクポは答えた。

「娘よ、あの占い師は未来のことを何でもお見通しだ。そういうお方が、おまえが悪夢を見たと知らせに来るだろう、とわれわれに予告なさったのだ。それらの悪夢には、おまえに夢を送り込んだチベットの仏教徒たちやシャンシュン国のボン教徒たちの烙印が捺(お)されている。先見の明あるブラフマー神の使者はわれわれに、断じて気にかけないように、と勧告なさったのだが、この件について彼がおっしゃったことを、おまえは聴いていなかった。

さあ、会堂から出て行きなさい、ここはおまえには用がないのだから、家にお帰り。きれいでしなやかな絹の着物を着たり、好みに合うおいしい料理を食べたりして、楽しく過ごしなさい。おまえの見た夢については、もうわれわれに話さないように。おまえは仏教徒の奉ずる神々を拝んでいる。そのせいで、ああいう悪夢を見たのだ」

しかし、そこに集まっていた人々の中の何人かは、ルンジャク・ナクポが「娘の見た数々の前兆は注意を払うに値しない」として、あまりにも性急に退けているのではないかと考えていた。彼らは、娘がカンドマの化身であり、魔術の達人であることを知っていて、彼女の与えた数々の警告を考慮に入れるのが慎重なふるまいだと判断した。

そこで彼らは僧院長に、「かくも重大な状況のもとでは、あまり結論を急ぎすぎると、憂慮すべき結果につながりかねません」と恐れながら言上（ごんじょう）した。ペマ・チョツォの見た夢を、何日か前彼ら自身が目（ま）のあたりにした数々の前兆と比較検討し、両者が符合する点については最も権威ある何人かの師たちの熟慮にゆだねることを、許していただきたいと懇願した。

ルンジャク・ナクポは聴く耳を持たず、こう答えた。

「ブラフマー神がお遣わしになったあの占い師は、数々の前兆をことごとく読み解かれたばかりか、わが娘の見る夢に対して警戒を促された。何もかもが彼の予言のとおりになった。それゆえ、論議に時間を空費すべきではない。われわれがご使者のことばを疑い、その意見に従うのを躊躇（ちゅうちょ）しているのをご覧になれば、ブラフマー神がご立腹になるやもしれぬ」

ルンジャク・ナクポの権威は外道たちのあいだで揺るぎなく、その決断にあえてそれ以上踏み込んで異を唱える者は、誰ひとりいなかった。祈禱は続行され、それが終わると、全員数日間の隠遁修行をすべく、おのおのの僧房に引き取り、守護神の名を繰り返し唱え、その神像の前に灯明(とうみょう)を不断に灯し、魔術の儀式を執り行った。

ケサルは女神に変身してペマ・チョツォに語りかける

一方、ケサルはパドマサンバヴァの楽園の美しい女神に姿を変え、愛馬を水晶の金剛(こんごう)杵(しょ)に変えた。この半透明な金剛杵にまたがると、英雄は優美な女神の姿で空を切って、洞窟からはるかに隔たった外道の城砦(じょうさい)へと一気に駆け抜け、ペマ・チョツォの前に姿を現した。

「わが妹よ」と彼は言った。「わたしはサンド・ペルリ宮殿から参りました。わたしたちの宗教上の師グル・リンポチェが、ご自身に代わってこの水晶の金剛杵をあなたに渡すよう、わたしにお命じになりました。くれぐれも大切にしまっておいてください。これは将来あなたに必要となる、雄の(原文のまま)[20]駿馬です。いつの日か、他のいかなるものより、あなたのお役に立つでしょう。

パドマサンバヴァがお住まいの天界で、わが母デワ・トンキョンは、天におけるあなたの母と姉妹の間柄でした。外道たちのあいだに生まれたことを嘆くことはありません。あなたはここで、なくてはならない役割を果たさねばならなかったのであり、グル・リンポチェは、あなたがここで暮らす日数もあとわずかであることを、あなたにお告げになりました」

このことばを聞いて、ペマ・チョツォは大きな喜びを感じた。まず最初に、すばらしい金剛杵を手に入れたことに有頂天になり、次いで、ケサルが口にしたことばの後半部分の深長な意味について思い違いをし、自分が遠からずこの世で死を迎え、前世で暮らしていた楽園に生まれ変わるのだと思った。

贋の女神はことばを続けた。

「外道たちが不死の霊薬を持っていることを、そしてそれらは白檀の箱に納められていて、トルコ石でできたその鍵はあなたにゆだねられていることを、わたしは存じております。グル・リンポチェは、それを見た者、そしてそれに敬意を捧げた者は、誰であろうと、死をもたらす原因を免れる(不死になる)と、わたしにおっしゃいました。どうかお願いです、わたしがサンド・ペルリ宮殿にもどる前に、それを拝見させてください」

「もちろん、ご覧に入れましょう」とペマ・チョツォは答えた。「母どうしが姉妹なのですから、わたくしたちも姉妹ということになります。(21) その上、あなたはわたくしたちの宗教上の師父から遣わされてここにいらしたのですから、わたくしがそのご要望に従うのは、十分理にかなったことです。でも、霊薬を納めた手箱をわたくしに開けさせる人は、あなた以外誰もいない、ということをよくお含みおきください。この霊薬には、現世におけるわたくしの父である、ルンジャク・ナクポの〈命の精髄〉がこめられていて、何人たりともそれをかいま見ることすら許されておりません。しかしながら、数々の予言の書には、チベット人がいつの日かそれを奪い去るだろう、と記されています。でも、それはまだ、はるか遠い将来のことでしょう。

まず先に、わたくしと一緒に食事を召し上がってください。その後で、白檀の箱がある部屋へご案内しましょう。でも、くれぐれも気をつけて、わたくしの家にいらっしゃるところを、誰にも気づかれないようにしてください」

ペマ・チョツォは女神に、口当たりがよく、おいしいさまざまな料理をたくさん供し、それから、白檀の箱のそばに女神を導き、トルコ石の鍵で箱を開け、霊薬の上に掛けられていた、刺繍のほどこされた絹の布を持ち上げた。

〔女神に変身した〕ケサルはその魔力で、番人役のペマ・チョツォに気付かれることなく霊薬をつかみ取り、完璧に似せて作られたまがい物をその代わりに置いた。

もう宝物が入っていない手箱を閉じると、ペマ・チョツォは、天上の姉妹〔＝女神に変身したケサル〕を自分の部屋に連れて行き、みごとなトルコ石を手渡して、水晶の金剛杵を遣わしてくださったパドマサンバヴァ師に、自分からの感謝の気持ちとしてさし上げてほしい、と懇願した。「このトルコ石は、九つの頭のあるブラフマー神を飾っていたもので、外道たちの持つ中でももっとも貴重な宝石のひとつです」と彼女は説明した。「これをわたくしたちの宗教上の師父のお足もとに奉り、ペマ・チョツォが師の御前(みまえ)にひれ伏し、師のご加護を乞い願っているとお伝えください」

女神はトルコ石を受け取ると、今しがた盗んだ霊薬をその上に重ねて隠し持ち、一瞬のうちに天高く昇って行き、「太陽の輝ける洞窟」に引き返すと、ケサルの姿にもどった。

ケサルは化身を遣わし外道を壊滅する

その三日後、彼はみずからの身体、ことば、心、知恵、行いから、五体の幻像(化身(トゥルク))を作り出した。これらのうち四体が、外道たちの城砦の四方の門の前に陣取った。東門には身体の、北門にはことばの、西門には心の、南門には知恵の化身が陣取った。化身たちはおびただしい数の白檀の木を集めてきて、その一部を僧院の城壁に立てかけて山のように積み上げ、残った分を城壁の上から投げ落としたが、囲いの中側には、すでに外道たちの手で、薬や薬用の樹木がうず高く積まれていた。そうしている間に、行いの化身がペマ・チョツォを探しに行き、警告を発して逃げる準備を促した。

化身たちは城砦の四方の門の前で見張りに立ちつつ、もろもろの守護神を讃える歌を歌い始めた。そのものすごい声は天を揺るがすほどであったが、ケサルの魔術の力によって外道たちの耳は塞がれていて、彼らにはそれが聞こえなかった。化身たちは次のように歌っていた。㉒

ルー　タ　ラ　ラ！　ア　ラ　ラ　ラ！　タ　ラ　ラ！
父なるラマ、そしてイダムたち㉓、カンド（マ）たち㉔よ、ご加護を祈り奉る。
ご好意もて、お聴きあれ。
劫初（ごうしょ）より垂れたまいしご加護が
永久（とわ）にわが上に留まらんことを。

この日、メンリン・ゴンマ㉕にて
われ〔＝ケサル〕は外道の砦を攻めたり。
かの門の前に立つわれこそ
三守護菩薩㉖の化身、八十柱（やそはしら）の神の勇士の長（おさ）
パドマサンババ師㉗の教えの継承者にして

外道の悪鬼の敵（かたき）なり。
キ　キ　ラ！　ブ　スワ！　キ　キ　キ　ラ！

われは呼び奉る、おお、神々よ！
第十天の神々の、第十一天、第十二天、第十三天
その上なるいと高き天にまします神々の
ご加護を祈り奉る！

まったき勝利の宮殿の、色とりどりの天幕の中
カ　ラ　ラ！
かの人は白ほら貝の玉座に着きたまう
キ　リ　リ！
頭（こうべ）にはほら貝の兜（かぶと）をいただき
身にまとうはほら貝の白き鎧（よろい）
背にはほら貝の盾を負い
ガ　ラ　ラ！

右手にはほら貝の矢を一矢
左手にはほら貝の弓一張り
右にはダーダル(28)
左には鉞(まさかり)
右なるは虎のたてがみ
左なるは豹の斑(ぶち)の皮
御前にはほら貝の白馬一頭
ツィブ　ツィブ　ツィブ！
おお、汝(なれ)こそ、いと高き天の神々すべてに囲まれ
外道どもが天にかける梯子(はしご)の綱を断ち切り
峰々に吹きすさぶ激風を解き放ち
彼らを地上にたたき落とす者なり。

風と雲が戦う宮殿の中
右には神々の白き山
左には龍神たちの青き山

中央には阿修羅たちの赤き山があり
そして須弥山(しゅみせん)(29)の奥には、数知れぬ宝石がある。

金の玉座の黄の毛氈(もうせん)の上に
かの人は金の兜をいただき
黄金の鎧をまとい
ツィ　リ　リ！
金の盾を背に
ニ　リ　リ！
右手には金の矢
ツァ　ラ　ラ！
左手には金の弓
ツィ　リ　リ！
右にはダーダル
左には鉞
その右には虎のたてがみ

左には豹の斑の皮
そして前には、黄金の馬
ツィブ　ツィブ　ツィブ！
おお、栄光のドチャ・セルトク㉚よ
われらが敵どもを調伏する神を導き
外道たちの退路を断ち、誰ひとり逃れられぬように
彼らに汝の投げ縄を投げたまえ！

龍神たちの住むきらめく宮殿の中
トルコ石の玉座に坐り
かの人はトルコ石の兜をいただき
トルコ石の青き鎧をまとい
ツィ　リ　リ！
トルコ石の盾を背に
ニ　リ　リ！
右手にはトルコ石の矢

ツァ　ラ　ラ！
右には釣り針
左には蛇でできた投げ縄
その右には虎のたてがみ
左には豹の斑の皮
そして前には、トルコ石の青き馬
ツィブ　ツィブ　ツィブ！

おおマトゥ[31]、猛き者よ
外道を焼き尽くさんがため
風を地の底から送り込み
滅びの炎をかきたてたまえ！

われらの敵を打ち倒したまう神々よ
十万の軍勢もて駆けつけ
四方へ向かう外道の退路を閉ざし

願わくはひとりたりとも逃すことなく
かの一味を根絶したまわんことを。
シャンシュン国の燃える山の神よ
炎の翼に力を与え、天まで昇らしめたまえ。
偉大なる勇士にして破壊をもたらす火の虎神よ
その持てる炎の投げ縄を投げ
今日こそ外道を焼き尽くしたまえ。
風神たちよ、駆けつけたまえ、燃え盛る火を勢いづけよ
今日こそ外道を焼き尽くしたまえ。

憎しみの炎の舌が騒ぐ東の塔に
おお、叡智よ、火を放ち
誕生の苦しみを鎮めたまえ。

怒りの暗風が渦巻く北の塔に
おお、叡智よ、火を放ち

老いの苦しみを鎮めたまえ。

淫蕩の波打ち寄せる西の塔に、
おお、叡智よ、火を放ち
病の苦しみを鎮めたまえ。

高慢の大巣窟なる南の塔に
おお、叡智よ、火を放ち
死の苦しみを鎮めたまえ。

その後、ケサルの化身たちは瞑想に入り、外道たちを衝き動かしていた悪意のエネルギーが、神秘的なはたらきによって善意のエネルギーに転じ、次に生まれ変わるときには彼らの〈意識〉を覚りに通じる道に導く力となるよう願って、ポワ[32]に専念した。

この儀礼を終えると、ケサルは、自身から発現した化身たちの力を借りて、僧院兼城砦の四隅に火を放った。火はたちまち恐るべき勢いに達した。炎は唸りを上げ、その音は十方に鳴りわたった。巨大な火の舌が高く昇って天を舐め、煙は風に運ばれて世界のありとあらゆる地方を暗くした。

外道たちのうちで逃れられた者はひとりもいなかったが、ケサルが立てた誓願の力によって、彼らの〈意識〉は薬師如来の浄土へ運ばれた。

ペマ・チョツォは救われて、ダルマ・マニ王に嫁ぐ

彼らが燃え盛る砦の中でむなしく逃げ道を探し、半狂乱でさまよっている間に、ケサルが作った第五の化身が、ペマ・チョツォの無事を見とどけるため、彼女のもとに向かった。彼が何も言わなくても、外道たちの叫喚と火焔の照り返しがいっさいの説明を無用にした。ペマ・チョツォは水晶の金剛杵が何のために自分にとどけられたのか、そのわけを知り、それにまたがると炎の上を飛んで、瞬く間にケサルのいる洞窟へ運ばれた。するとゝ金剛杵は馬の姿にもどり、五体の化身たちは合体してふたたびケサルの中に吸い込まれてゆき、ケサルただひとりが目に見える姿となって、愛馬とともにあとに残った。

ペマ・チョツォは驚きで石のように固くなった。

「わたしをご存じないのなら」と英雄は彼女に言った。「パドマサンバヴァ師の魔術の力を具えた者であるとお見知りおきを。名はケサルといい、世界の帝王にして、大いな

る御教えの守護者、数々の外道を打ち負かす征服者の筆頭に立つ者だ。かつてわれらが天上の祖国にいたとき、ある友情の誓いがわれらふたりを結びつけた。わたしはそれを忘れたことがない。

わたしがリン国からやって来たのは、外道たちがその国内に留め置いている数々の良薬を持ち帰り、彼らの誤った布教にとどめを打つためである。われわれは青銅の宮殿の中で大いなる聖典を見出すだろうが、あなたをその至宝の番人に任ずることとなろう」

ペマ・チョツォは、さまざまな姿に変身した神々の息子トェパ・ガワを、自分が見分けられなかったことに恥じ入り、詫びた。

彼女は「太陽の輝ける洞窟」に籠もると、そこで一週間英雄とともに過ごし、ふたりそろって瞑想にふけった。その後ケサルは、外道たちがその教えを広めるためにふたたび出現することがないよう、この国の民に命じて僧院の焼け跡に無数のチョルテン(33)を建立させた。

次にケサルは、青銅の大城壁にその魔法の矢のうちの一矢を射て、かつてマ・ネネに命じられたとおりに突破口を開いた。宮殿の中で彼は、「大いなるみことば」百八巻と「小さなみことば」と呼ばれる無数の論書(34)を見つけた。

パンディット(35)に扮したケサルは、二十五日間、インド、ネパール、カシミールの人々に説教した。ダルマ・マニ王(36)にペマ・チョツォとの結婚を許し、発見された聖典の半分は、その知識が伝え広められるよう、彼ら夫妻のもとに保管をゆだねた。

おびただしい薬をリン国に運ぶ

その一方で、ケサルはたくさんの薬を集めてもいた。六万種にのぼるそれらの薬を、彼は千の包みに分けた。いかにしてリン国に運んだものかと、彼が思案していると、インドの魔術師たちとカンドマたちが、その運送作業を行おう、とみずから申し出た。彼らは五百羽のはげ鷹に変身し、重荷をその爪でつかんで運ぶと、夜陰にまぎれてケサルの宮殿の屋根におろした。

出発に先立ち、この国や隣接する地方の住人たちから英雄に、豪華な贈り物が贈られた。その送別を受けた後、ケサルは神の馬に乗って天空を横切り、帰って行った。彼がリン国を留守にしたのは三か月の間だった。

ケサル王の臣下たちは喜びを満面にたたえて王を迎えた。王がひとりきり手ぶらで帰って来たことに、誰もが心中ひそかに驚いたが、王が人々におのずと抱かせる畏敬の念ゆえにはばかって、その件については誰もあえて尋ねようとしなかった。

王は人々の思いを察していて、宮殿の屋上に昇るよう、大臣たちを招き寄せた。大臣たちは屋上が〔薬を詰めた〕包みでびっしり覆われているのを見て、驚きの叫びを上げ、建物の下にいる人々に大声で呼びかけた。どうやって薬が届けられたのか誰にも見当もつかなかったものの、ケサル王ならびに神々のご加護を口々に褒め称え、騒然となった。

さまざまな遊びやお祭り騒ぎ、宴会が数週間ひっきりなしに続いた。その後、数々の薬を惜しみなく分配し終えると、ケサル王はまたもや宮殿の奥の間に引きこもった。

第四章　北国のルツェン王征伐

パドマサンバヴァがケサルに出征を促す

数か月が過ぎた。その間、ケサル王は完全に引きこもって暮らしていたが、ある日の真昼、サンド・ペルリ宮殿から一条の光が射して王の部屋を照らし、この天空の道をわたって、パドマサンバヴァ師が王の前においでになった。

「ケサル王よ」と師はおっしゃった。「そなたが数え十五歳になってから一年が過ぎようとしている。みずからの果たすべき務めを思い起こすがよい。これ以上遅れてはならぬ。そなたは明日、ルツェン王の国をめざして出で立たねばならぬ」

英雄は答えた。

「いかにしてルツェン王を討つことができましょうか。燃え盛る炎の舌を持つ、あの巨人を、わたしが倒せるとはとても思えません。彼は名だたる魔術の達人として恐れられています。その家来たちも悪鬼の種族に属し、ルツェン王の強力な援軍です。それに立ち向かうなど無駄なのではありませんか」

「ルツェン王はたしかに恐るべき相手だ」とパドマ師はお認めになった。「しかし、そなたの使命は厳然と定められている。彼と闘うためにこそ、そなたは人間界に転生したのだ。そなたには神々の援助が約束されており、神々はそなたをけっして見捨てはしないし、わたし自身も、姿は見えなくても、そなたのそばについている。さあ、出発せよ」

師は光に包まれて見えなくなり、太陽は燦々と輝いていたものの、師が去った後の部屋は闇に沈んでいるように見えた。

ひとり残されたケサル王は、すぐに妻を呼び寄せ、今しがた自分が受けた命令を妻に伝えた。

「わたしがみずからに課された務めを知ったのは、はるか昔のことになる」と彼は妻に言った。「それは北国の王にまつわるもので、今こそその務めを果たすべきときが来た。日に日に邪悪な力を増すあの怪物から、大地を奪い返さねばならぬ。

これ以上出発を延ばすことはできぬ。遅滞なきよう、近隣の族長たちにも知らせずに、宮殿を後にすることとなろう。キャング・カルカルに大急ぎで金の鞍を置き、トルコ石の飾りのある手綱を付けてくれ。一刻たりとも無駄にするな」

夫がまたもや危険きわまる遠征に出ようとしていると知って、セチャン・ドゥクモはたいへん心を痛めたものの、夫の意向に従った。

馬の支度を終えると、彼女は仏間の仏壇に灯明を灯し、香を焚いた。そして、ケサル王が出で立つ前に、王の乗馬のきらめく鞍に手を置き、王の守護神たちすべての加護を祈り、王の成功を祈って数々の願を立てた。

ケサル王はルツェン王を討つためにひとりで北国に旅立つ

それから彼女は、王のために中庭の重い扉を開き、英雄は誰にも気づかれることなく、ひとり旅立った。

しかし王の出発は、次の日には知れわたっていた。王がそれまで暮らしていた隠遁の間を去り、キャング・カルカルに乗って旅立ったと聞いて、王の母とリン国の重臣たちは、彼が恐るべきルツェン王を討ちに行ったことを知った。全員、ただちにあとを追い、王の行くてを阻もうとした。しかし、ケサル王の馬に速さで勝てる馬などあろうはずもなく、彼らがやっと追いついたのは、馬を馳せること十三日めのことで、それも英雄が計画を熟慮するために歩みを止めたからに過ぎなかった。

彼らは王に追いつくと、皆で周りを取り囲み、悲しみをあらわにして、あまりにも向こう見ずな企てを思いとどまってくださるよう、説得を試みた。

「お歳をお考えください」と、ひとりが言った。「まだ十五歳にもなっていないではありませんか」

「ルツェン王は巨人です」と、もうひとりが言った。「頭は天に届くというのに、足は地上に着いたままです」

「その舌は蛇のようにくねりひらめく炎、いなずまもさながらです」と三人目の男が続けた。「舐(な)められたら、あなたは焼かれて、たちまち炎に呑まれてしまうでしょう」

そして、一緒にリン国にもどるよう、わいわいがやがや大騒ぎで、全員一丸となって王に懇願した。

ケサル王は人々に沈黙を求め、抗弁を許さぬ口調で宣言した。

「わたしは大いなる御教(みおし)えの敵を滅ぼさんがため、神々の住まいからわざわざ降りて来たのだ。パドマサンバヴァ師からそのように命じられた以上、みずからの務めを怠るわけにはいかない。わたしを止めようとしても無駄だ」

すると、龍女ゼデン(王の母)が言った。

「ケサル王よ、尊い神よ、あなたのおっしゃることはうそいつわりない真実です」と彼女は請けあった。「グル・リンポチェ御みずからわたしの生まれ故郷、龍の国においでになり、師のご指名で、わたしはあなたの母となるためにふるさとを後にしたのでした。

天から降りて来た一柱の神が、ある夜、トヤン・チャム・ツェマ峠の近くで、わたしに魔法の飲み物を飲ませると、わたしは奇跡によって幾柱もの神々の母となり、その神々は生まれるとすぐに飛び去ってゆきました。その後、色とりどりの雪に覆われた高原に黄金の花々が咲く朝、あなたがこの世に生まれて来たのです。何度も何度も、人々はあなたを殺そうとしましたが、深い穴に埋められたときでさえ、あなたは生きて帰ってきました。

わたしたちはふたりとも、果たすべき務めを運命づけられているのです。だから、出発なさい、勝利なさいますように」

息子の鞍に手を置いて、龍女は長い間、彼のために数々の願を立てた後、人々と一緒にリン国へ帰って行った。一方、ケサル王はただひとり、先へ進んだ。

北国に到着

馬を急がせ、次の日にはハチョン・ツィグという名の山の近くに着いた。そこから遠くの方に、ルツェン王が餌食(えじき)としてむさぼり喰らうものを求めて、人っ子ひとりいない荒野を走り回っているのが見えた。「ルツェン王に会うのは初めてだ」と彼は思った。「今日殺すのはやめておこう。だが、その正体を探ってみよう」

ケサル王は愛馬を、どこの山道にでもあるような道ばたの石塚に変身させ、自分も同様に姿を変えた。ルツェン王は何の疑念も持たずに、ふたつの石塚のそばを通り過ぎた。彼が遠ざかっていくやいなや、ケサルはふたたび馬にまたがり、もとの姿にもどった乗り手と馬は、北国の王の城塞に着いた。

そのときちょうど、王妃デュモ〔＝魔女〕・メサン・ブムチェはひとりきりでいた。ケサルは半開きになった中庭の大扉から彼女を目にして、呼びかけた。王妃は、中庭をぐるりと取り巻く回廊を通って〔奥の部屋から外の様子が見える部屋に〕やって来ると、あつかましくも自分を呼んだのはいったい何者か見定めようと、道に面した窓に近づいた。見慣れない戦士の姿を見てびっくり仰天し、彼女は尋ねた。

「きらめく兜をかぶった武将よ、あなたはどなた？　どこの国から、何ゆえにここに来たのですか。どうやってルツェン王に喰べられずにすんだのですか。

この城の周りには、空飛ぶ鳥はおろか、一匹の虫もいません。まして人間の身で生きてここに近づける者などひとりもいません。どうやってここまでやって来られたのですか」

「それは秘密です」と、ケサルは答えた。「誰もそんなことを知るはずはありません。誰かが聴いているかもしれませんから、大きな声で説明することはできません。わたしのそばに降りていらしたら、すっかりお話ししましょう」

好奇心に駆られて、王妃は広廂（ひろびさし）を離れて、外にいる見知らぬ人物の方に行こうとしたが、彼女が階段を下りるのと同時に、彼が城の中庭に入ってきた。

その大胆さにますます驚いたデュモは、見知らぬ戦士の静かな威厳と威圧するようなまなざしにあっけにとられてしまった。

「わたしはケサル、リン国王にしてこの世界の君主です」と英雄は名乗りを上げた。「神々の住まいにいたころ、わたしはコルロ・デムチョクとドルジェ・パクモ[1]の息子にして賢人成就者の長トェパ・ガワでした。パドマサンババヴァ師の命により、大いなる御教えの敵を滅ぼすために天界から降臨し、この世に転生しました。ルツェン王はわたしの手で討ち果たされねばなりません。そのときが来ました。彼を救える手だては皆無です。王妃よ、わたしの企てを手助けし、彼をより穏やかに死なせてやれる人は、あなたしかいません。一撃で彼の息の根を止めるにはどうしたらよいのか、教えてください」

すっかり震え上がって、デュモは答えた。

「古くからの予言があり、わたしはそれを知っています。それによれば、ルツェン王はケサル王に討たれることになっています。わたし同様、彼もそのことを知っています。でも、どうかお願いですから、お見逃しください。彼はわたしの夫であり、わたしの支えです。彼が死んだら、誰がわたしを養ってくれるでしょう。ここからお立ち去りくださいい、それが最善の道です。王にもやはり強力な守護神たちがいますし、神託とは常に意味深長なものです。これ以上長くここにいらっしゃると、帰宅した夫にきっと喰べられてしまいますよ」

王妃デュモ・メサン・ブムチェが夫ルツェン王を裏切る

ケサル王は彼女に近づいた。

「デュモ様」と、彼は巧みに取り入るように声をひそめて言った。「わたしには計り知れぬほどの富があります。神々の一族の出自であり、わたし自身も神にして、真の教えを信奉する者です。

わがリン国にあなたをお連れしましょう。あなたはその国で、毎日幸せと栄耀栄華に明け暮れ、死後はわたしと一緒に西方浄土の至福に与る(あずか)ことでしょう。

ここに留まることで、あなたがどんな危険に身をさらすことになるのか、わかったものではありません。ルツェン王はあなたを嫌いになるかもしれません。なにしろ乱暴で冷酷な男で、愛が冷めたら、あなたの命など、彼にとっては何の価値もなくなるでしょう。あの人喰い鬼の夫君にいつの日か喰べられてしまうかもしれない、とお考えになったことはないのですか」

デュモは心をそそられた。ケサルがたくみに暗示した（愛の冷めた夫に喰べられてしまうかもしれないという）危惧、神の資質をそなえ、しかも信じられないほどの富を持つ王のそばで安楽に過ごせるという将来の展望、そして死後には楽園の数々の喜びが楽しい来世をいやが上にも飾るだろうという期待、それらが一体となって彼女の心に働きかけ、妻の操をぐらつかせた。

「あなたのおっしゃるのは本当のことですか」と彼女は尋ねた。「その点に納得が行きさえすれば、あなたのお役に立ちましょう。確実に王を殺める手だて、それをあなたに明かしましょう」

「デュモよ」と、ケサルは媚びるような声で答えた。「ご自分の美しさを、そして、誰だってあなたを一目見たら好きにならずにはいられないということを、ご存じないのですか。わたしはあなたとお会いして、すっかり夢中になってしまいました。わたしは裕福で、権力があり、夫君より百倍も美男です。あなたは現世ではわたしの妃に、そしてその後は何百年と数え切れぬほど幾久しく、至福の楽園の蓮華の園でわたしの伴侶になるのです」

神にして英雄である男の愛、富、王座、楽園の無上の喜びなどなど、かわいそうなデュモはこれまで夢想だにしたことはなかった。彼女は頭がくらくらした。ケサルは魅惑的なほほえみを唇にうかべて、大きな黒い瞳で彼女を見つめていた。……王妃はすっかり参ってしまった。

「どうぞこちらへ」と、彼女は英雄に言った。「お上がりになってお休みください」

正賓(せいひん)の間(ま)にケサルが坐ると、デュモは茶、ツァンパ、干し肉を出してもてなした。そしてふたりで親しくおしゃべりした。客が食事を終えると、妃は言った。

「さあ、あなたは隠れないと。ルツェン王は占いにかけては博学多識で、もしその知識によって②あなたがここにいるのを知ったら、あなたはすぐに喰べられてしまいます」

彼女は厨房の片隅に穴を掘り、ケサルをそこに入らせると、銅(あか)の鍋を彼の頭上に置き、その上に石やからまりあった木片を積み上げて、穴が隠れるようにした。

厨房のすぐ隣には鉄の扉で閉ざされた物置のような真っ暗な部屋があり、彼女はそこにキャング・カルカルを閉じ込めた。

彼女はルツェン王が帰宅するまでに、これらの細工をどうにかやり終えた。夫の馬の蹄(ひづめ)の音を耳にして、デュモは中庭に降りて行き、手綱を受け取って馬を階段の下に引いて行き、いつもどおり夫を迎えた。

「お帰りなさい、だんな様。お疲れになったでしょう。(3) 遠乗りをお楽しみになりましたか」

王はたいそう機嫌が悪かった。手ぶらで狩りから帰ったのだ。餌食にできるような生きものになど、これっぽっちも出くわさなかったから、からっぽの胃袋は飢えて悲鳴を上げていた。王は部屋に入り座ぶとんに坐ると、デュモに言った。

「妻よ、今日はひどい一日だった。噛みごたえのある代物などひとつも見つからなかった。得体の知れない悲しみがのしかかってきて、昨夜はいやな夢を見た。リン国のケサル王の力が増しているかどうか、知りたいものだ。さいころの入れてある箱と占いの書物を持ってきてくれ」

「どうなさいますの？　もし彼の力があなたより強くて、この国に攻め入って来たら」と、デュモは夫の考えを何とか占いから逸らそうとしながら尋ねた。

「この件については、ある予言がある」と、王は答えた。「ケサル王が当地に到来し、犬(＝戌)年(4)にわたしは彼に敗れる、というのだ。今年は犬年だが、予言に示された犬年とは今年のことだろうか、それとも今から十二年後にめぐって来る年のことだろうか、あるいはまた、二十四年後、いやもっと遠い将来の別の犬年では……。あの箱を持って来てくれ、それで運命を探るのだ」

ルツェン王があくまでも占いに固執するので、王妃は恐怖でいっぱいになった。夫は占いの達人だから、この家の中にケサルがいることがわかってしまうにちがいない。しかし従わないわけにもいかないので、彼女は困惑を隠そうとしながら、箱を持って来た。

「箱を開けて、占いに必要な小道具をわたしの前に並べてくれ」とルツェン王は命じた。「わたしが占いに専念している間、おまえはよくよく気をつけて、吉であれ、凶であれ、心の中でいかなる願も立てないようにしてくれ。そういうことが影響して、占いの結果を歪(ゆが)めてしまうから」

デュモの方は、不安が高じるあまり、恐怖は怒りに変わっていた。彼女はいらだった声でまた言った。

「こんなこと何の意味もありませんわ。予言にせよ占いにせよ、あなたは何ひとつわかっておられないのですから」

彼女は、ケサルが家の中にいると夫が知ってしまわないように、と力のかぎり念じながら、書物、さいころ、数珠をはじめ必要な品々を箱から取り出し、夫の前の机に並べた。

しばらくしてから、王は考え込んで頭を振った。

「占いは凶と出た」と彼は宣言した。「絶体絶命だ。疑いの余地はない、敵は家の中に隠れている。われわれふたりでこの家を隅から隅まで徹底的に探して、部屋という部屋の地面を掘り返さねばならぬ。おまえはこっちの隅から掘ってくれ、わたしはもう片方からやろう」

デュモは死神がうろつく気配を間近に感じた。ケサルが見つかろうものなら、彼女は冷酷な夫からいかなる容赦も期待できないだろう。それでもなお、どうにかして危険を遠ざけようとした。

「そんなこと骨折り損なだけでしょう」と、あいかわらず不機嫌そうなふりをして答えた。「地下から敵が見つかるなんて聞いたこともないわ。あなたの敵はリン国にいるのよ。別の方角に別の敵がいないかどうか、もう一度占ってごらんなさい」

ルツェン王はこの意見に従い、占いを終えると妻に告げた。

「今度の結果はわたしにとって吉と出た(つまり、ケサル王以外に敵はいないということ)。しかし最初の占いはまったくの凶そのものだった」

彼はもう一度さいころを投げてケサルについて占い、結果はまたしても凶だった。

「ケサルは生きているのか死んだのか」彼は考えあぐねていた。「死んだのなら、もはや恐れる理由はない。それをしかと確かめないことには安心できぬ」

そこで彼はまた占いを始めた。「これは不思議だ」と、しばらくして彼はデュモに言った。「ケサルが真っ暗で風も通らないところにいるのが見える。頭の上には銅の鍋が置かれ、足元には白い蛆(うじ)がうじゃうじゃうごめいている。彼が死んでいるのか生きているのか、わたしにはさっぱりわからない。おそらく地獄⑤の王から責め苦を受けているのだろう」

デュモは心の底から感嘆したようなふりをした。

「なんてすばらしい占いでしょう」と彼女は叫んだ。「疑う余地はありません。ケサルは死んだのです。その暗い場所というのは数ある暗黒地獄のどれかにちがいありません。鍋は悪者どもを釜茹(かまゆ)でにするためのもので、蛆はまさに彼らの死体を喰い尽くすもの、お寺の壁画に描かれているとおりです」

ルツェン王は、占いの意味はまったくそのとおりに違いないと認めた。夫婦はお茶を飲み、床に就いた。

ルツェン王の殺害

デュモは眠ったふりをしたが、目は覚ましていた。夜、王がぐっすり眠り込むと、彼女は起き上がり、ケサルに会いに一階に行き、上がって来るように言った。

「ルツェン王はどうしていますか」と、彼は尋ねた。

「眠っています」と王妃は答えた。

そこでケサルは魔法の兜と鎧をふたたび身に着け、神聖な矢のうちの一本を弓につがえ、共犯者の後について二階に上がった。

「よくお聴きなさい」と彼女は言った。「ルツェン王の額には真っ白な丸いあざがあります。彼の〈命の精髄〉が宿っているのはそこです。そこを矢で射抜けば、彼はいっぺんに死んでしまうでしょう」

ケサルは、神々の像の前に灯明が灯るだけのほの暗い部屋に入った。悪賢い妻が彼に教えたとおりの白いあざに、一本の矢がまっしぐらに突き刺さった。頭が真っ二つに割れ、悪鬼はすぐさま息絶えた。

すると、部屋の敷居のところで足を止めて惨劇を凝視していたデュモが、死者の〈意識〉⑥のためによかれと願って、夫のことをケサルにとりなした。

「ルツェン王はいつでもわたしによくしてくれました。自分が人肉を喰べるとき、わたしには羊の肉を出してくれました。自分が生き血をすするとき、わたしには乳を飲ませてくれました。夫はわたしが必要とするものを何でも用意してくれました。上等な毛織物や中国の錦でできた服、金糸を織り込んだ服、高価な宝石をちりばめた髪飾りや首飾りを、彼はわたしに贈ってくれました。彼は大いなる御教えの敵だとあなたは断言なさいました。それゆえ、彼を殺(あや)めるお手伝いをいたしましたが、わたしがあなたにお願いしたのは、ただ彼の肉体を滅ぼすことだけでした。彼の〈意識〉にお慈悲をたまわり、お願いですからどうか彼の〈意識〉を西方浄土に送りとどけてくださいますように」

ケサルはルツェン王の〈意識〉を西方極楽浄土に送り届ける

「そうしましょう」とケサルは答えた。「それもまたわたしの使命ですから。わたしに討たれた悪鬼たちの〈意識〉は、〔無明の闇に〕光が射して浄化されるさだめとなっています。善が悪に代わらねばなりません」

そして英雄はルツェン王のぐったりとした身体に近づき、ちょうどそのとき中有(バルド)(7)に入ろうとしていた彼の〈意識〉を呼んだ。彼の〈意識〉はケサルの声を聞き分けて、すぐにそちらに駆け寄ってきた。

「良家の子弟よ、(8)注意して聴きなさい」とケサル王はルツェン王の〈意識〉に言った。「そなたの今いるところの近くには、霧が深く立ちこめた領域がある。そこはまやかしの幻覚に満ち満ちており、導き手がいないと、人々は道を見出せぬまま、いつまでも果てしなくさまよい続けることになる。恐れることなく、導かれるがままに任せよ。

地獄へ向かうなかれ。そなたはみずからの悪行の結果に引きずられ、あやうくそちらに追いやられるところだったのだ。そなたにはそちらの道を行く方がたやすく思われるだろうが、この霧に閉ざされた道にそなたを引きずり込もうとするもろもろの性向を、何としても押さえつけねばならぬ。その道は苦の世界に通じている。

そなたは血肉ある身体を離れ、そなたの人格はもはや前と同じではない。自身の身体を見ると、今や九つの穴⑨の開いた壁のように見えるだろう。それらの穴をさまざまな住まいの入り口と見なして、どの穴にも入らぬよう、気をつけなさい。

両足は、地上に立つ一対の樹木にそっくりだが、足の静脈の中に入ってはならぬ。下に降りるな、高く昇れ。

水のたまった青い道(尿道)にはまり込んではならぬ。高く昇れ。

腹の中は、一本のはてしない道が曲がりくねりながら続く沼地(腸)そっくりに見えるだろうが、その中に入り込んではならぬ。高く昇れ。

二本の手は、そなたにはふたつの谷のように見えるだろうが、そのどちらの道も選んではならぬ。高く昇れ。

首は梯子(はしご)のかかった壁のように見えるだろうが、けっしてよじ登ってはならぬ。高く昇れ。

口は陽光の射す半開きの門のように見えるだろうが、忍び込んではならぬ。高く昇れ。鼻のあたりは山と峡谷だらけだ、わざわざ危険を冒して行ってはならぬ。高く昇れ。両眼はふたつの窓のようだが、通り抜けてはならぬ。高く昇れ。両耳はふたつの銅の洞窟のように見えるだろうが、入り込んではならぬ。高く昇れ。そなたの前には三つの道が開けている。間違った方に行かないように。ウマ、ロマ、キャンマ〔の三つの道〕[10]はそれぞれ別の扉に通じている。ロマは中有(バルド)の領域を抜け出す道ではないから、そちらに行ってはならぬ。キャンマは〈大虚〉から生じた魔術的な宇宙だから、そちらも避けねばならぬ。ウマは他のふたつとは違い、最善の道である。外側は白く、内側が赤い脈管で、曲がりくねったりせず、山に生える竹のようにまっすぐで、竹と同様に三つの節がある。どの節にもそれぞれ神が宿っている。

下の節に宿るのが、恐ろしいマチク神[11]だ。顔面は青く、蓮華の中に坐し、色とりどりの絹の服をまとい、〈墓場の骸骨でできた飾り〉でその身を装っている。右手には小太鼓を、左手には妙なる音色の鈴を持っている。ルツェンよ、そなたの〈意識〉がマチク神と一体となり、神とともに第二の節へと昇って行きますように。

そこ〔＝第二の節〕には白い勝利のドルマ[12]が宿っている。もっとも白いほら貝よりもさらに白く、きらめく宝石で全身を飾り、蓮華の中に坐している。右手は低く地面を指して世界を支配下に置き、左手には青い蓮の花と水晶の数珠を持っている。そなたの〈意識〉がドルマと一体となり、ともに第三の節へと昇って行きますように。

そこ〔＝第三の節〕には宇宙全体の大母神が宿っている。その身体の色は赤く、赤い髪は四つに分かれて、背、両肩、顔面に垂れている。頭頂部には赤い炎が燃えている。右手には血まみれの人間の皮を持ち、左手でカンリン〔人間の大腿骨で作られたトランペット〕を唇にあて、ぞっとするような響きを奏でている。虎の皮の腰巻と赤い絹の長衣をまとい、象の上に立って狂おしく踊っている。どうかそなたの〈意識〉が大母神と一体となりますように。この神の住まいから一筋の道が伸びて、赤い無量光仏が御座(おわ)します西方極楽浄土へと通じている。こちらの方へ向かいなさい[13]」

ケサルの指示に逐一従ううちに、ルツェン王の〈意識〉は次々に導師が教え示すとおりの諸段階を踏み、数々の悪しき感情を慈しみ深い気持ちに変えてゆきながら、幸いなことに偉大な極楽浄土についに到達した。

ルツェン王の〈意識〉が極楽に着いたとき、ケサルは王妃に言った。

「あなたの夫君は今や西方浄土の至福の住人の一員となっています。ご覧なさい」

そしてその超常的な力によって、その様子を彼女に見せてやった。

するとデュモは英雄の足もとにひれ伏した。

「何とすばらしいことでしょう」と彼女は叫んだ。「ご主人様、あなたはなんと偉大な力をお持ちでしょう。今はどうかわたしにしてくださった数々の約束のことも思い出してください、そしてゆくゆくはこの至福の住まいにわたしをお導きください」

「女よ、そなたの時はまだ到来していない」とケサルは厳かに答えた。「そなたが至福につながる道を歩むことができるかどうかは、のちのちよく調べてみよう。当面、わたしはここに数日の間留まるとしよう」

デュモは身を起こしたが、胸のうちは悲しみでいっぱいだった。リン国王は彼女に、冷淡で見下すような口調で一方的に話し、その黒くて厳しい両眼には愛の炎などいっさい輝いていなかった。

ルツェン王の戦士たちはケサルに従う

翌日、ルツェン王の配下の戦士たちが、国王がケサルに殺されたと知って、下手人を殺して主君の仇を討とうと、大軍となって城に押し寄せた。

デュモは進軍する彼らを見て、ケサルに「どうなさるおつもりですか」と心配そうに尋ねた。

「わたしの馬に鞍をつけ、わたしの魔法の武具を持って来るように」と彼は言った。

「わたしは並の人間が打ち負かせるような相手ではない」

彼が鞍にまたがるやいなや神馬は騎手とともに天高く昇り、はるか上の方に姿を現したため、それを見た戦士たちは茫然自失した。

「かくも偉大な魔術師を、われわれが討ち取れるはずがない」と、彼らは絶望的な思いに陥った。それでも、亡き主君に忠実な戦士たちは、なおも復讐を試みようと、英雄に向かって毒矢を射かけた。それらの一矢たりとも命中することはなかったが、激怒したケサルは炎の刃のついた剣を鞘から抜きはなち、刃向かう者どもを皆殺しにしようとした。

すると、このような超自然の武器を見て恐れをなした戦士たちは、平伏して帰順の意を示し、彼の臣下となって大いなる御教えを受け入れる覚悟だと申し立てた。

ケサル王は彼らを赦免した。次の日から王は人々に聖水を分け与え、灌頂を授けた。

ケサルは妖術によって虜にされ、デュモを愛人として睦まじく過ごす

今や誰もが皆、リン国の英雄ケサルを北国に引き留め、王に戴きたいと願っていた。彼に心奪われたデュモは、家来たちの誰よりも強くそう望んでいた。一方勝利者の方は、彼女を妻に迎えるという、かつて結んだ約束を、うまくはぐらかすことしか考えていなかった。

しかし、彼が城にぐずぐず留まっているうちに、戦士たちは好機を見つけて、王の枕の下に、自分たちが上に坐ったり足を乗せたりしていた座ぶとんや、靴の詰め物にしていた藁屑を滑り込ませた(14)。さらにまた、さまざまな不浄なものが王のお茶の中に投じられ、こうして移されたもろもろの汚れの影響で、ケサルの〈意識〉は暗く曇らされてしまった。彼はリン国も、みずからの使命も、自分がいかなる人物なのかも、忘れはててしまった。毎晩、彼は自身と瓜二つの分身を魔術によって作り出し、その分身が王妃と褥を共にしたため、彼女は英雄の愛を独り占めにしたと信じ、幸せに暮らしていた。

こうして六年が過ぎた。デュモと主だった武将たちは妖術によってケサルの〈意識〉を麻痺状態に保ち、虜にして引き留めたのだった。

第五章　ホル国征伐の準備

観音菩薩が北国に留まるケサルを目覚めさせ、任務を思い起こさせる

そのままでは、ケサル王がみずからのやり残した任務をまっとうすることなど、到底叶わなかったことだろう。だが、ある日、霊験あらたかな観音菩薩が王のもとに現れ、その〈意識〉を暗く曇らせていた呪いの影響を、特別な灌頂(1)という手だてによって打ち消してくださった。

英雄はあたかも長い夢から覚めたかのように、取り巻きの者たちのたっての願いにも、デュモ妃の嘆きにも耳を貸さず、ただちに愛馬に鞍を付けさせリン国へと出発した。

ケサルはリン国にもどる途中で、亡くなった兄ギャツァの〈意識〉に出会う

ザムリン峠に着くと、彼はたくさんのチョルテンに驚いて目を見張った。何年か前、北国へ向かうために通りかかったときには、なかったものである。「この種の記念塔は、

族長や高僧や高位の人々が死んだとき、その供養小塔(ツァツァ)(2)を安置するために建立されるものだ」と彼は思った。「それがなぜ、こんなにたくさんあるのだろうか。……リン国でいったい誰が亡くなったのか」

あれやこれやとすっかり考え込んでいると、頭のないハヤブサが一羽、ひとつのチョルテンから飛んで来て、彼の頭の上に一瞬とまり、またもどって行って、もとのチョルテンの上にとまった。

「なんてずうずうしい奴だ、頭のない奇怪な鳥め」とケサル王はひとり言を言い、仕留めてやろうと弓に矢を番(つが)えた。

「わたしが誰かわからないのか」と鳥が叫んだ。

ケサル王はひどく驚いたが、かけられていた魔法のせいで作り出された麻痺状態が、観音菩薩から灌頂を授けられたにもかかわらず、いまだに心に重くのしかかっていて、自分に話しかけてきた相手が誰なのか、さっぱりわからなかった。

しかし、彼の愛馬である神馬が地面に横たわり、悲しげな口調で英雄に告げた。

「ケサル王よ、わたしたちふたりは、ある使命を達成するために、神々によってこの地上に遣わされました。その使命とは、ひときわぬきんでた知恵を必要とするものです。そのあなたにして、この頭のないハヤブサが、リン国にいたとき兄弟のよしみで結ばれていた、センロン王の息子ギャツァの〈意識〉であることが見抜けないとは。凡人とどこが違うというのですか。

あの鳥がとまったチョルテンは、ホル国に首級(しるし)を持ち去られてしまったギャツァを偲んで建てられたものです。生者であるあなたは友を見分けられなかったけれども、死者にはあなたがわかったのです。あなたは彼に情愛のこもったことばを一言もかけなかったばかりか、彼を殺そうとした！　さあ、彼を呼びなさい、彼は、リン国に降りかかった数々の災いをはじめ、あなたが北国にいた間に起こったいっさいのことを語ってくれるでしょう」

そこでケサル王は急いでその鳥を呼び、泣きながら白絹のカタを捧げ、「変わり果てた姿で現れたあなたが誰なのかわからなかったことを許してほしい」と詫びた。そして、自分が悪鬼たちの国で呪いにかけられ囚われの身となっていたことを話した。

ハヤブサはすぐに飛んできて、キャング・カルカルの鞍にとまった。

「あなたは亡くなったのですね、いとしい兄上ギャツァよ」と英雄はことばを継いだ。「しかしなぜ、中有(バルド)をさまよっておられるのですか。なぜ、あなたの〈意識〉はいずれの楽園にも向かわなかったのですか。たとえ〔楽園に生まれ変わって〕神の身体を得られなかったとしても、なぜ人間の姿に生まれ変わらなかったのですか。よしんば鳥に生まれ変わらねばならなかったにせよ、美しい羽を持つ優美な鳥もいないわけではないのに、よりによってなぜハヤブサに？　そしてなぜ、このハヤブサは頭がないのですか」

ギャツァは答えた。

「弟よ、わたしのせいで心を痛めないでくれ。人間の身に生まれ変わらなかったのは、そうすることが無益に思えたからだ。西方浄土にまっすぐ行くこともできただろうが、それよりも、おまえの帰りを待ち、おまえに再会し、おまえがホル軍に殺されたリン国の民の仇を討ってくれることを、しかと確かめたかったのだ。彼らが仕掛けた戦争によって、おおぜいのホル国人も戦いに倒れ、みずからの所業ゆえにネズミに生まれ変わった。わたしはその〔ネズミの〕天敵であるハヤブサになって、彼らを片っ端からやっつけたというわけさ。だがそんなことより、おまえに話すべきことがある。聴いてくれ」

セチャン・ドゥクモ妃はホル国に連れ去られ、トトゥンがリン国を支配する

「おまえがリン国を去ってまもなく、ホル国王クルカルが、大軍を率いて攻め込んで来た。おまえの部下たちは勇敢に交戦し、たくさんの敵を討ち取ったが、多勢に無勢で圧倒され、ついに屈した。わたし自身もおまえの宮殿の門のところで討たれた。クルカル王はわたしの首を刎(は)ね、持ち去った。それは今、戦勝記念として彼の宮殿の城壁に掛

かっている。おまえが見るとおり、この鳥に頭がないのはそのためだ。しばらくの間、クルカル王はこの国に留まり、おまえの宮殿に住みついて、勝利の喜びを味わっていた。

おまえの妃は、戦利品の一部として身柄をよこせと要求する征服者に対して、けなげに抵抗した。まともにぶつかっても仕方がないので、別の策略を考えたのだ。

妃はクルカル王に、「あなたのおそばに参りたいのはやまやまですが、その前に、わたしはある願を成就するために、リマ(ヤギや羊の糞)でチョルテンを建てねばならないのです」と言った。

乾いたリマはころころ転がり、チョルテンは造るそばから崩れてしまい、けっして完成することがなかった。こうしてホル王を欺いて時間を稼いでいる間に、おまえがもどってくると彼女は期待したのだが、あいにくそうは行かなかった。

おまえがルツェン王に喰べられてしまい、二度ともどって来ないだろうと思ったトトウンは、征服者に取り入る方が得策だと判断した。

「あの女があなたをだまそうとしているのが、おわかりにならないのですか」とトトウンはホル王に言った。「リマを蜜蠟(みつろう)に浸せ、と彼女に言えばよいのです、そうすればリマとリマがたがいにくっつくでしょうから」

セチャン・ドゥクモ妃は他にもいくつかの戦略を編み出したが、同じことだった。いつもトトゥンが、その裏をかく方法を〔クルカル王に〕教えたのだ。

ついにクルカル王は自国に引き返したが、戦利品もろとも、おまえの妃も連れて行ってしまった。

一方恥ずべきことに、全面降伏したトトゥンは、今やクルカル王の臣下兼名代としてリン国を支配している。

わが父上センロン王③は、高齢にもかかわらず勇敢にホルの軍勢と戦い、おまえの帰還を待ち望もう、とリン国の民を鼓舞して止まなかった。そのことがトトゥンの怒りを買った。それというのも、クルカル王の手下となってこの国を支配する方が、彼には得策と思われたからだ。こうしてトトゥンは老いた兄王にひどい仕打ちをし、おまえの母を召使いにしてしまった」

ケサルは復讐を誓う

この物語を聞いてリン国に起こった数々の災いを知ったケサル王は、計り知れぬ悲しみで胸がいっぱいになったが、すぐに落着きをとりもどし、心を込めて友に言った。

「ギャツァよ、もうこれ以上嘆かないでください。誓ってリン国の勇士たちの仇を討ちます。クルカル王はその不埒な行いに高い代償を払うことになるでしょう。彼やその配下の武将を殲滅するまでは、わたしは片時も憩いますまい。

兄上よ、今はその惨めな鳥の身体を捨てて、どこでも結構ですからお好きなところを選んで、幸ある来世にお行きください」

ケサル王が立てた誓いに安堵し、リン国が独立を回復すると確信して、ギャツァの〈意識〉はハヤブサの身体を離れ、鳥の身体は力なく地に落ちたが、〈意識〉はただちに大いなる至福の楽園に生まれ変わった。

亡き兄の子どもに出会う

この出会いののち、ケサル王はリン国へと道を進み続けた。アチェンシュン・ルンと呼ばれる地に着くと、まだ幼い少年が野生のヤギを仕留め、懸命に皮をはいでいるのが遠くから見えた。王は少年を見てうれしくなった。子どもはかわいらしく、熱心で楽しげに働いていた。

「リン国で、こんな少年に会った覚えはないが……」とケサル王は思った。「わたしが国を離れてからもう六年になるのだから、この小さな狩人はその頃はもっと幼かったにちがいない。ギャツァには息子〔＝ダプラ〕がひとりいて、この少年とほぼ同じ年頃だったはずだ。この子がそうだろうか。どれ、試してみよう」

そこで、今は亡きルツェン王の姿を借りて、山のような巨人となった。見るも恐ろしい面構え(つらがま)で、大きな口からは炎の舌がひらめき出ていた。このように変身して少年の前に進み出た。

少年はそれを見てもちっともひるむ様子はなく、仕事の手を休めもしなかった。ただひとこと、

「どちらからいらしたのですか」と尋ねただけだった。

「北国からやって来た」と悪鬼に扮したケサル王は答えた。

「お名前は?」

「ルツェンだ」

少年も、さすがにこれには興味をそそられて、相手を注視した。

「われらが君主は、昔あなたを討つためにその国へと旅立ったきりです。彼の姿を見かけませんでしたか」

「見たとも。とっくに喰ってしまったよ」

「これからどちらに行かれるのですか」と、男の子は落ち着きを保ったままで、ことばを続けた。

「リン国じゅうの住人どもを喰いに行くのさ」

すると若き狩人は手にしたヤギを放り出し、静かな凛々(りり)しさを湛えて、弓に矢を番(つが)えた。

「あなたはわれらが王を喰い殺したのですね」と彼は言った。「そして、これからなおも、わが同胞を貪(むさぼ)りつくすおつもりだ。あなたを生かしてはおけぬ」

少年の弓の腕前はきわだっていて、放たれた矢は巨人の口を貫いた。

ルツェンの巨大な姿は、魔術による幻覚にすぎなかった。亡き者にするとの脅しを耳にして、ケサル王はとっさに、みずからの生き身[4]を一本の絹糸ほどの細さにまで縮めた。それほど用心したにもかかわらず、矢はすれすれをかすめ、英雄〔＝ケサル王〕は危うく命を落とすところだった。彼はすぐに〔ルツェンの〕幻像をかき消し、姿を隠した。

「この飛びぬけた資質の子どもは、わがいとしい兄上ギャツァの息子にちがいない」と彼は考えた。「いかなる戦士をもしのぐ勇敢さで、神であろうが悪鬼であろうがおかまいなしに立ち向かっていった、あの兄上にして、この子あり。しかしこれほどまでの勇気を授かったとしても、世の中で有為の人材であるためには、慈しみ深い心がなくてはならない。この子に優しい気持ちがあるかどうか、見てみよう」

彼は姿を隠したまま遠ざかって行き、とある谷の曲がり角で、巡礼中の貧しいラマとなってふたたび姿を現した。

幼い少年は、ルツェンだと思っていた相手が突然見えなくなっても、さほど驚かなかった。

「あの悪鬼は熟達した魔術師だったのだ」と彼は考えた。「並の人間には彼を倒すことなど不可能にちがいない」

巡礼がやって来るのを見て、同じケサル王が別の姿で再来したとは夢にも思わなかった。その巡礼の姿はどこもかしこも、百八の墓場をはじめ身の毛がよだつような場所で瞑想を重ねチェ⑤の儀式を執り行うために遊行（ゆぎょう）している乞食（こつじき）巡礼者⑥そのものだった。上部が三叉（さんさ）の矛（ほこ）になった杖にすがり、人間の大腿骨で作られたトランペット〔＝カンリン〕を帯に差していた。背には小さな天幕や、太鼓その他の法具をしまった小さな袋を背負っていた。

「拙僧は食糧が底をついてしまった」と巡礼のラマは若き狩人に言った。「何か食べものを分けてはくれぬか。さすれば数ある経典の中からお望みのものを読んで進ぜよう」

「わが父上はホル軍に討たれました」と少年は答えた。「ある悪鬼が、国王であるわが叔父上（おじうえ）⑦〔＝ケサル王〕を喰い殺してしまいました。このヤギの肩肉をさし上げます。どうか、亡くなったふたりの供養になるようなお経を読んで、ふたりの〈意識〉を西方浄土へ導いてくださいませんか」

「この少年は優しい心の持ち主だ」とケサル王は思い、そうとわかって、とてもうれしくなった。しかし、答えのしるしにひとつうなずくにとどめ、肉をもらうと、道を急ぐ様子で遠ざかって行った。

クルカル王の名代となったトトゥンの支配下の敗戦国リンの惨状

ギャツァの〈意識〉がケサル王に告げたとおり、トトゥンがリンの諸部族を支配していた。祖国が敗北した後、トトゥンは戦勝国の王の歓心を買おうと躍起になり、卑屈に追従した。それに対する褒美として、ホル王は、かつてケサル王の出現によって彼が手放すはめになった特権のすべてを、彼にとりもどしてやったのだった。

トトゥンは〔ケサル王の出現による〕みずからの権威の失墜に無念やる方なかったから、リンの英雄〔＝ケサル王〕に対する遺恨こそが、彼を敵に擦り寄るようにしむけた理由の最たるものだった。遠国の王の臣下となったが、敗戦国に課される毎年の税を貢ぐかぎりは、彼は実質的には独立した絶対権力者であった。彼はその地位に完全に満足しており、ケサル王が二度と帰って来ないように、とやきもきする思いで願っていた。しかし、その懸念は次第に薄れつつあった。英雄〔＝ケサル王〕が恐るべきルツェン王を討ちに出発してから六年がたち、以来その消息を知る者はいなかった。どう考えても彼は死んだとしか思えず、裏切り者〔=トトゥン〕はほぼ完全に安心してもよさそうな状況だった。

ケサル王と母親との再会

ケサル王は、乞食僧の姿のままで、リン国に到着した。同地で、山の上で馬の番をしているセンロン王と、トゥマ(食用になる草の根)を穫り入れている母を見つけた。

自分が誰かわからないようにして、母の近くに行き、トゥマの施しを乞い、その代わりに何かひとつ経文を唱えようと約束した。龍女ゼデンは彼に旅の目的を鄭重に尋ね、ふたりとも型どおりの挨拶を交わした後、母は息子に言った。

「わが子ケサルが国を発ってから、何年もたちました。息子ははたして帰って来るのでしょうか。それを占ってください。そうすればトゥマをさし上げましょう」

「よろしいですよ、お婆さん」とケサル王は答えた。「占って上げましょう」

儀式を行うふりをした後、ケサル王は宣言した。

「あるしるしがあなたに示されるでしょう。穫り入れたトゥマの入った袋を空中にお投げなさい。息子さんはそれが落ちたところにいるはずです」

龍女はすぐに、この見知らぬラマは息子かもしれない、と気づいた。ありとあらゆる魔術の秘法に通暁した息子にとっては、姿を変えることなど児戯にすぎないと母は知っていたのだ。すぐさま彼女が袋を空中に投げると、当然のことだが、袋は巡礼僧の足もとに落ちた。すると彼女は、目の前にいるのはケサル王だとほとんど確信しながらも、彼自身からその確証を得たいと願って、彼に懇願した。

「どうかお願いですから、もしあなたがケサル王なら、わたしにそうだと言ってください。もう何年もの間、ふたたび会えるかどうかわからないわが子を思って、涙にくれていたのです。なぜわたしをこんなに悲しませるのですか」

ケサル王は母の苦しみとその流す涙に深く心を打たれた。突如彼は、きらめく甲冑に身を包み、天上の武具を手にした姿で現れた。

龍女は喜びで有頂天になったが、すぐに、彼がいない間に起こった数々の災いの記憶が心をよぎった。ケサルはもはや王ではなく、彼の国はホル国のクルカル王の属国となり、その名のもとにトトゥンが権力を振るっていたのである。

おそらく息子はこれらの悲しいできごとを知らないだろうと思って、彼女はホル軍がリン国へ攻め入ったこと、ギャツァの他にも十三人の勇将が戦死したこと、セチャン・ドゥクモ妃がクルカル王に連れ去られたこと、彼の財産が一切合財略奪され、ホル国に運ばれてしまったことを物語って聞かせた[8]。

彼女は語り終えると、英雄に尋ねた。

「どうなさるおつもりですか。あなたは神の息子であり、パドマ師から遣わされたのでしょう？　復讐するのですか。クルカル王に奪われたものを取り返すのか、それともまさか、なすすべもなくこのまま泣き寝入りするおつもり？　……ああ、なぜこれほどお帰りが遅れたのですか。あなたは北国には一年しか留まらないはずだったのに、六年もの間留守にしました。あなたがこの国におりさえすれば、クルカル王がリン国に攻め入ることはなかったでしょうに」

「確かにおっしゃるとおりです、お母さん」とケサル王は答えた。「でも、わたしがルツェン王を討つと、妃のデュモも主だった武将たちも、わたしを引き止めようとしたのです。彼らはわたしに上等な料理をふるまい、下にも置かぬもてなしぶりでした。それと同時に、彼らの悪魔のような妖術の力によって、わたしの記憶は覆い隠されてしまいました。わたしはリン国のことも、自分が何者なのかも、忘れ果てていました。今年になって、観音菩薩がわたしに掛けられた魔法を解いてくださり、記憶がもどったので、すぐに出発したのです。

もうこれ以上、つらい過去のことを思わないでください、お母さん。クルカル王はわたしから盗んだものをずっと持ち続けられるわけがありません。あなたは天幕にもどり、わたしのために食事と寝床を用意してください。すぐにそちらに向かいます。でもまずはセンロン王にお会いせねば」

センロン王の前に幻影で現れる

龍女ゼデンが立ち去るとすぐ、ケサル王は高貴な殿様の姿になり、従者や召使いに似せて、何人かの人間の幻影を作り出した。こうして変装すると、さきほどセンロン王の姿を見かけた高台に引き返した。そこまで来ると全員（ケサル王と彼が作った幻影の従者たちのこと）馬を降り、召使いたちがお茶の用意をした⑨。お茶が沸くと、ケサルはセンロン王に遠くから呼びかけた。

「やあ、お爺さん、お茶を飲みにいらっしゃい」

老人はやって来ると、相手を異国の殿様だと思って鄭重に挨拶し、お気持ちはありがたいが、茶碗を持ち合わせていないと言った⑩。

「結構ですとも」とケサルは答えた。「あなたのためにひとつご用意しましょう」

彼が老人に木の椀を差し出すと、召使いのひとりがただちにそれにお茶をなみなみと注いだ。

センロン王はお茶を飲むのはそっちのけで、茶椀をしげしげと見た。以前、ケサル王が使っているのをしょっちゅう目にした、見覚えのある椀に似ていることに気づき、びっくりしたのである。ほのかな希望が心に湧いてきて、ほほえみが浮かんだ。

ケサル王はそのさまをじっと見守り、尋ねた。

「なぜ、お茶を飲もうともせずに、わたしの茶椀を見てにこにこしておられるのですか、お爺さん」

「これを見ると、もうひとつの椀が思い出されまして」とセンロンは答えた。

そして、リンの大王と彼が呼ぶ人物の子ども時代について、自分の知る限りのことを語った[11]が、まさか英雄その人がそれを聞いていようとは、思ってもいなかった。

老人は、彼がいかにして王となったのか、そしてマギェル・ポムラ山の財宝を発見したこと、北国へと旅立ったこと、ホル軍の侵攻、敗戦について語った。次いで、自分自身および龍女ゼデンを襲った不幸の数々と、ふたりの主人となったトトゥンの過酷な仕打ちを語った。さらに付け加えて、貸してもらった茶椀が、かつてケサル王が持っていたものとそっくりなので、彼と再会する前ぶれのように思われたのだ、と語った。

英雄は老人の話に興味深く耳を傾けているように見えた。老人が話し終えると、彼は頭を振って言った。

「ケサル王が帰って来る定めなら、とっくの昔にそうしたはずです。気の毒なお爺さん、今となっては、あなたにできるのは、彼のために〈マニ〉を唱えることぐらいでしょう。どうやら間違いなく、彼はルツェンに喰べられてしまったとみえます」

そのことばは老いたセンロン王を深く悲しませた。「この殿様はルツェンがケサル王を殺すところをその目で見たか、さもなければ、王の悲惨な最期を、別の目撃者から聞いたにちがいない。この人はそれをわたしに知らせるために、このような遠回しな方法を選んだのだ」と老人は思った。彼は泣き出し、「ケサル王が死ぬところを見たのかどうかおっしゃってください」と、ケサルに懇願した。

「いや、見たわけではありません」と英雄は答えた。「でも、これほど長年にわたって何の便りもないのですから、亡くなったにちがいないと思いますよ」

「そうとなれば、われらにはもう何の望みもありません」と哀れな老人は言い、ますます涙をつのらせた。

これほど深い嘆きを目のあたりにして、ケサル王は同情に駆られた。

「馬を集めにお行きなさい」と彼は勧めた。「もう時刻も遅くなりましたから。ご主人の家に馬を連れて行く前に、ちょっともどって来てください。もうひとつお話ししたいことがありますので」

父センロン王の前にケサルの姿で現れる

老人は従った。馬を連れてもどって来ると、彼が目にしたのは従者を連れた異国の殿様ではなく、他ならぬケサル王その人が、記憶にあるとおりの姿でたたずんでいた。あまりの喜びに、彼は英雄の着物に取りすがり、支離滅裂なことを際限もなく口にしては、泣くと同時に笑いもし、このまま立ち去る気にはなれなかった。

「お父上」とケサル王は言った。「トトゥンのもとにお帰りにならねばなりません。何日かしたら、またお目にかかれるでしょう。しかしそれまでは、わたしに会ったことを誰にもおっしゃらないでください」

センロン王はそのことを約束したが、いくらそうしたいと思っても、いつものような暗澹たる顔つきにもどることはできなかった。彼は、その〔＝トトゥンの〕持ち馬の中で最も美しい馬に乗り、目を輝かせ、頭を昂然と上げて、ひとり笑いしながらトトゥンの住まいへと帰って来た。

トトゥンは邸の屋上からそのさまを見て、あまりの変わり様に度肝を抜かれた。

センロン王を虐待したトトゥンは、ケサルの帰還に恐れおののく

センロン王はひどくうれしそうだが、いったい何が起こったのだろう、とトトゥンは

いぶかった。彼をあんなに喜ばせ、得意満面にさせられる唯一のこととは、守護者ケサルの帰還だ。もしやケサル王が帰って来たのではないか？　兄さん〔＝センロン王〕にはそれがわかったのだろうか？　だとすると、先王〔＝ケサル〕は、自分が養父として大切にしてきた人を、おれの馬の番をさせに行かせたと知ったら、どう思うだろうか。

トトゥンは勇敢とはほど遠い男で、自分が犯した数々の悪行の責任を甘受するなど、およそ考えられなかった。故国に帰った英雄が自分に科すであろう懲罰を思うと、恐怖に胸が締めつけられた。そのような事態を避けることしか、頭になかった。彼はその肥った身体で可能なかぎりすばやく階段を駆け下りて、兄を出迎えに行った。

そして、これ以上ないくらい愛想のよい顔つきで、次のようなことばで迎え入れた。

「兄さん、あなたが馬を追っているのを見るのは、本当につらいよ。おれを恨まないでほしい、どうか気を悪くしないでくれ。おれには召使いがおおぜいいるわけでもなく、やつらは仕事で手いっぱいだ。それでもやっぱり誰かが家畜たちを牧場に追って行かねばならん。しかしそんな仕事は実際、兄さんにはきつすぎるだろう。これからは家でのんびり過ごすといい。家に上がって、おれのとなりに坐って、お茶でも一服してくれよ」

トトゥンはセンロン王を主賓（しゅひん）の間（ま）に招き入れ、いくつもの座ぶとんを手ずから積んで兄のために席をしつらえ、それから兄の姿をじっと見て、言った。

「兄さんの服は山仕事にはもってこいだが、家の中で過ごすには向かないようだ。おれと同じ程度の服を着てもらいたいし、ふたりともまったく同等の暮らしをするようにしたいものだな。そうするのが実の兄弟ってものだろう?」

そこで彼は、妻に命じて自分の絹の服の中から一着持って来させ、センロン王に羽織らせた。

三日の間、トトゥンの書いた筋書きはきちんと励行された。センロン王は至れり尽くせりのもてなしを受けた。食事時にはゆでた肉の大きな塊が出されたし、お茶にはバターがたっぷり入れられ、毎日、強い酒を何杯も何杯もきこしめしたものだった。

「ケサルはいつ到着するのだろう」と、狡辛いトトゥンは思った。「自分の養父がこんなに大事にされているのを見れば、彼も満足しないわけにいくまい。彼はおれに感謝するだろうし、おれとしては、彼の敵であるホル王との関係について、何としても彼に大目に見てもらわねばならない」

しかしケサル王は一向に現れなかった。トトゥンは心配になり始めた。兄が喜色満面なことに目ざとく気づいたものの、その原因は、自分がてっきり見破ったとばかり思っていたものとは違っていたのだろうか。彼は兄に尋ねた。

「いつだったか、兄さんはおれの馬に乗って笑いながら帰って来たね。そのわけは、ケサル王が近々リン国に帰って来るからではないのかい？」

センロン王は自分に勧告されていたことを思い出し、悲しそうなふりをした。

「ああ、何ということだ」と彼は答えた。「彼からは何の知らせも受けていない。彼が出発してからもうずいぶんになるので、わたしはとうとう、彼は死んだ、と思うようになった。あまりの悲しみに、気が変になっている。わたしがしょっちゅうばか笑いしたり、あるいは自分でも知らないうちに何かしでかしたりしても、どうかトトゥン殿、腹を立てないでほしい」

それは大いにありうることだ、とトトゥンは思った。あまりにも激しい悲しみのとりこになった人は、なかば気が触れてしまうことがある。おそらくその手の痴呆のたぐいだろう。おれはといえば、ケサルが近日中に帰って来ると思い込んで、兄さんに王侯並みのご馳走を出し、自身の部屋に住まわせ、自分の服の中で一番上等のものを着せていた。

彼は怒りに駆られた。自分の思い違いに自身で怒り心頭に発し、センロン王が羽織っていた服を剝ぎとり、坐っていた座ぶとんから蹴飛ばして、さんざん罵倒した。

「やい、この乞食め」と彼は叫んだ。「役立たずのもうろく爺い！　よくもおれの一番いい馬に乗りやがったな。おれの飼い犬と一緒くたに、おまえを門につないでやる。犬どもと餌を分け合うがよい」

トトゥンは哀れな老人を外に追い出し、彼の命令によって、センロン王は番犬たちのそばにある杭につながれた。

ケサル王のトトゥンに対する仕打ち

ケサル王が待っていたのはまさにこのときだった。センロン王がつながれて一時間たらずのうちに、彼はきらめく甲冑をまとい、神々しい武具をありったけ携えて、ホル国の臣下〔＝トトゥン〕の門の前に姿を現した。

トトゥンの妻カルツォ・セルトが、夫に知らせに、あわてて走って来た。

「もうおしまいだ」と彼は叫んだ。「おれには前からすっかりわかっていた。センロン王はケサルの帰りを知らされていたのだ、そして、そら、あそこでケサルが、自分の養父が犬どものそばにつながれているのを見つけたぞ」

逃げようと思ったが、もう遅すぎた。英雄の乗馬が階段の踏み段の前で足を止めたところだった。腹黒い臆病者に残された手段はただひとつ、隠れるしかなかった。自分は留守だと言うよう妻に言い含め、大急ぎで脱いだ服を片隅に放り込むと、穀物や種子を貯蔵する大きな皮袋のひとつに、素っ裸でもぐりこんだ。

その間に、トトゥンの娘がセンロン王の縄を解き、ケサル王はそれを見なかったふりをした。カルツォ・セルトはトトゥンが中に入っている袋の口を軽く結わえた後、白いカタを手に、王を出迎えに、急いで中庭に降りて行った。

「どうかお上がりください」と彼女は言った。

部屋に入るとすぐに、ケサル王は「トトゥン殿はどうなさったか」と尋ねた。

「その金の座におかけください」と妻は言った。「主人はホル国に出かけております。一息入れて、お茶を召し上がれ」

「それは結構」とケサル王は言い、それ以上追及しなかった。卓上に用意されたものを飲んだり食べたりしながら、付け加えた。

「遠い国から着いたばかりで、疲れております。今晩は、奥様がすぐ近所にお持ちの小屋、真向かいの平原にあるあそこで過ごすとしましょう。寝床は自分でしつらえます。よく休めるよう、ふかふかにしたいものですな」

「なぜあんな小屋においでになりますの」とカルツォ・セルトは異を唱えた。「あそこは、つい最近までヤギを入れていたので、汚くなっています。どうか、こちらでゆっくりなさってください、白檀の寝台でお休みになれます。主人が使っているものですが。

このわたしがふとんの支度をいたしましょう、たいそう気持ちよくお過ごしになれますよ」

「滅相もない！」とケサル王は叫んだ。「そんなけしからぬことを、どうしてできましょう。トトゥン殿は〔馬頭〕観音菩薩の化身であらせられる。⑫その寝床を踏みつけるような失敬なふるまいをしたら、罰が当たります。いえいえ、いけません。ほら、あの袋は、わたしには実に打ってつけだ。あれを寝台に使いましょう⑬」

何も耳に入れようとせずに、ケサル王は袋をひっくり返し始め、そのいくつかを門まで乱暴に転がして行った。

「袋の口がしっかり閉じられているか、ご一緒に確認しましょう」と彼は言った。「中身がこぼれたりしないように」

そう言いながら、彼はトトゥンが入っている袋の口をきつく縛りなおした。それからその袋をつかんで運び、あちこちにぶつけながら階段を降りると、中庭にいた使用人たちを大声で呼んで、それ以外の袋を持って来させた。

小屋に着くと、中を掃除させ、袋を寝床の形になるように並べた。トトゥンがもぐりこんでいる袋が足元に来るように、よく念を入れて配置すると、眠ろうと横になったが、掛けぶとんにしっかりくるまろうとするふりをして、みじめな裏切り者の上で足を少々ばたつかせたりもした。

夜中、何回かしたたかに蹴られて、トトゥンは自分の置かれた状況をまざまざと思い知らされた。いくらかでも眠れれば、その間はそれを忘れることもできただろうが、袋の中で縮こまったままでは寝るに寝られず、呼吸しようにも、皮が擦り切れて薄くなったところを爪で引っかいて開けた、ごく小さな裂け目しかなかった。

翌朝、夜明けとともに、カルツォ・セルトとその娘が、召使いを何人か連れて、お茶とバター、ツァンパ、干し肉、凝乳を運んで来て、ケサル王の前にずらりと並べ、朝食にするよう勧めた。

恐ろしい不安にとりつかれて、母娘は一晩中一睡もしていなかった。彼女たちは、もしトトゥンがまだ袋から脱出しておらず、ケサル王の許しを得られていなかったとしたら、哀れな虜を救い出すために、ケサル王の出発を急がせるか、あるいはせめて彼を小屋から引き離すことができれば、と願っていた。ところがケサル王は、ふたりが運んで来た上等なご馳走に鄭重に礼を言うと、おもむろに食事を始め、一口ごとに食べるのをやめてはおしゃべりをし、気の毒な女たちを責め苦にかけた。

ようやく食事を終えると、彼はカルツォ・セルトに言った。

「長靴の底に穴が開いてしまいました。新品同様に修理したいので、革と細紐、そして長い針を二本くださいませんか⑭」

「そんなお手間をかけるわけには行きません」とトトゥンの妻は哀願した。「わたしたちの家にお上がりになって、お茶でも飲んでお休みください。長靴をお預けくだされば、わたしが自分で修理いたしますよ」

「とんでもありません、姉上様⑮」とケサル王は深い敬意をよそおって叫んだ。「あなたはトトゥン殿の奥方ではありませんか。そのようなお方の手が触れた長靴を履くなんて、わたしにはとてもできません。いえいえ。ここでお待ちしておりますので、入用の品を届けてさえくだされば、あとはお構いなく」

やむを得ず、従うほかなかった。

ケサル王は針を手に取ると、針先の具合を試すと見せかけた。

「この針は革を楽々貫けるくらいしっかりしているかな。どれ」

そして彼は、針を二本とも、トトゥンが潜んでいる袋にぶすりと突き刺した。

トトゥンはありったけの努力をはらって悲鳴をこらえたが、思わず身じろぎしてしまった。そのとたんにケサル王はその場で跳び上がり、袋を見て、大声を張り上げた。

「不思議千万！　奇跡だ！　穀物袋が動いたぞ！　みんな走って来い、ホルの悪鬼がここにいる！」

そして棍棒（こんぼう）を手に取ると、恐ろしい勢いで袋の上から打ち据え始めた。

今度という今度は、トトゥンもこらえ切れず、わめき出した。

「許してくれ、許してくれ！　どうかお慈悲を。殺さないでくれ！」

カルツォ・セルトとその娘、その場にいた全員がケサル王の足もとに身を投げ出し、不運な男をご容赦ください、と懇願した。

そこでケサル王は腰を下ろし、命じた。「その男を袋から出してやれ」

全員が先を争ってその命令に従い、太っちょのトトゥンは、彼にとっては牢獄ともいうべき袋から、裸で、真っ赤な顔をして、なかば窒息しかけ、四肢を震わせて、引っ張り出された。

「見下げ果てた奴め、嘘つきの、ぺてん師の、卑怯者の、裏切り者め！」と英雄は叫んだ。「おまえなど、生まれて来ない方がましだったのに。おまえのような人間には、清らかな教え（仏教）の戒めどおりに生きるなんて到底無理だ。いやまったく、その点では動物も同然だ。その者を縛り上げて牢屋に入れろ」と、彼は居合わせた人々に命じた。

トトゥンは最高権力者だったから、邸には堅牢な壁としっかり閉まる重厚な扉がある牢獄用の部屋を備えていた。そこに、彼は自分の家来たちの手で監禁された。

ケサル王はその後、一夜を過ごした小屋を後にして、トトゥンの邸にもどった。今度は、邸の主(あるじ)の寝台や上等無比のふとんの上に、馬頭観音菩薩の化身にはらうべき敬意などまるでお構いなしに、遠慮なく足を投げ出し、ゆったりとくつろいだ。

マ・ネネがケサルにホル国に出征するよう促す

英雄は安らかに眠っていたが、部屋を照らすまばゆい光によって目を覚ました。マ・ネネが、五秘仏の像で飾られ、きらめく宝石がちりばめられた冠を冠って、目の前に現れた。

「ケサル王よ」と彼女は言った。「わたしはドルマ[16]です。わたしのことばを心して聴きなさい。トトゥンを牢獄に留め置いてはなりません。彼は馬頭観音菩薩の化身であり、絶大な力があります。彼を大事になさい。彼は、あなたに非常に役に立つこともあれば、大変な妨げを引き起こすこともあります。彼の縛め(いまし)を解くのが賢明なふるまいというものでしょう。

そして一刻も早くホル国へ向かう準備をしなさい。クルカル連合国へ向かう道は、危険だらけです。残忍な悪鬼たちに守られていて、あなたの行くてを阻むそれらの悪鬼たちを、一歩進むごとにいちいち片付けねばなりません。それぞれホル国の三部族の王であるクルカルとそのふたりの兄弟クルナクとクルセルは、よき教えとその信者たちを滅ぼすことを誓いました。あなたが彼らを討伐しなかったら、この教えはこの世から滅んでしまうことでしょう。みずからの使命を思い起こし、栄(は)えある務めを果たしなさい」

　夜が明けると、マ・ネネは姿を消した。

ホル国への出征準備

　ケサル王はただちにトトゥンの妻を呼び、夫を自分の前に連れて来るよう命じた。牢から引き出されたトトゥンは、白いカタを手に現れた。それをしきたりどおり慇懃(いんぎん)にお辞儀をしながら英雄に捧げたが、そのそぶりからして、心から後悔しているようにはとても見えなかった。甲羅を経たならず者は、すでに自信をとりもどしていた。監禁されている間じっくり考え、リン国王が自分を処刑させたり、棒で打つよう命じたりしなかったところを見ると、どうやらこれまで味わわされた以上の憂き目には遭わずに、この難局を切り抜けられそうだ、と思ったのである。

「なぜ、わたしにあんなにひどい仕打ちをし、牢に入れたのかね、甥御殿(おいごどの)[17]」と彼は落ち着き払って尋ねた。そして笑い出した。

　ケサル王は厳しい口調で答えた。

「悪行を犯した者は、その懲罰を受ける。悪人どもは苦の世界(煉獄(れんごく))へ行く。そのことに思いをいたすがよい。

ともあれ、今日のところは自由の身にもどしてやる。武将と戦士を招集せよ。皆に話すべきことがある」

トトゥンはそのために必要な命令を下し、下僕たちが大城門の上に据え付けられた太鼓を打ち鳴らし、軍旗で城壁を飾った。

徐々に人々がトトゥンの邸をめざして、いったい何のための召集かといぶかりながら集まって来た。

皆、ケサル王の帰還を知らなかったのである。

王の姿をふたたび目にした人々の喜びはすさまじいものだった。ホル国に対する復讐のときが遂に来たことを疑う者は誰ひとりいなかった。

武将たちの中には、五百歳（とせ）の齢（よわい）を重ねた主馬頭（しゅめのかみ）⑱がいた。黄色い絹の服をまとい、一本の羽根と一粒のルビーを飾ったモンゴル風の帽子をかぶっていた。歩くのに、金の杖にすがっていた。裕福な上に知恵分別があり、族長会議においてはその意見が非常に重んじられ、万人から尊敬される人物であった。

彼はいくつもの宝石を〔自宅から〕持って来させてケサル王に捧げ、⑲これほど長く国を留守にした理由を尋ねた。それから、リン国に起こった数々の災いと、大軍を自在に駆使するホルの三王に自分たちが抗戦できなかったがゆえの、臣民すべての苦しみを物語った。

その話を聞いた後、ケサル王は武将たちと人々に語りかけ、勇気をとりもどせと激励した。

「昨夜、マ・ネネがわたしのもとにおいでになった」と彼は言った。「パドマサンバヴァ師と神々はわれらの味方だ。師と神々は、ただちにホル国に向かって出発せよ、とわれわれに命じておられる。あなた方はセチャン・ドゥクモ妃を奪還せねばならぬ。それが幸先よい前ぶれとなろう。

ホル国の諸王は、三兄弟のうち最強のクルカル王を手始めに、家臣たちや悪鬼羅刹（あっきらせつ）のごとき軍勢もろとも殲滅（せんめつ）されねばならぬ。彼らがこの世に留まるかぎり、大いなる御教えとそれを信じる人々が生き永らえる余地はあるまい。

おのおの方、準備を急げ。わが軍は明日の日の出とともに出発する。

遠征軍は全軍、武将と戦士から成り、一般の男性は含まない。残った男たちは、女たちや家畜の群れとともにリン国に留まるものとする」

主馬頭が尋ねた。

「武将のすべてが例外なく、出発すべきでしょうか」

ケサル王は熟考した。

「いや、何人かは民とともに残る。まずは父上、あなたは高齢ゆえ従軍しなくてよろしい。残りの武将のうち、チェキュ、コンパ・タギェル、およびセルワ・プンポだけが、わたしについて来い。彼らが百騎の騎兵を率いることになる」

すると男たちは解散してめいめい自分の天幕にもどり、その日は一日中、武器や軍装、馬具の支度に余念がなく、一方、女たちは道中の兵糧(ひょうろう)の荷造りに当たった。

翌日、日の出を前に、小部隊はリン国を発ち、その日のうちにホル国との国境に着いた。

第六章　ホル国征伐(一)

巨獣ドン退治

リン国とホル国の境界は、ホルのコンカル・タオ峠の高みにある石塚が目印になっていた。ケサル王と配下の者たちがそちらをめざして登って行くと、巨大なドン[1]が道を塞いでいるのが見えた。そのドンは、こちらの方を見ており、待ち伏せしていたようだった。図体(ずうたい)は山のように大きく、銅(あかがね)でできた両角の先から炎がひらめき出ており、憤怒(ふんぬ)の身構えで高々と上げた尾は、大嵐の暗雲さながらに、中空(なかぞら)にかかっていた。

すぐにケサルはこのとてつもない獣を悪鬼と見抜き、人間技で倒すなど思いもよらないことだと気づいた。彼は小隊の行軍を停止させた。

「ここに留まれ」と王は騎兵たちに言った。「このたぐいの代物との力比べは、おまえたちにできるしわざではない。パドマサンバヴァ師の代理人たるわたしが、神々の助けを借りてあの獣と闘い、わが魔法の武器で仕留めてくれよう」

人々は皆、馬から降りて、馬に足かせをはめ、地べたに坐った。一方、ケサル王はキャング・カルカルにまたがって、高らかに響く声で守護神たちを呼びながら、天高く昇って行った。

するとただちに、トゥンチュン・カルポ、ミタク・マルポ、ルトゥク・オセルの三神が、空中に浮かび上がり、姿を現した。この神々は、母の龍女の頭と両肩から奇跡によって生まれてきた、ケサルの兄たちであった②。ツァンパ・ギャジン神③も一緒で、おのおのが投げ縄を手にしていた。

トゥンチュン・カルポ神は獣の右側に、ミタク・マルポ神は左側に回った。ルトゥク・オセル神は前方に、ケサル王は後方に位置した。ブラフマー神は獣の両角の真上を飛んでいた。一斉に投げ縄を投げると、ブラフマー神は怪物の頭を捕らえた。トゥンチュン・カルポ神は右の前足を、ルトゥク・オセル神は左の前足を、ケサル王は右の後ろ足を、ミタク・マルポ神は左の後ろ足を捕らえた。そして全員がそれぞれの縄を自分の方に引いた。逃れようと必死にあがく獣のすさまじい勢いは地崩れをまきおこし、巨大な岩の塊が剝がれ落ちて四方八方に転がり出し、大地は揺れて、あたかも地中で雷鳴が炸裂したかのような轟音を発した。ついに悪鬼は方々の骨が折れ砕けて崩れるように倒れたが、そのさまはひとつの山が崩落したかのようだった。

かたときも目が離せずに峠の上を見守っていた百人の騎兵たちは、くだんの獣が倒れ、ケサル王が「来い」と合図するのを見た。騎兵たちは急いで集まって来た。彼らは手にした刀や槍を使って、悪魔のようなドンにとどめを刺すと、皮をはぎ、運搬の便のため肉をいくつもの塊に分けた。そして峠を越えて、山の反対側の斜面を降りて行き、草の生い茂る谷間に天幕を張った。すぐそばには赤い岩山の尖峰(せんぽう)が高く聳(そび)えており、そのふもとには小川が曲がりくねって流れていた。

セチャン・ドゥクモ妃が隠しておいた聖水の瓶

「火を焚いてはならぬ」とケサル王は命じた。「煙が立つと、われわれがここにいることがわかってしまい、わが軍の到着をホル軍に知らせることになりかねない。食事も摂らないように。ものを食べればのどが渇き、水を飲みたくてたまらなくなる。渇きを癒そうと小川に水を汲みに行けば、赤い岩山に住む悪霊たちが跳びかかって来て、おまえたちは喰われてしまうだろう」

翌朝日の出前に、ケサル王と四人の武将は、他の者たちを宿営地に残して、道を探るために出発した。

ある峠を登りきると、ドルジェ・ツェグ山[4]が見えてきた。

何年か前、リン国が敗れて、セチャン・ドゥクモ妃がクルカル王に連れ去られたとき、彼女は聖水を入れた瓶(かめ)をいくつか携えて行き、この山を越えた折、岩ひだのかげにひそかに隠しておいたのだった。「ケサル王が帰って来て、この瓶を見つけたら、それこそが、クルカル王を破って、わたしをリン国に連れもどすという吉兆になる」と、妃は思ったのである。

セチャン・ドゥクモ妃はホル国王クルカルと睦む

その当時、セチャン・ドゥクモ妃は夫を愛しており、その帰りを今か今かと待ち焦がれていた。しかし、歳月が経つとともに、その気持ちは変わっていった。自分を強引に拉致した、強大な権力を持つホル国王に心惹かれるようになり、彼との間に息子をひとりもうけていた。ケサル王の帰りを願っていたのは遠い過去のこととなり、夫はルツェンを討伐しようとして命を落としたのだと思い込んだ。クルカル王の宮殿で楽しんでいるこの穏やかな毎日を、夫がかき乱すことはよもやあるまいと確信して、うれしく思い、安心しきっていた。ドルジェ・ツェグ山中に隠した瓶のことなど、彼女はすっかり忘れはてていた。

しかし、山が目に入ったとたんに、ケサル王はその神のごとき洞察力で、瓶があることを見抜いた。彼は馬を降り、供の者たちに瓶を探しに行くよう命じた。「見よ」と、王はその場所を指さして言った。「遥か向こうの真っ白な岩のそばに青みがかった岩がある。あの岩と岩のはざまで、聖水を入れた瓶が見つかるだろう。わたしの馬を連れて行き、その鞍に瓶を積んで来るがよい」

四人の武将は指し示された地点に向かい、銀の瓶をいくつも見つけて、馬に荷を付けて引き返した。

クルカル王がケサル王一行の接近に気付く

ところが、道の曲がり角にさしかかった彼らの姿が、宮殿にいたクルカル王の目にとまり、王は側近たちを呼んで、そのありさまを見せた。

「鹿毛の馬を引いて山の上を行くあの連中は、一体何者だろう」と王は言った。

皆が見ようとして窓に駆け寄り、ディクチェン・シェムパ⑤には、その馬がケサル王の愛馬であり、男たちがリン国の武将であることがわかったが、黙っていた。

同じくクルカル王の大臣として、ディクチェン・シェムパの同僚であったトナ・ツィグも、旅人たちが何者なのか知っていた。

「あれはリン国の武将たちです」と彼は明言した。「しかもあの中のひとりを知っています。馬を引いている、あの男です」

セチャン・ドゥクモ妃も窓のそばに来ていて、山を一目見て、悲鳴を上げた。

「あれはケサル王の馬よ！　ケサル王が帰って来たに違いないわ！」

それきり、彼女は口をつぐんでしまった。急に不安に捕らわれたのだ。それというのも、彼女は夫の絶大な力をよく承知しており、その復讐を恐れていたからである。

「馬の背に載せられているのは何か、おわかりですか」と、クルカル王の兄弟のクルナク王が彼女に尋ねた。

旅人たちがやって来た方向から推して、ドルジェ・ツェグ山を通って来たことがドゥクモ妃にはわかった。聖水の入った瓶をそこに隠したことを彼女は思い出し、そのことを語ったが、当時自分がどのような気持ちからそうしたのかは、口にしなかった。

そのような事実を知って、クルカル王はひどく不機嫌になった。

「その瓶のことをなぜわたしに話さなかったのか」と、王は妻に尋ねた。「〔そうと知っていれば〕わたしが瓶を探させたのに。おそらくあの瓶にはある魔法の力が封じ込められていて、それに乗じてケサル王はわたしに立ち向かってくるにちがいない」

大臣たちは、すみやかに周囲の峰々に部隊を派遣し、見張りに当たらせるよう、王に進言した。リン国の戦士たちが遠からず姿を現すと予測したからだ。しかしクルカル王は、そのような性急な意見に、異を唱えた。

「リン国の人々にわれわれを攻撃する意図がある、とはっきりわかったわけではない」と王は主張した。「おそらく彼らは、あの山の上に瓶が置いてあることを何らかの手段で知って、とりもどしに来ただけだろう。気づかれないように足跡を追わせて、どちらに向かったのかがわかれば、それで十分だ」

そう話している間も、四人の武将はケサル王のもとへと道を急ぎ続け、見えなくなった。

トトゥンはケサルの命令に背いて乾燥チーズを食べ、身を危険にさらす

王が不在の間、宿営地に残留していた戦士たちは、一昼夜以上も飲まず食わずのため、気分が悪くなってきた。まるで腹の中で火が燃えているように胃が焼けたが、ケサル王からの命令にあえて背こうとする者はいなかった。

トトゥンとカダル・チォクニエという名の男が英雄の天幕の中にいて、仲間の戦士たち同様、飢えに苦しんでいた。ふたりして大げさに泣き言を言い、自分たちの哀れな運命を神々もご照覧あれ、と訴えた。ついに、食いしん坊で太鼓腹のトトゥンが、もう我慢できなくなった。

「ケサル王のツァンパの袋に、乾燥チーズ⑥がある」と彼はカダル・チォクニエに言った。「あれを食ってしまおう」

「なんてことをお考えなのです」と、相手は恐れおののいて反論した。「どうしてわれわれにそのような大それたことができましょう。われらが王様は全知のお方ですから、われわれの命令違反やこそ泥はすぐさまお見通しでしょう。もうすでに、あなたがわたしに提案したことを、お聞きになってしまったかもしれませんよ」

そして震え出し、ケサル王もしくは王が遣わした恐るべき鬼神が、ふたりを罰するために現れはしないかと、左右を見回した。

「ばかな!」とトトゥンは答えた。「おまえはただの腰抜けだ。王もおれ同様に全知ではないのさ。ルツェンの王国でぐずぐずしている間に自分の妻がクルカル王にさらわれたっていうのに、王はそのことを知っていたか」

「なるほど、おっしゃるとおりです、閣下」とカダル・チォクニエは答えた。「確かに、王は何もご存じないようですな」

「さあ、袋を探そう」

トトゥンの論法にも一理がないわけではなく、その上、相棒が味わっている胃が引き攣るほどの苦痛は、それよりはるかに強烈だった。袋を開くと、乾燥チーズをがつがつ貪り、ふたりの共犯者は満腹して、ふとんにくるまり眠りについた。

真夜中になって、ふたりとものどが渇いて目を覚ました。

「小川に行って、おれのために水を汲んで来てくれ」とトトゥンはカダル・チョクニエに命じた。

「ええっ？」と相手は叫んだ。「赤い岩山で獲物を狙っている悪鬼たちのことを、よもやお忘れでは？　小川に近づいたら、わたしは喰われてしまいます」

なおもトトゥンは、この戦士が小川に行く気になるような、説得力ある論法をあれこれ試みたが、今度という今度は失敗に終わった。彼の部下は、いかに上官といえども、そのご機嫌をとるために悪鬼に出くわすなんて真っ平ごめんだ、と頑として拒んだ。

勇気などというものはトトゥンには無縁の代物で、そのような危地にあえてみずから踏み込もうという気は、さらさらなかった。またふとんにくるまり、何とかしてもう一度眠ろうとしたが、彼もカダル・チョクニエもうまく寝付けなかった。とうとう我慢ができなくなって、彼はいかにも確信ありげなふりをして言った。

「来い。おれは馬頭観音の生まれ変わりだ。そのおれをわざわざ襲うような悪鬼などいるものか。そんなことをしようものなら、おれの持つ神通力で調伏してやる」

そのことばを信用して、カダル・チョクニエはトトゥンに付いて行った。小川のほとりまでやって来ると、彼らをつけ狙っていた悪鬼シェリ・ゴンチェンが投げ縄を投げ、ふたりとも縄に掛かって捕らえられてしまった。それから悪鬼は、彼らを自分の住む洞穴まで引きずり上げたが、その間、岩だらけの斜面を、不幸なふたりはこちらにぶつかり、あちらに弾き飛ばされするうちに、でこぼこの岩角で肋骨をあちこち折ってしまった。

彼らの暗澹（あんたん）たる叫び声が宿営地にまでこだまし、隊員の誰かが岩山の悪鬼に捕まったことを皆が気づいていたが、彼らと運命を共にすることを恐れて、救援のためにあえて自分の天幕から出ようとする者はいなかった。

ケサル王がトトゥンを救う

しかし、煌々（こうこう）と照る満月の光をよいことに夜道を歩き続けていたケサル王が、宿営地の近くまでやって来ると、窮地に陥った軽率なふたりの悲鳴が聞こえて来た。「あれはトトゥンだ」と、王はその声を聞き分けて思った。「どうやら彼はわたしのチーズを食べて、小川に水を飲みに行ったところを、岩山の悪魔に捕まってしまったらしい」

電光石火の速さで、王は三人の兄⑦の住む楽園へ向かい、そこで〈雷電⑧〉を手に入れて岩山めがけて落とすと、岩山は粉々に砕け散った。

シェリ・ゴンチェンと餌食のふたりは、岩の破片もろとも、山の下まで吹き飛ばされた。そのとき、ケサル王が神馬にまたがって天から降下し、鷲のごとき威厳をもって地上に降り立った。それを見て悪鬼はホル国の方へ逃げて行き、英雄は魔法の槍を手にあとを追った。逃げ切れないとみたシェリ・ゴンチェンがケサル王に向かって投げ縄を投げたが、はずれてしまった。ケサル王は笑い出した。

「知るがよい」と王は悪鬼に言った。「われこそケサル、神々の一族にしてリン国の王、全世界の王者である。わが手にするこの槍は、天下無双の逸物だ。これで、おまえの息の根を瞬時に止めてやる」

そう言うと、王は強烈な一撃をお見舞いし、悪鬼の身体は真っ二つに裂けてしまった。それから宿営地に行き、部下たちに言った。

「この場所はホル国からは死角に当たっていて見えない。だから、火を焚いてお茶を沸かしてよろしい。悪鬼は死んだ。小川に水汲みに行っても危険はない」

「おお、われらがかけがえのない王よ！」とリン国の人々は叫んだ。「あなたのお力はなんと偉大なことか。そして、あわやという時にご到着になり、トトゥン殿とカダル・チォクニエを助けてくださったとは、なんという幸運でしょう。あなたがおいでにならなかったら、ふたりは喰われてしまったにちがいない」

「のどが渇いて小川に水を飲みに行きたくなるといけないから、何も食べてはならぬと言ったではないか」とケサルは答えた。「それなのに、このふたりの愚か者はわたしの言いつけを聞かずに、こともあろうにわたしの袋を開けて、わたしのチーズを食べた。それゆえ、ふたりにはさっそく罰が当たったのだ。わたしの命令に背いた者は、誰であろうと必ず厳しく罰せられる、と肝に銘じておくように」

いくつもの焚火を囲んで全員でお茶を飲み、ツァンパとバターを食べた。トトゥンとカダル・チォクニエは立つこともままならず天幕の片隅に小さくなって、全身の骨の痛みに呻吟(しんぎん)し、みずからの食い意地のなせる屈辱的な結果に恥じ入っていた。

ホル国進軍に向けて待機する

次の日は食事と休養に当てて過ごし、夕方になってケサル王は武将たちを自分の天幕に招集した。

「さあ、ホル国の都めざして行軍を続けよう」と王は武将たちに告げた。「だが、全軍が一斉に進発するのではない。わたしが最初に出発する。あの峠を過ぎると、きつい下り坂が大きな川のほとりまで続く。その川の一帯は悪党どもの根城(ねじろ)になっているが、おまえたちが倒せるような相手ではない。だからまずわたしが、この敵を片付けねばならぬ。

おまえたちはここに留まって、出発の準備を調えておき、空に白い虹がかかるのを見つけ次第、急いでわたしに合流せよ。この合図は行くてを阻むものがなくなったというしるしだ」

次の日、夜明けとともにケサル王はひとりで出発した。宿営地から見えない地点まで来ると、彼は小さな太鼓を背負った巡礼ラマに姿を変えた。また、幻影の動物たちの群れも作り出した。馬、雌ラバ、ヤクの群れで、すべて商用の荷物を積んでいた。彼はその群れをうしろから追いながら、道を進み続けた。

悪鬼の変幻である船頭たちを壊滅させる

川のほとりまで来ると、皮製の渡し舟が一艘(そう)泊まっている渡し場の前で足を止め、動物たちの荷を下ろしてやると、自分と荷物を載せて川を渡してほしい、と頼んだ⑨。

そこには小さな村があって、百二十八人の船頭が暮らしていた。船頭たちは、こんなにたくさんの荷駄(にだ)をたったひとりの男がさばいているのを見て、大いに驚いた。何人かの者は、うさんくさいものを感じて、ある予言があったことを同輩たちに思い起こさせた。ケサル王がルツェンを討った後、ホル国を征服するだろう、という予言である。そして、こう付け加えた。

「この奇妙なラマは、変装したケサル王その人ではあるまいか」

そこで何人かの者が、この見知らぬラマの前に進み出て、尋ねた。

「どこからいらしたのですか、お坊さん。お国はどちら？」

ケサルは答えた。

「拙僧はツァン(10)の生まれで、オェセル・ギェルツェン師の弟子です。クルカル王はわが師のお施主ですので、王から寄進された数々の賜り物のお返しとして、師僧からのさまざまな贈り物を王にお届けするところなのです」

ホル国でオェセル・ギェルツェン師の名を知らぬ者はいなかった。船頭のひとりが答えた。

「オェセル・ギェルツェン・リンポチェは裕福で勢威あるお方です。そのお使いともあろうお人が、いったいどうして、従者も連れずにたったひとりで旅をしておられるのですか。あなたを無料で向こう岸までお渡しするわけにはいきません。渡し賃をいかほどお払いになるおつもりか」

「拙僧はひとりではなく、露払いに過ぎません」とケサルは答えた。「八人の大商人の連れがいます。まもなく彼らが到着して渡し賃をお支払いするでしょう」

この手はずにその船頭も得心したようだった。

「結構です。あなたを渡河させる許しを親方からもらうことにしましょう」

船頭はサンギェ・チャプ親方のところまで行って、オェセル師が遣わした隊商の一行の到着を知らせた。

ところでサンギェ・チャプは、かつてケサルが地上に転生する前に暮らしていた楽園で、同じ賢人成就者のひとりとして親しくしていた友人の化身であった。パドマサンバヴァ師が主宰し、その〔トェパ・ガワからケサルへの〕転生と、自身の転生が決まった、あの集会にも出席していた。英雄によるホル国征服を告げる予言のことも承知しており、これほどたくさんの動物を引き連れたラマとは、はかりごとをめぐらすケサル王その人ではないか、といぶかった。

「この件についてはわたし自身が見に行くとしよう」と、その船頭に言うと、渡し守たち全員を従えて、川のほとりに向かった。

しきたりどおりに鄭重な挨拶を交わしたのち、ケサル王は船頭たちに語った話を再度、親方に話した。サンギェ・チャプは注意深く耳を傾けているように見えたが、ケサル王を一目見たときからすでに、その眉間に白くて丸い小さなあざがあって、そこから一本の毛が、線香のようにまっすぐに伸びていることに気づいていた。それは、ケサルが生まれたときに持っていて、その母が親指でつぶしてしまった、第三の目のかすかな痕跡だった[11]。このしるしは、悪鬼の一族である船頭たちには見えないが、賢人成就者（の化身である親方）の烱眼にはすぐに見分けがつき、目の前にいるのはケサル王だと確信して、彼は内心喜んでいた。

「よろしい。あなたとお荷物を渡させましょう」と、彼は毛ほども感情をあらわにせずに言った。そして舟を一艘残らず集結させるよう命じた。というのもこの自称ラマが、迅速に運んでほしいと執拗に頼み込んだからである。

人々が荷物の積み込みに忙しく立ち働いている間、ケサル王は食事を所望した。サンギェ・チャプは家に案内し、お茶やチャン、ゆでた肉、バターやツァンパを出した。ケサル王が船頭たちを悪鬼と知った上で滅ぼしに来たことをサンギェ・チャプは察していたが、いかにしてやりおおせるのかと危ぶんでいた。

ふたりが家の中でくつろいでいる間に、百二十八人の船頭たちは百二十八艘の舟への荷積みを終えていた。そして舟を漕ぎ出したが、川の真ん中まで来たとき、突如、一陣の狂風が川面を薙ぎはらい、粗末な舟を転覆させ、人々を水中に突き落とした。彼らはすぐに激流に呑み込まれて、ひとり残らず溺れてしまった。

まさにそのとき、白い虹がリン軍の宿営地の真上に現れた。

サンギェ・チャプは、ケサルが軽食を終えた後、ともに外に出て、無残なありさまを見て客人に言った。

「あなたは神にしてケサル王ご本人とお見受けしますが、なぜあの船頭たちを殺したのですか」

するとケサル王は本来の姿にもどって、答えた。

「わたしには、ホル国を征伐するという使命があります。今日は先を急いでおります。邪魔はいっさい無用です」

瞬く間に幻影の動物たちは消えうせ、川岸に残ったのはケサル王とその愛馬だけだった。

ほどなくリン国の兵士たちが合流し、サンギェ・チャプはケサル王が勇敢な騎兵たちに囲まれているのを見て、歓喜した。

「リン国の戦士たちよ」と王は言った。「わたしはこの川のほとりに住む害をなす魔物どもを全滅させた。もはや行くてを阻むものはない。だが、わたしには神に生まれついたがゆえに具(そな)わる天与の洞察力があるから、ホル軍が監視しており、わが軍を攻撃する用意があると見抜いている。おまえたちが姿を見せるのは不用心(ぶようじん)だろう。リン国にもどるがよい。サンギェ・チャプ殿をご一緒にお連れして、わたしの帰りを待つ間、ご無礼がないよう万端気を配って、鄭重におもてなしするように。わたしは単独でホル国征伐を成し遂げることとなろう」

ケサルは、変幻させた隊商の一団だけを伴い、単独でホル国に向かう

司令官の命令に従い、騎兵たちは引き返して行った。彼らの姿が見えなくなると、ケサル王はキャング・カルカルにうちまたがり、一跳びで川を越えた。道を進み続け、クルカル王の宮殿の真向かいに広がる平原のすぐ近くまで来た。それは王家の馬専用の牧場で、野営することは堅く禁じられていた。

そこに到着する寸前にケサル王は、おおぜいのラマや貴人や商人たちとその使用人、そして無数の天幕から成る、壮大で豪奢な隊商をかたどって、おびただしい数の魔法の人間や動物を作り出した。馬と雌ラバの数は二千五百頭にのぼった。

この絢爛たる一団は、谷を抜けて王宮の前に広がる平原に着くと、はるかかなたの山のふもとまで一面に散らばった。

地所の最も高くなったあたりに、青と赤の唐草模様に美しく飾られ、屋根が二重になっているラマ用の白い天幕がいくつも立てられた。その少し下の方に、きらびやかな装飾をほどこされ、てっぺんに金の勝幡⑫をいただいた集会用の天幕が一張り張られた。その下にある幾張りかの天幕は貴人用で、その中はというと、分厚い座ぶとんの上に虎や豹の毛皮の敷物が敷かれていた。家来たちは、それぞれの主人と指呼の間に専用の一角を占めていた。

さらにその下方、平原を横切って流れる小川のほとりにかけて、商人たちの天幕があり、どれも規模が大きく、さまざまな商品で溢れかえっていた。その使用人たちもやはり、雇い主たちの一角から少し離れたところに、別の一角を構えていた。

最後に、小川の岸に面した一番低いあたりにある幾張りかの天幕は、隊商について来た貧しい巡礼や乞食たちが身を寄せるためのものだった。宿営地のそれぞれの区画には、女性専用の天幕があった。

このような、けたはずれに豪壮な隊商の宿舎がいつの間にか設営され、王宮の真正面に出現したことに、クルカル王は仰天した。あれらの人々はいったい何者か、と王はいぶかった。わが城壁の前に、何の許しも求めずに住み着くとは、あつかましいにもほどがある。王はディクチェン・シェムパを呼び寄せ、おまえが直々に調べて来い、と命じた。

ディクチェン・シェムパはケサルであることを見抜く

彼は赤毛の馬に乗ってすぐに出発した。小川を渡って間もなく、五百頭の馬を駆って水を飲ませに降りて来る、ひとりの従僕とすれ違った。

「オイ⑬、ターバンをかぶった僕（しもべ）よ、こっちへ来い。おまえの主（あるじ）はどういった方々か、わたしに言え。どこから来て、どこへ行こうとしているのか。あの高みにあるみごとな天幕にお住まいの高僧は、いったいどなたか。

ここは王家の馬専用の地所だ。何様だろうが野営する権利は持たぬ。この地の草の芽を一本引き抜くことは銀の匙一本を折るに等しく、草の芽二本は金の匙一本分の値打ちがある。おまえたちは草と水の代金を支払わねばならぬ⑭。

おまえたちの身のためには、さっさと立ち退いてどこか別の野営地を見つけることだな。あくまでもここに居続けるというなら、王様は兵を派遣していやおうなく命令に従わせるだろうし、兵隊たちはおまえらの商い物を片っ端から分捕ってしまうぞ」

その従僕は答えた。

「馬上高くからものをお尋ねのお方、主たちの何人かはインドから来訪しており、ロン⑮ポ・ペカル様もそのおひとりです。他に、ユラ・トンギュル様とともにジャン国⑯から来た方々も、クラ・トプギェル様とともにシンドゥ国⑰から来た方々もおられます。宿営地を見下ろす高みにある美しい天幕は、パンチェン(学識高い高僧)・オェセル・ギェルツェン猊下(げいか)のものです。

われわれは方々を旅して来ましたが、この地上のどこであろうと思うがまま、自由に逗留しなかった土地はありません。牧草や水の代金をわれわれに請求した者など、ひとりもいません。びた一文払うつもりはありません。あなたの王様が兵を送り込んだって、恐れることはない。われらは敵軍を撃破して都を壊滅させるまでのこと」

そう言い終わると、彼は赤毛の馬をしたたかに蹴とばしたので、馬は乗り手もろともひっくり返り、人も馬も芝生の斜面を小川のふちまで転がり落ちた。

ディクチェンはすっかり青ざめて立ち上がり、あばら骨をあちこちさすりながら考えた。「あれほどすさまじい力を具えた男に出会ったためしはない。あれはケサル王その人にちがいない。彼の到来はクルカル王にとってかんばしい兆しではない。さて、わたしはどうふるまうべきか。幼い頃から、王にはよくしていただいた。王を脅かす危険について警告するのは、わたしの務めだ。もしそれを怠れば、わたしは生まれ変わって悪趣(あくしゅ)⑱に堕ちるだろう」

感じたままの印象をクルカル王に伝えようと心に決めて、ディクチェンはただちに王宮に引き返した。

ディクチェン・シェムパの報告

「閣下」と彼は王に言上した。「わたくしの身にとんでもないことが起こりました。下僕だとばかり思っていた男が、わたしが乗っていた馬を一蹴りでひっくり返したのです。並の人間のしわざではありません。あの隊商はケサル王のものにちがいありません。おそらく彼の友人の神々も一緒に来ているでしょう。どうかわたしのことばを信じて、どの方角でもかまいませんから、一刻も早くお逃げください。ケサル王に真っ向から立ち向かったら、とんだ憂き目を見ることでしょう」

「ばかな」と、クルカル王は答えた。「ケサルが本当にあそこにいるとしても、ひとりきりだ。あいつの魔術の才能は先刻承知だ。たくさんの人間や動物を連れているように見えるが、やつが作り出した幻にすぎない。

わが兄弟とわたしで、総計十八万の兵士から成る大軍を動員可能だ。何の心配もない。わたしはクルセル王とクルナク王に部隊を派遣するよう頼み、ケサルがどれほど凄腕の魔術師だろうと、われら兄弟で討ち果たしてやる」

この会話に同席していたセチャン・ドゥクモ妃が、口を挟んだ。

「お待ちください。わたくしがみずから調べに参りましょう。ケサル王にはある独特の特徴があります。一本の白い毛が眉間に生えているのです。もしあそこにいるのが彼なら、わたくしには見分けがつくでしょう」

彼女は青い(銀灰色の意)馬に鞍を付けさせ、出かけて行った。

セチャン・ドゥクモ妃が実見に出かける

ドゥクモ妃が、ディクチェンをもののみごとに蹴っ飛ばした男と出会ったあたりまでやって来ると、白い服を着てインド風のターバンをかぶったひとりの従僕が、水桶をふたつ運んでやって来るのが見えた。彼女は男に、主人たちの人となりについて、ディクチェンがすでに返答を得たのと似たり寄ったりの質問をし、さらに付け加えて言った。

「あなた方のひとりが、無礼千万にも、ディクチェン大臣閣下を落馬させました。クルカル王はななめならずご立腹です。王は兵力十八万の大軍を招集して、あなた方を最後のひとりにいたるまで討ち滅ぼすおつもりです。

わたしはドゥクモと申しまして、大いなる御教え(みおしえ)を信仰する者です。災いを避けるための仲立ちとしてやって参りました。あなた方は牧草と水の代金を支払い、王に申し開きをせねばなりません。それとともに、王の重臣を侮辱したことに対して、お詫びの品を贈るべきです」

「お嬢さん」[19]とその男は答えた。「わたしは一介の僕(しもべ)にすぎず、そういうことはてんでわかりかねますが、あなたがおっしゃったことは主人に報告いたします」

彼はその場を離れ、誰かにそのことを知らせに行くようによそおって、ひとつの天幕に入り、また出て来てセチャン・ドゥクモ妃のもとにもどって来た。

「ドゥクモお嬢さん、わたしの主人のロンポ・ペカル、ユラ・トンギュル、クラ・トプギェル様が、会いにおいでになるように、とあなたをお招きです」

若い女〔＝セチャン・ドゥクモ〕は、その使いの者について行き、天幕の中に案内された。彼女が真っ先に心がけたのは、そこにいる三人の人物を、目を凝らして観察することだった。誰の顔にも自分がクルカル王に話したような特徴がないことを見て取って、彼女は、ケサル王はここにはいないとの結論に達した。

彼女は三人のお歴々に鄭重(ていちょう)に〔白絹の〕カタを捧げ、「旅路はいかがでしたか」と尋ね、さまざまな社交辞令を交わした[20]。

三人のうち、顔が青く、上座に坐っていたひとりが、「クルカル王はご健勝か」と尋ね、さらに付け加えて、

「では、あなたがお美しいセチャン・ドゥクモ様なのですね。お噂はかねがねうかがっております。お茶を飲んで、何かお召し上がりください。わたしからのカタを、あな

た様からクルカル王にさし上げて、ここに一週間ほど滞在するつもりだとお伝えくださ い」

「どんな贈り物を王に献上なさるのですか」とドゥクモ妃は尋ねた。(21)

「お見せしましょう」と、相手の人物は答えた。

執事たちが主(あるじ)に呼ばれ、その指示を受けてさまざまな箱を運んで来て、それらを開けてドゥクモ妃に見せた。金の手綱をつけた金の鞍が一式、巨大な鉄の釘をつけた鉄鎖が二本、銅の釘が八本、〈天鉄〉(＝鉄隕石)でできた刀が一振り、金の耳飾りが一対あった。

「耳飾りはあなた様へさし上げます、ドゥクモ様」と青い顔の人物がことばを続けた。「それ以外はすべて、クルカル王への献上の品々です」

ドゥクモは礼を言うと、付けていた耳飾りをはずして腰帯の中にしまい、今もらった方を耳に付けた。そして、異国の旅人からの贈り物の入った箱を運ぶ数人の男たちをつき従えて、帰って来た。彼らは宮殿の入り口でそれらの箱を王の召使いたちに渡すと、宿営地へと引き返して行った。

セチャン・ドゥクモ妃の報告

「ケサル王はおりませんでしたわ」と、ドゥクモ妃はクルカル王のもとにもどると、さっそく報告した。「あの人たちはオェセル・ギェルツェン・リンポチェのお供をして来たのです。敵なんかではありません。あなたに数々の贈り物を預かって来ましたよ」

クルカル王は自分の前に置かれた品々に目をやり、新来の客を恐れるには及ばないと見て取って、心底から満足した。

「ドゥクモよ」と彼は言った。「あした、召使いの女たちを連れて、もう一度行くがよい。女たちには旅のお方々へのチャン㉒を持って行かせ、明日お食事においでくださいとお招きするのだ」

隊商の一行からクルカル王への贈り物の予告的寓意

あの隊商の一団はケサル王が魔法によって作り出したまやかしだ、とあいかわらず確信していたディクチェンは、それを聞いて思った。「哀れなうつけ者のクルカル王よ、ケサル王が、あなたの敗北の寓意となるような道具類を送ってよこしたことが、あなたにはわからないのか。これらの品々は、あなたの敵方の企てに役立つことだろう」しかし、その思いを誰にも打ち明けはしなかった。

だが、大臣のトプチェンは驚いていた。

「あの連中はなんと奇妙な贈り物をよこしたのだろう」と彼は気づいた。「王様におかれましては、これらの品々を相応の注意を払って精査することを、お許しになる方がよろしいかと存じます。鞍はさておき、こうしたたぐいの品々を贈り物にするなんて、見たためしがありません」

「トプチェン大臣の発言は賢明だ」と王の兄弟のクルナク王が支持した。「贈られた品々は奇妙きてれつで、隠された意味があるのではないか、と疑心暗鬼になります。これらの品々は友愛の証しどころか、あなたに対する暗黙の脅しであって、あの連中はケサル王の回し者としか思われません。彼はこの鞍をあなたの背に載せ、手綱をとってあなたを引き回すでしょう、これはあなたが敗北することの寓意です。剣はあなたに死をもたらすでしょう。鎖はあなたの城壁に取り付けられて、壁を乗り越える手がかりになるでしょう。釘はあなたの大臣たちの心臓に深々と打ち込まれるでしょう。ドゥクモ妃があれほどはやばやと身に付けた耳飾りは、ケサル王が妃を奪い返すことを意味します」

「兄弟よ、おまえの言うことはたわごとだ」とクルカル王はいらだって言い返した。「おまえの縁起でもない予言はことごとく常識はずれだ。未来を暴(あば)く気苦労は、坊主たちに任せておけ。おまえの知ったことではない。わたしが命じたとおり、明日女たちが旅の客人方のもとにチャンを運んで行くことになっている」

あえてことばを返す者はいなかった。王とその宮中の人々は夕食をとり、ほどなくおのおの退出して眠りに就いた。

第七章　ホル国征伐（二）

隊商の一団は消え失せる

翌日の明け方、セチャン・ドゥクモ妃は、チャンの瓶(かめ)を持ったおおぜいの女たちを従えて、宮殿をあとにした。高台にあるクルカル王の住まいと異国の客人たちが宿る平原との間には白い霧が立ちこめ、帳(とばり)となって視界をさえぎっていた。ドゥクモ妃たちの一行が宿営地にやって来ると、雲が切れた。さながら房飾りのついたカタ〔対面での挨拶などに用いられる白絹の布〕のように、雲は山肌を這うように昇って行った。すると女たちは、目の前の広大な谷が、見渡すかぎり人っ子ひとりいない、ただの青々とした草原にもどっているのを見て、びっくり仰天した。

幾張りもの天幕や、おおぜいの旅人たち、動物たちの群れは、跡形もなく消えていた。若草には最近踏みしだかれた跡などまったくなく、どちらを見ても隊商が通ったことを思わせるものは何一つなかった。「きのう、わたしはまんまと罠(わな)にかけられたのだ」と彼女は苦々しく思った。「繰り広げられていたあの光景はすべて、わたしをからかうケサル王の魔力によって作りだされたものだったのだ」

彼女が口惜しがり、また不安でいっぱいになって、すっかり考え込んでしまった一方で、お付きの女たちは、隊商が通過した痕跡や、夜陰にまぎれてどちらに向かって出発したのかを調べようと、てんでんばらばらに散って行った。

茶がらの山の中から発見された少年

こうして、ガルツァ・チュデンという名の若い娘は、お茶を沸かした鍋の中身を空けたとき捨てられたお茶の葉が、こんもりと山になったところに行き着いた。彼女は、「こんなにたくさんのお茶を贅沢に使えるなんて、まったく、あの一行はとんでもない大金持ちにちがいないわ」と仲間のひとりに言いながら、それを何回も蹴った。蹴っているうちに茶がらの山の一角が崩れて、中に小さな男の子が半分埋まっているのが見つかった。その子どもは想像を絶するほど汚らしく、ぼさぼさの髪には蚤や虱がうようよたかり、鼻からは鼻水を垂らし、しゃくりあげながら真っ赤な両目を擦っていた。

「あなたは誰？」と娘は尋ねた。「ここで何をしているの？」

小さな男の子は答えた。

「ぼくのご主人様はお金持ちの商人で、ぼくにとってはお父さん代わりの人だった。きのう、ご主人様とそのお仲間たちは、クルカル王が兵隊を集めて攻撃して来るという噂を聞いて、逃げることにしたんだ。ご主人様たちが荷物をまとめている間に、召使いたちはぼくを、道中の煮炊きのための燃料①を集めに行かせた。ぼくは帰りにちょっと道に迷い、野営地にもどって来ると、みんな出発した後だった。ぼくのことをうっかり忘れて行ってしまったんだ。

あなたたちはぼくをどうするつもり？　殺すの？　それとも食べ物をくれるの？」

そして茶がらの山から抜け出すと、ガルツァ・チュデンの前にすっくりと立ちはだかった。

ドゥクモ妃がやって来て、その子を見ると、ガルツァ・チュデンを引き離しながら言った。

「ケサル王は若いとき、この男の子にそっくりだったのよ。この子を殺さないと。みんなで石を投げつけましょう」

「何ですって！」と若い娘は答えた。「わたしたち女の身で、男の人を殺めようものなら、極悪非道の所業となるでしょう。おなかがすいて寒がっている、このかわいそうな男の子に憐れみをかけるべきですわ」

娘は子どものところにもどって行き、言った。

「もう泣かないで、おちびさん。わたしのお父さんはチュタ・ギェルポといって、鍛冶屋をしているの。あなたを養子にしてくださらないか、お父さんに頼んでみるわ」

彼女は黄色い絹の下着を脱いで、子どもをくるんでやり、都に連れて行った。家に着くと、その子を門口に残して父親のもとに行き、自分が風変わりな男の子を見つけたことを物語った。さらに付け加えて、ドゥクモ妃がその子を殺したがっていることを話し、その子を住み込みの弟子として置いてくれるよう、老匠に頼み込んだ。

子どもは鍛冶屋チュタ・ギェルポの養子となる

チュタ・ギェルポは情け深い心根の男だった。

「恵まれない人たちには憐れみを持たねばならん」と彼は言った。「おまえはその子を連れて来て、よいことをした。だが、その子の素性が何にせよ、あの大がかりな隊商の一団とその宿営が、まるで蜃気楼のように消え失せてしまったとは、まったくもって奇怪千万だ」

ガルツァ・チュデンは急いで少年を迎えに行き、中に入らせた。

「お父さんはわたしに、あなたの世話をしたりご飯を食べさせたりしてもよい、と許してくれたわ」と娘は男の子に言った。「あした、あなたにきれいな服を縫って上げましょう。今はさしあたり、おなかいっぱいお食べなさい」

彼女はその子の前に、お茶の入った大きな茶瓶(ちゃびん)、ツァンパやバターを入れた箱、ゆでた羊の肩肉を置いた。

子どもは笑い始め、すっかり満足しているように見えた。

「こんなに食べるものがあって、うれしいなあ」とその子は言った。「けれど、前もって、黒いお茶と赤い肉と白いツァンパを、ぼくの神様にお供えしなければいけないんだ」

立ったままで、男の子は羊の肩から足を引き離した。娘をちらりと見て、言った。

「これは羊の足ではなく、神の足だ。わたしの馬をつなぐ杭として、たいそうわたしの役に立つだろう」

そしてその足を帯に差した。

「これはただの肩(ソク・パ)ではない」と彼は続けた。「これはクルカル王の命(ソク・パ)(2)だ。今、わたしがこの肉を切るのと同じように、どうかわたしがそれを切ることができますように」

そう言いながら、肩肉に切れ込みを入れた。

「これはただの肩（プン・パ）ではない」と彼はまた繰り返した。「これは敵の大軍（ダ・プン）だ。どうかわたしが敵を負かし、散り散りにすることができますように」[3]

そして彼はその骨を砕いてばらばらのかけらにした。

「この茶瓶は銅製ではなく、乞食たちの土瓶だ。ホル国は滅ぼされるだろう。これもまた、わたしにとっては吉兆だ。わたしがこのもろい瓶をたやすく割ることができるように、どうかわたしがクルカル王を速やかに滅ぼすことができますように」

彼は茶瓶を一蹴りでひっくり返し、茶瓶は割れた。

それを聞いてあっけにとられたガルツァ・チュデンは、怖くなって走って逃げ、家の階段のところで父親と鉢合わせした。

「この家ではこの子の面倒を見きれないわ」と娘はあえぎあえぎ言って、自分の見たままを老父に語った。

好々爺（こうこうや）は怒り出した。

「卑しく邪（よこしま）な心の持ち主は、似た者どうしと出くわすものだ」と彼は言った。「卑屈な奴は犬と出くわし、犬は死んだ雌牛の頭を見つけて村に引きずり込み、その汚（けが）れのせいでたくさんの村人が死ぬ。

徳があり気高い人々は、九柱（ここのはしら）の神々がその角（つの）の上に坐（いま）す、トルコ石の角を持った獅子と出会う。哀れな娘よ、おまえは最悪のごろつきを連れて来たのだ」

老匠は怒り心頭に発して、両の手に金槌をつかみ、乞食の子を殴り殺そうと、あわただしく駆け下りて行った。

ところが驚くまいことか、調べてみたところ、何ひとつ壊されたものはなかった。肉は手付かずのままで、少年は床に坐って、おとなしくお茶を飲んでいた。鍛冶屋の姿を目にすると、おずおずとひざまずき、へりくだってお辞儀した。

老人は考えた。「わしの娘は空恐ろしい嘘つきだ、あの男の子を自分でわしのところに連れて来たというのに、わしの手で追い払わせようとするとは。この子は何か娘の気に食わないことをしたにちがいないが、それにしても、こんなふうにこの子を悪者扱いするとは、なんと意地の悪い女だろう」

「お茶を飲んで、たんとお食べ、坊や」と彼は少年に言った。「怖がることはない、誰もおまえを痛い目に合わせたりはしないよ」

そして上階の部屋に取って返すと、ガルツァ・チュデンが嘘をついたことを咎め、二度と同じようなことを口にしようものならただでは置かないぞ、と娘を厳しく叱りつけた。

哀れな娘は、身の証しを立てることばが見つからぬまま、夢でも見たのではないか、といぶかった。彼女は一階に降りて行き、一目見ただけで早くも、茶瓶が地面に落ちて割れているのを見て取った。まわりにはお茶がこぼれて水たまりをつくり、羊の肩肉の残骸がその中に浸かっていた。男の子はあっという間に大きく成長したように見え、短刀よろしく帯にたばさんだ羊の足に手を添えて、ばかにしたような目つきで娘を見ていた。

神か、さもなければ悪鬼だ、と彼女は思ったが、黙っていた。

不思議な少年は鍛冶屋のもとで九か月過ごしたが、最初の時のような常軌を逸したふるまいに及ぶことはいっさいなかった。精を出して働き、驚くほどの腕前になった。彼の師匠は、彼が作った品々を売り物として宮殿に持って行った。

少年の異様な行動と鍛冶屋親娘の確執

「このような見事な品々を、いったい誰が作ったのか」とクルカル王は尋ねた。「おまえではないな、チュタ・ギェルポ親方。そちの仕事は知っているが、それとは似ても似つかぬものだ」

そこで鍛冶屋は王に、自分の愛弟子(まなでし)をガルツァ・チュデンが見つけたいきさつを物語り、その腕前を誉めそやし、持って来た品々は彼の手になるものだと申し立てた。

「それほど腕の立つ職人にぜひ会ってみたい、そして直々に召し抱えたいものだ」と王は言い渡した。「その者を連れて参れ、木炭の荷を積んだ十八頭のヤクも一緒にな。そうすればすぐさま仕事に取り掛かれよう。わたしは彼に命じて、さまざまな品をあまた作らせよう」

鍛冶屋は家にもどって、王の命令を弟子に伝えた。親方は弟子に、まず森に行って炭を焼き、ヤク十八頭分の荷の炭を持ち帰らないことには、王宮の鍛冶場に必要な量が調達できないことを説明した。

少年は森に行くことをきっぱり断った。親方は、炭を焼くために弟子が望むかぎりの手助けをすると約束したが、無駄だった。弟子は頑として拒み続けた。しかしとうとう、仕方がないと譲る気になったらしかった。彼は親方に言った。

「ガルツァ・チュデンさんに手を貸してもらえるなら、行きましょう。お嬢さんひとりで間に合います。ほかに人手は要りません」

鍛冶屋は、これでクルカル王の怒りを買わずにすむと喜び、さっそく弟子の頼みを聞き入れた。家来が寸分たがわず命令に従わないと、王は許さなかったのである。

翌日、ふたりの若者は出発した。森に着くと、ガルツァ・チュデンは火を焚いてお茶の支度をした。その間、少年は樵の斧を研いでいたが、しばらくしてお茶が沸いたら持って来てほしい、と連れの娘に言いながら、遠ざかって行った。

まもなくお茶の用意ができたので、少女は茶瓶を持って働き者の少年を探しに行った。さほど遠くまで行かないうちに、思いもかけぬ恐ろしい光景が目に飛び込んできた。弟子の少年は、木を伐るのではなく、炭を運ぶために連れてきた十八頭のヤクの首を斬っていたのである。彼はヤクの皮をはぎ、解体し終わっていた。血まみれの大きな皮と四分された肉の塊が、木々に掛けられ、日干しにされていた④。

「ええっ！」と娘はこの殺戮（さつりく）の下手人に言った。「お父さんのヤクを、なぜ殺したの？　いったい何を考えているの？　わたしたちはどんな顔をしてお父さんに会ったらよいの？」

「ヤクもおやじさんも、ぼくが気にすることはないさ」と、ヤクを屠（ほふ）った少年は言った。「ぼくには自分の家がない。この場所が気に入ったから、ここに住みついて、食糧や、暑さ寒さをしのぐ手だてを調達することにしたんだ。君は帰ってお父さんにそう言いつけたらいい。彼がなんと考えようと、ぼくの知ったことじゃない」

この少年がどんな異能の持ち主か、最初の経験から思い知らされていたにもかかわらず、ガルツァ・チュデンは無我夢中で一目散に父親の家に走って行き、家畜が皆殺しにされたことを父に知らせた。はじめは信じようとしなかった父親も、娘があくまでも言いつのり、動転している様子を見て、とうとう信じないわけにはいかなくなり、すぐさま修羅場に向かった。娘から知らされた現場に着く寸前に、炭の荷を積んで道を進んで来る十八頭のヤクの群れと出くわした。そのうしろから、弟子の少年が、背負った炭袋の重さに身をかがめてやって来た。親方のそばまで来ると、彼はにっこり笑い、丁寧に尋ねた。

「鍛冶屋のおやじさん、これからどちらに行かれるのです?」

律義者の鍛冶屋は、娘から聞いたことをさっそく語って聞かせ、さらに付け加えて、「またもや彼女の嘘にだまされたとはじつに腹立たしいことだ。今度という今度は目にもの見せてくれるぞ」と罵った。

それを聞いて、少年は怒りに任せて重荷を投げ捨てた。

「何てひどい嘘つき女め!」と彼は叫んだ。「おやじさん、ヤクたちをご自分で連れ帰ってください。わたしはもうあなたの家にはもどらず、この国を去ることにします。あんな性悪娘と、これ以上同じ屋根の下にはいられません。彼女がまだこれから何を言いふらすか、わかったものではありません。しまいにはわたしをとんでもない目に遭わせるでしょう。わたしはあなたの家にはもどりません」

鍛冶屋は、腕利きの弟子を失うことになると思い、心を痛めた。なんとかして彼の決意を翻えそうと、彼を陥れるような作り話を二度とでっち上げたりしないよう、ガルツァ・チュデンにはわれとわが手でこっぴどい罰をお見舞いしてやる、そのことはまちがいなく約束すると言った。

そこで少年は少し態度をやわらげ、師匠に付いて行った。家に着くと、老いた鍛冶屋は金槌を手にして、骨も折れよとばかり、娘を何回も打ち据えた。哀れなガルツァ・チュデンは、あまりの痛さに死ぬかと思ったが、ヤクたちがぴんぴんしているのを見て、弟子の少年がまたしても自分を翻弄したのだとわかった。これからは、彼のやることなすことについて、何が目に入ろうとけっして口外すまい、と内心深く誓った。

ケサル王は娘がある女神の化身であると知っており、彼女がその誓いに縛られている限り自分の身は安泰だし、もし自分の正体が彼女にばれてしまっても、彼女は誓いを破ったりしないだろうと確信していた。数々の幻影を造りだして娘をだましたが、その目的はひとえに、口をつぐむのが身のためだと彼女が思うように仕向けることにあった。

少年はクルカル王の召しに応じ、魔法の人形を作る

翌日、チュタ・ギェルポは弟子を王宮に連れて行った。

「わたしに何をこしらえよとお命じでしょうか」と少年はクルカル王に尋ねた。

王はまだ何も腹案を決めておらず、取り巻きの者たちに相談した。

大臣のひとりが進言した。「兵士たちのために刀剣を作らせてはいかがでしょうか」

別のひとりが提案した。「一番よいのは、ドゥクモ妃様の装身具を作らせることです」

他の人々も思い思いの意見を述べた。全員が一度にしゃべり出し、意見の一致にはいたらなかった。王は笑い出した。

「彼の作りたいものを作らせることにしよう」と王は言った。「そうすれば、思いがけない驚きを楽しめるだろう」

そして若き鍛冶屋に向かって言った。「おまえが最もすばらしいと思うものを作るがよい。おまえが仕上げられるかぎりの最上の品だ。どんなものを選ぶかはおまえに任せる」

「承知しました」と少年は簡潔に答えた。「金、銀、鉄、青銅をご下賜くだされば、ただちに仕事にかかります」

所望の金属がそろうと、彼はひとりきりで王宮の鍛冶場に閉じこもった。扉という扉は閉ざされ、その建物に近づくことは誰にも許されなかった。

三日経つと、彼は王に、仕事が終わったので、御前(ごぜん)に作品を運ぶために召使いを何人かよこしてほしい、と知らせて来た。大いに興をそそられたクルカル王は、できあがった品々をさっそく王の居室に運ぶよう命じた。何人もの家来たちがまる一日がかりでこの大仕事をやり終えた。

弟子が金でこしらえたのは、小ぶりの寸法の千人の僧侶に囲まれた等身大のラマの像だった。ラマは説教し、僧たちがそれを聴聞していた。

青銅から生み出されたのは、七百人の役人と廷臣に取り巻かれた王の像だった。王は法律について長広舌（ちょうこうぜつ）をふるい、役人たちは法の解釈について王に尋ねていた。

銀は、美しい調べを歌う百人の娘を作るために使われた。

銅は、ひとりの将軍と一万の兵士を作るのに充てられた。将軍は部下たちに戦意高揚の演説を行い、勇猛果敢であれと士気を鼓舞していた。

さらに弟子は、これらの人物のうち主だった人々の乗馬とするために、ほら貝で三千頭の馬をこしらえていた。

これら魔法の人形すべてが王の前に運ばれると、人形たちはまるで本当の人間のように動き出し、宮殿を出て、城壁の真向かいの平原に散らばって行き、さまざまな流儀で行進した。王と重臣たちは飲み食いすることも忘れて、日がな一日、王宮の広廂（ひろびさし）の上から人形たちを眺めていた。

クルカル王の四柱の守護神が命を落とす

人々は人形にすっかり見とれていて、ケサル王に注意を払う者はひとりもいなかった。ケサル王は、霊験あらたかにクルカル王を加護し、その敗北を防ぐことができる四柱の護国大神と戦うために、またとない好機が到来したと考えた。そこで彼は天馬を呼んだ。彼の愛馬は、主人が幼い男の子に姿を変えてからは、天上の楽園に留まっていたのである。ケサル王は鞍にまたがると飛び立ったが、その姿は誰の目にも見えなかった。幾柱もの神々とおびただしい数のカンドマたちが、〈雷電〉を携えてその後を追った。一行は電光石火の速さで四柱の神々が住まう岩山に到着し、神々の住む宮殿に〈雷電〉を放つと、宮殿は砕け散った。やむなく屋外に姿を現した四柱の神々は、ケサル王一派から鉄の鉤を打ち込まれ、むなしくもがいているうちに、王がふるう剣によって命を落とした。闘いはほんの一瞬で終わった。そこでケサル王はクルカル王の宮殿の近くに引き返し、忠実な愛馬キャング・カルカルを帰らせると、ふたたび鍛冶屋の少年の姿にもどり、親方の家に帰って行った。その間もなお、王や重臣たちをはじめあらゆる人々は、不思議な人形たちの行進を飽きもせず見続けていた。夜になると、すべての人形たちはひとりでに宮殿にもどって来て、そこに身を落ち着けた。銅の兵士たちはほら貝の馬を広大な王の厩舎につなぎ、魔法の人形たちはすべて、まるで生きている人間のように、眠りについたかに見えた。

競技会の開催

その夜、クルカル王はある夢を見た。夢の中で、王の守護神のひとり、リ神が彼に告げた。

「鍛冶屋の若者が作った金属の人形たちを逃がさないよう、気をつけなさい。人形たちは将来、わたしと同じようになるでしょう」

クルカル王は、おびただしい数の守護神がおしかけて来るさまを思い描き、この夢を吉兆と見なした。王はドゥクモ妃に、「よく気をつけて人形たちを見張り、けっして宮殿から出て行かせないようにせよ。そして人形たちを見ることを誰にも許さぬようにせよ」と命じた。王の指示に従い、妃は王宮のすべての門を閉ざした。

しかしクルカル王のふたりの兄弟クルナク王とクルセル王がおおぜいの重臣とともにやって来て、人形たちの新たな見せ物を、日を改めて催してほしいと頼んだ。ドゥクモ妃は、それは無理だろうと説明し、そのわけを言った。

「確かに、クルカル王の見た夢はわが国にとってすばらしくよい前兆だ」と王の兄弟たちは思った。「王宮の前の平原で、競技大会を開いて祝おう(5)ではないか」

相談を持ちかけられた王は、この企てに賛同した。幻の隊商の宿営があったのと同じ場所に天幕が幾張りも張られ、競技に参加できる男は全員、召集された。

鍛冶屋の弟子は、みんなと同じように、何の準備なのか知っていた。親方に、自分も一緒に祭り見物に行ってもよいかと尋ねた。

「いや、だめだ、せがれや」と老爺(ろうや)は答えた。「おまえは家で留守番している方がいい。あそこにはホル国の兵隊たちがおおぜいやって来る。あの連中は意地悪で、ありとあらゆるたちの悪いいたずらをおまえに仕掛け、おまえをボール代わりにあっちからこっちへと投げあって遊んだり、他にもさまざまなやり方でおまえをひどい目に合わせてはおもしろがるだろう。腕や足の一本も折らずにやつらの手中から抜け出せたら、上々吉のめっけものだろうよ」

「ぼくを一緒に連れて行ってくださったら」と少年は答えた。「ぼくは一生、あなたのために尽くします。でも、ぼくを連れて行かないなら、この国を出て行きます」

鍛冶屋の親方はすっかり途方に暮れてしまった。弟子のことをたいそう重宝がっていたから、彼がいなくなってしまうなんて考えたくもなかった。

「いいかね」と親方は言った。「おまえは行ってもいいが、誰にも――とりわけ、兵隊たちに――見つからないように隠れていなくてはだめだ。さもないとおまえに何かよからぬことが起こるだろう。わたしが何とかしてやろう」

祭りの日が来た。律義者の鍛冶屋は男の子を袋の中に入らせ、その袋を鞍のうしろにつけて、その上をさらにフェルトの敷物で覆った。

「おまえの手の届くところにツァンパとバターのかけらの入った袋がある」と親方は弟子に言った。「好きなだけ食べなさい。着いたら、地べたに下ろしてやるが、袋にあいた穴から覗くだけで我慢して、姿を見られないようにし、うんともすんとも言ってはならぬ」

ふたりは出かけて行き、約束どおりチュタ・ギェルポは弟子を地面に下ろし、その上に敷物を広げると、そのひとすみに腰を下ろした。

鍛冶屋の弟子(=ケサル)は決闘で死んだ勇士の代わりとしてクルカル王の臣下に召される

さまざまな競技が開催され、重臣たちや王の側近たちも参加した。シェツェン・リヲ・パングクルという名の勇士⑥のひとりが、平原の片側にあった山を持ち上げ、反対側に運んだ⑦。この離れ技を讃えて割れんばかりの喝采が巻き起こり、誰もが異口同音に、世に並びなき偉業だと叫んだ。

「ぼくならもっとうまくできる」と鍛冶屋の弟子が言った。

「しっ！　黙っていろ」

だが、この勧告は遅きに失し、弟子のことばを王はすでに聞きつけていた。

「声の主は誰だ」と王は厳しい口調で尋ねた。「そんな自慢をするのは何者か」

「わたしです」と袋の中から答える声がした。

姿が見えないのに話し声が聞こえることに驚いて、クルカル王はまた言った。

「しゃべっていた者はここに出て来い、わが前に、今すぐにだ」

チュタ・ギェルポは総身（そうみ）が震えた。王の方へ何歩か進み出ると、どうにかして愛弟子のために申し開きをしようとした。

「お頭様（かしらさま）、話していたのはわたしの弟子でして、たいそうあなた様のお気に召した、あの金属の人形たちを作った者でございます。頭がいかれておりまして、考えもなしに、おかしなことばかり口走るのです」

「苦しゅうない」と、クルカル王はチュタ・ギェルポをさえぎって、言い返した。「こちらへ参って戦士たちに交じって着席せよ」

従うほかなかった。少年は袋から出て歩いて行き、その一方で親方は、弟子が殺されてしまうと思って、泣きくずれていた。

「山を動かすことができる、などとぬけぬけと抜かすほら吹きはおまえか。どのようにやってのけるつもりだ?」と王は尋ねた。

「お頭様」と少年は優しげに答えた。「そんなこと、とてもできっこないでしょう。あの戦士はけたはずれの力持ちだけれど、こちらはただの小さな子どもなのですから」

「おまえは自慢すべきではなかったのだ」とクルカル王は言い返した。「気の毒だが、諦めるのだな。おまえは、自分ならもっとうまくできる、と宣言して、あの戦士を挑発したのだ。そうとなれば、おまえたちは闘いで決着を付けねばならぬ」

「どうしたらそんなことができるでしょう」と少年は哀願した。「そのために必要な力がわたしにはないのですから。でも」と彼はことばを続けた。「王のご命令とあらば従わねばなりません。ひとつだけお願いがあります。おことばに出してわたしに約束していただきたいのです。もしわたしが殺されたら、わたしを倒した相手はわたしの流した血の代償を払うにはおよばないが、反対に、もしわたしが彼を殺したら、わたしの父の鍛冶屋が彼の家族に対して、彼の血の代償をびた一文も負うことはない、と」

「しかと心得た」と王は言った。「そちの望みどおりになるであろう、わたしは重臣たちすべての前で、そのことをそちに誓約する。さあ、ただちに決闘を開始せよ」

パングクルは巨人のような身の丈の男だった。自分の目の前に立つ、象に立ち向かう蟻といったふぜいのひよわな小僧っ子と、満場の観衆の前で闘うはめになり、恥をかか

された と深く遺恨に思っていた。相手の息の根を即刻止めてくれよう、と彼はみずからに誓った。

合図とともに、少年は一足飛びに突進すると、最初の一撃で巨人を倒し、その上に腰を下ろした。

「どうしてこんなことになるのだ?」と、すっかり目を回して、兵士〔=パングクル〕は考えた。「このやせっぽちの男の子は、なんて重いのだろう。ついさっき、あの山を持ち上げたとき、ちっとも重いとは感じなかったのに、今のおれはこの子に押しつぶされそうだ」

勝ち誇った少年は彼を鼻であしらった。

「やーい、〈勇士〉とやら、おまえの力はどうしたんだ、起き上がれないのかい、身動きひとつできないのかい」

パングクルは何とか身じろぎしようと試みたが、無駄だった。

「今度はおまえが動く番だ」と彼は、一瞬のすきに乗じて体勢を立て直せると期待して、鍛冶屋の弟子に言った。

少年は立ち上がると、相手が行動に移る前に、間髪を入れずその足をつかみ、王座の前にある、ホル国の人々の〈命〉(8)である黒い岩めがけて、投げ飛ばした。頭が岩にぶつかって砕け、脳漿が飛び散って、兵士〔=パングクル〕はその場で絶命した。

王は茫然とした。闘いがこんなかたちで決着を見るとは、想像すらしていなかったのである。あの巨人が生意気な小僧にひとつばかり懲らしめを与えて満場の笑いを誘い、それで幕が下りると思っていたのだ。ところが、王みずからが決闘せよと命じたばかりに、しかも衆人の目の前で結んだ約束に縛られて、弟子の少年を罰するわけにもいかなかった。そこで王は次のように言うにとどめた。

「悲しいことだ。この少年がわが勇敢な兵士を殺してしまったとは、痛恨の極みだ」

そしてチュタ・ギェルポを呼んだ。

「流された血の代償をおまえが払うことはない」と王は言った。「そのようなことは求めないとわたしが約束したのだからな。だが、おまえの弟子を、彼が殺めた男の代わりに、わたしに譲ってくれ」

鍛冶屋の親方はクルカル王に、自分が年老いていて手伝いの者なしではやっていけないこと、王が召し上げようとしている少年に匹敵するような有能な弟子は自分には二度と見出せないだろうことを、くどくどと訴えたが、無駄だった。彼のことばも涙も、王の決断を覆すことはできなかった。

もはや競技会どころではなく、誰も彼もがすっかり興ざめしてしまった。王とその兄弟たち、重臣たちは宮殿にもどって行った。それを見送った後、集まった人々は、楽しかるべき祭典を暗転させ、台無しにしてしまった異様な事件について口々にあげつらいながら、会場の平原をあとにした。ある漠然とした不安が、人々の心を曇らせていた。ホル国の人々は、巨人の死に次なる国難の前ぶれを見て取ったのである。こうして、あれほどうきうきした気分で始まった一日は、悲しみのうちに終わった。

ケサルは森から虎を連れてくるように命じられる

クルカル王は帰って来ると、取るものも取りあえず、ことの顚末(てんまつ)をドゥクモ妃に話して聞かせた。妃は恐怖にとらわれた。

「もはや疑いの余地はありません」と彼女は言った。「あの少年はケサル王にちがいありません。何としても彼を殺さねば。彼が生きているかぎり、わたしたちは安心することができません」

「まったくその通りだ」とクルカル王は答えた。「もし本当にあの不思議な少年がケサル王なら、われわれは大きな危険にさらされることになる。そして、あの子が見せつけた数々の異能とけたはずれの怪力からして、あいつがリン国王である可能性は大いにある。必ずやあいつを殺さねばならぬ。もしもそんなことがわれわれに可能ならの話だが。

それにしてもいかにして?」

「成功まちがいなしの方法を存じております」と妃は応じた。「それをお聞かせしましょう。明日『虎を王宮の門前につないでおきたいので、一頭捕まえて来い』とお命じになり、王宮の北方の山々に広がる森にあの少年を遣わすのです。あそこのいばらの茂みには人喰い虎が棲んでいます。われわれの仇敵(きゅうてき)を片付けてくれることでしょう」

クルカル王はその意見を良策と思い、鍛冶屋の少年を呼んで来させた。

「おまえは手際がよい上、力持ちだ。そのことは先刻、実証済みだ。だから、山で虎を生け捕りにして来い。わが宮殿の門の前につないでおくために一頭ほしいのだ。うまく捕まえる手だてを自分で考えてみよ。それはおまえが思案すればよいことで、おまえは悪知恵がはたらくから何とかやってのけるだろう。よいか、次の謁見の折には必ず虎を連れて来るのだ。さもないと痛い目にあわせるぞ」

「お頭様」と少年はへりくだって答えた。「虎が何のお役に立つのでしょうか。すでに熊が三頭、猿が二匹お庭につながれています。庭園の檻(おり)には豹が一頭いますし、鸚鵡(おうむ)が何羽も止まり木にとまっています。⑨虎を連れて来いとお命じになることは、わたしを死に追いやることでございます」

「おまえは、通り一遍にとどまらぬ実にさまざまな方法で、数々の才能を披露してくれた」とクルカル王は皮肉たっぷりに答えた。「おまえの力は実に大したものだ。おまえのせいで頭を割られた勇敢な戦士よりも虎が強いわけはない。今回もこれまでどおりうまく立ち回れるかどうかは、おまえ次第だ。これ以上、何を言っても無駄だ。さあ、なすべき仕事に着手せよ」

「承知いたしました」と鍛冶屋の弟子は答えた。「虎を探しに行き、御前に連れて参りましょう」

彼は宮殿を出て、ガルツァ・チュデンがひとりきりで留守番している親方の家に帰った。王と話したことを彼女に物語って聞かせ、虎が出没する場所を教えてくれるよう頼んだ。

うら若い娘は、はじめのうちは無言で彼を見つめ、それから近づいて来て、声をひそめて言った。

「あなたがここに来て以来、起こったことは何もかも、まともではないわ。あなたは神の一族たるケサル王にちがいない、とわたしは信じています。それを打ち明けてくださったらいいのに。心配はいりません。何なりとあなたのお役に立つようにいたします。クルカル王が滅ぼそうとしている大いなる御教えはわたしの心に叶うものですし、クルカル王の野望をくじくことこそあなたの使命だと承知していますから」

「そうさ、ぼくはケサルだ」と小さな男の子はにっこり笑って答えた。「でも、秘密が漏れぬよう、気を付けないと。今年のうちに、わたしはクルカル王を滅ぼさねばならない。今はさし当たり、虎について教えてくれないか」

ガルツァ・チュデンは、自分以外誰もいないことを確かめた上で、英雄の前にひれ伏し、目を上げると、そこに見えたのは本来の姿のケサル王だった[10]。だが、その像は瞬く間に消え、彼女が話しかけた相手は、またもや父の弟子の少年だった。

「宮殿の北にある山の向こうに広がる森には、一頭の赤い虎がいます。その虎はディクチェン・シェムパを知っていて、彼が呼べばやって来ます。あなたが彼とそっくりの姿になれば、虎は見た目にだまされてあなたの前に来るでしょう」

「それだけ聞けば十分だ」と少年は答え、出発した。

山に到着すると、彼はディクチェン・シェムパの姿に扮し、森を突っ切って進んだ。案の定、虎がやって来たので、彼は即座に、〈天鉄〉でできた剣で、その虎を殺した。皮をはぎ、上着の下にその皮を隠した。それから、母の肩から生まれた神界の兄弟であるミタク・マルポ神[11]を呼び、虎に変身させた。そして、その首にずしりと重い鎖を巻きつけると、虎を王宮へと連れて行った。

村の近くまで来ると、贋(にせ)の虎は吼(ほ)え始め、自由の身にもどりたがっているふりをした。

鍛冶屋の弟子は、虎を逃がさないよう必死になって鎖を引っ張っているように見えた。怖気づいた人々が彼らの前を逃げ惑い、走って家の中に避難した。風変わりな狩人とその獲物はこうして王宮の中庭に到着し、クルカル王は側近たちを引き連れて、すぐに見物しに降りて来た。この若者が立てた手柄にこれまで以上に驚かされた王は、それでもなお彼を本当にケサル王だと信じる気にはなれなかった。

「ご用命の虎です」と男の子はその獣をつなぎながら言った。「ここまで連れてくるのにひどく苦労しました。今、この虎は飢え切っています。大急ぎで食べ物を与えないと、猛り狂って手に負えなくなります」

人喰い虎

「肉を持って来い、早く早く！」と王は召使いたちに叫んだ。

「いえ、そうではなくて」と弟子の少年はことばを継いだ。「ヤクや羊の肉では用が足りません。こいつは人喰い虎だとわかっております。そしてご承知の通り、虎は人間の肉の味を覚えてしまうと、もうそれ以外の肉を喰べようとしません。生きた人間か、殺されたばかりの人の肉を与える必要があります」

「どうすればよいのだ」とクルカル王は言って、側近たちを見まわして目で問うた。

「目下のところ、死刑を宣告された者はいないし、殺害されたり事故で死んだりした人の死骸もない」

虎は、こうしてぐずぐず手間取っているのが気に入らないらしく、大きな声で吼え始めた。

「戦争で捕虜になったあのリン国人を虎にやれ」と王は命じた。

不運な男が牢から引き出され、虎の前に押しやられたが、虎はその匂いを嗅いだあと、まったく無関心な様子で男に背を向け、また猛烈に吼え出した。

「これはどういう意味か」とクルカル王は尋ねた。

「さっぱりわかりません」と少年は答えた。「しかし、この獣はどうやらリン国人の匂いが嫌いなようです。ホル国人を喰べ慣れていますから」

「とっとと失せろ！」と王は捕虜に言った。「この虎はおまえなど所望せぬ、不味くて喰えたものではないと」

捕虜の男はそのことばを二度までは言わせなかった。もはや誰も制止しないのをよいことに、一目散に逃げて行った。

虎はますます獰猛になり、まっすぐ立ち上がって、しゃにむに鎖を断ち切ろうとし、威嚇するように口を開けてクルカル王のいる方をめがけて跳び上がった。

「早く、早く。何か喰べさせないと、鎖を切ってあなた方に襲いかかって来ますよ」

と少年はわめきたてて警告し、いつでも逃げられるように、門の方に後ずさりした。

虎がつながれている鉄の杭がぐらぐら揺れるのを目にして、クルカル王は取り乱し、恐怖で半狂乱になった。虎が王に向かって巨大な牙をむくと、王は運悪くすぐそばにいた一の大臣を、拳骨の一撃で猛獣の前にごろりと転がしてしまった。

虎が跳びかかり、不運な大臣はあっという間に喰べられてしまって、あとには白々とした太い骨が何本か残るばかりだった。

虎に慄くクルカル王

王は自分の部屋に逃げ込み、他の者は全員逃げ去った。虎が食事を終えると、少年は虎を王の居室の次の間の前に連れて行き、戸口につないで、宮殿をあとにした。

いくらか落着きをとりもどしたクルカル王は、お茶を持って来させようと、呼び鈴を鳴らした。ところが王が驚愕したことに、使用人はひとりも姿を見せなかった。もう一度呼んだが、やはり何の応答もなかった。ついに、はるか遠くから叫び声がした。

「閣下、わたしたちはそちらに参れないのです、例の虎が、あなたのお部屋の扉の前にいるものですから」

まるでそのことばを強調するかのように、押し殺したうなり声が聞こえた。

「なんてことだ」と王はすっかり意気消沈して思った。「あのいまいましい小せがれに、扉に虎をつないでおきたいと言ったら、やつはそのことばどおりに受け止めた。そして虎を連れて来た先が、王宮の門扉(もんぴ)の前ではなく、わたしの部屋の扉の前だったとは……。せめて時をおかず彼がもどって来れば、虎を中庭に下ろすよう命じられるのだが」

こうして何時間も過ぎ、やがて夜になると、王の家来たちは王の居室からずっと離れた一角にたてこもり、いくら呼んでも何の返事もなかった。クルカル王は、扉の前に補強のために大箱をいくつも積み重ねると、飲まず食わずのまま就寝せねばならなかった。

翌日、同じような生活がまた始まった。虎が身体を動かし、鎖が扉に当たって鳴るのが聞こえた。王は窓の下を駆け抜けてゆく男を呼びとめ、チュタ・ギェルポの弟子を大急ぎで呼んで来いと命じた。その男はもどって来ると、「少年はトゥマを採りに山に出かけてしまい、いつ帰るかは親方にもわからないそうです」と報告した。すると虎が吼え、使者はもうこれ以上、それを耳にするのがたまらなくなって、逃げて行った。

こんなありさまで三日が経った。王は絶食した上、部屋を出て用足しに行くこともままならなかったため、部屋は汚物で汚れてしまった。虎も何も喰べておらず、やけっぱちになって吼え、居室の扉を鉤爪(かぎづめ)でひっかき始めた。

やっとのことで、クルカル王はある窓からセチャン・ドゥクモ妃をちらりと見かけ、鍛冶屋の少年を呼びにやるよう、叫んだ。

少年は、トゥマの入った袋を持って帰って来たところだった。さっそく王宮に行くと、彼が中庭を横切るのを目にした王は、虎を森に連れもどしてくれたら、いくらでも望むがままの金子(きんす)を取らせよう、と彼に約束した。

ケサルは虎を処分し、その皮をクルカル王に披露する

そこで少年は虎を連れて宮殿を出た。姿が見えないところまで来ると、ミタク・マルポ神は本来の姿にもどり、住まいとしている楽園に帰って行った。

ケサル王は、数日前に殺した虎の皮を肩に背負って、また王に会いに行った。

「お頭様(かしら)、あの虎は実に獰猛(どうもう)なやつでした」と彼は言った。「森に着いたとたんに跳びかかってきて、わたしを喰いものにしようとしたのです。わたしは必死で逃れて、やつを仕留め、その皮をお持ちしました」

「おお、そいつはでかした！」と王はすっかり安心して言った。「その皮を鞣(なめ)すがよい。どうしたらよいか、知っているか」

「よくわかりません」と少年は答えた。

「こうして、まず頭の方からこするのだ」とクルカル王は言った。

「よくわかりました。必ずそういたします」

彼は皮を持ち帰りながら考えた。「よし、これはとびきりの前兆だ。遠からずホル国の諸将の頭を、同じやり方でこすることができますように」

第八章　ホル国征伐（三）

鍛冶屋の養子となった少年の正体

クルカル王の兄弟のクルセル王とクルナク王はセチャン・ドゥクモ妃とともに、これまで一度ならず警告を発してきたにもかかわらずクルカル王がまったく意に介さず、どこの馬の骨とも知れぬ少年の数々の奇矯なふるまいにも平然としているのを見て、心を痛めていた。そこで彼らは、どうにかして王に警戒をうながし、占い師の力を借りてあの弟子の正体やホル国に留まりつづける理由をつきとめるよう王を説得するために、うちそろって王のもとに参上することにした。

そのように示し合わせて、彼らはクルカル王のもとにやって来た。

「わが兄弟よ」とクルナク王が言った。「身内の者や友人たちは、あなたの身とホル国の行く末を案じております。あの不思議な隊商があとかたもなく消え失せ、その同じ日にガルツァ・チュデンが〔父である〕チュタ・ギェルポの弟子となる少年を見つけてから、かれこれ一年近くになります。あれからこのかた、彼のふるまいは余人とは一風変わっていました。みごとな細工物を作り上げたばかりか、ひょろひょろのやせっぽちのくせに、山をも動かすほど力持ちの巨人を打ちのめし、殺してしまいました。獰猛な虎を王宮に連れて来て、その虎があなたの顧問たちの中でも知恵随一の賢臣を喰い殺してしまうと、彼はこの恐るべき獣をまるで犬でも扱うようにして、また森に連れもどしました。次にはその皮を持って来て、自分ひとりで仕留めたと言い張るのです。何から何まで奇怪至極なことばかりです。この件について学識ある占い師の意見に耳を傾けてくださるよう、切にお願いする次第です」

「あの虎がここにいた間、わたしは悪夢を何回も見ました」とクルセル王は言った。「あの少年とやらがケサル王である可能性はないでしょうか。これはどうも疑わしいように思われます。何しろケサル王が姿を消してから十年近く経つのですから。仮に彼が存命ならば、リン国敗北の雪辱を果たそうとして、これほど長い間手をこまねいて待つはずがありません。しかしいずれにせよ、確かめるに越したことはないでしょう」

ディクチェンはふたりの意見を支持した。

「わたしもケサル王は死んだと思います。しかし悪夢が現れたのですから、占い師に相談した方がよいでしょう。ジャン国の隠者ゴムチェン〔＝大瞑想者〕・チュジャク以上に名高い者はおりません。王命により彼を召し寄せてはいかがかと存じます」

「悪くない考えかもしれぬな」とクルカル王は答えた。「あの弟子の少年がケサル王であろうがなかろうが、その占い師ならわれわれのためにあまたの謎を解き明かしてくれよう」

「あなたがそのような決断をなさったと知って、うれしゅうございます」とドゥクモ妃が言った。「わたしはケサル王の力をよく知っております。彼はグル・リンポチェのご加護を受けた威力ある神ですから、たとえ死んでいても、数々の夢によってあなた方の心を惑わせたり、自身の魔法の分身を作り出して、あなた方を罠(わな)に掛け破滅に導いたりすることが可能なのです」

占い師に諮(はか)る

「ディクチェンよ」と王が命じた。「そなたが直々(じきじき)にゴムチェンを招請して参れ。ご足労をかけるが、それに見合った贈り物でお報いする、としかとお伝えするのだぞ」

翌日、ディクチェンは赤毛の馬に乗り、従者をひとり連れて、クルカル王の宮殿から四日の旅程にある、ラマ〔＝ゴムチェン・チュジャク〕の住まいをめざして出発した。着いてみると、ラマは隠遁修行中で、誰にも会わないとわかった。ディクチェンは、ラマ専属のお付きの僧を通してカタといくつかの贈り物を届けさせ、自分が訪問したわけをその僧に説明した。するとまもなく、お付きの僧を介して隠者から返答があった。自分は三年三月三週と三日間(1)の期間を定めた隠遁を行っていて、まだその期間の半分にも達しておらず、誓いを破って隠遁を中断すれば、必ずやその修行者の身によからぬことが起こるとされるから、自分が庵を出ることはきわめてむずかしい、というのであった。とはいえ、ホル国王の威光と権力を思えば、その命令に背くわけにもいかないので、明日の朝出発し王宮へ向かう、とのことだった。

　隠者は山の中腹に庵を結び、同じ山のふもとに邸を構えていた。ディクチェンはその邸で一夜を過ごし、翌朝ゴムチェンとそのふたりの従者とともに出発した。二頭の雌ラバが、隠者の荷物やおびただしい書物、ここぞという時に使う数々の象徴的な図絵やさまざまな法具などの荷を運んだ。

　ケサル王は、どんなに厳重に守られた秘密でも見抜いてしまうその心眼によって、自分のことを探るためにクルカル王が占い師を迎えに行かせたことをすぐに察知した。ゴムチェン・チュジャクが、数々の神託の知識や巧緻きわまる策略の裏をかくすべに深く通暁していることを、もちろん彼〔＝ケサル王〕が知らないはずはなく、同師〔＝ゴムチェン・チュジャク〕が鍛冶屋の弟子〔に変身している自分〕の本性を見破ってしまうのではないか、と大いに恐れていた。そこでまず最初に、変装した自分をこの占い師が見抜くことができるかどうか確かめてみることにし、もし同師がそのような境地に達しているのであれば、クルカル王に会わせないようにしようと決意した。

ケサル王はその神通力によってディクチェンに、一足先に行ってラマの到着をクルカル王に知らせよう、と思いつかせた。〔彼と別れて〕ラマだけが従者を連れて道を進んで行くと、向こうからケサル王が色白顔の殿様の姿で、白い小旗をてっぺんに付けた兜をかぶり、白馬にまたがってやって来た。そっくり同じ格好をした二十五人の幻の男たちが付き従っていた。反対の方から来るラマとすれ違いざまに、彼は鄭重に挨拶をした。

「お疲れ様でございます、[2]髪の長いお坊様。[3]どちらからおいでで、何のためにホル国に赴かれるのですか」

そのラマは、クルカル王から助言を求められたので、ギャン・ムクポ〔霧のギャン〕から王のもとに行くところだ、と彼に言った。そして今度はラマの方から異国の騎士に向かって、どこから来て旅の目的は何かと尋ねた。

「わたしはロンポ・ペカルと申す者で、インドから参りました。わが国の王家所有の高価な馬が二十頭も盗まれてしまい、盗人はまだ見つかっておりません。このあたりの街道筋の追いはぎどもが馬を連れ去ったにちがいないと考えた王から、わたしはホル国に遣わされたのですが、馬は見つかりませんでした。運よくお坊様とお会いしましたので、どうかわたしのために、馬たちがどこに連れて行かれたのか、占ってくださいませんでしょうか。リン国へ参りましたら――そうするつもりでございますが――そこで馬をとりもどせるでしょうか。

お望みの品をさし上げましょう。ほらここにもう金貨三十枚を用意してございます」

ケサル王は馬から降りると、カタのすみにくくりつけた金貨を、ラマに差し出した。占い師は愛想よくほほえんだ。こんなに豪華な贈り物をのっけから出されて、喜ばずにはいられようか。今度はラマの方が馬を降りて、召使いたちが広げた敷物の上に坐ると、書物やさいころ、穀物、香草をはじめ、さまざまな品を持って来させた。

彼はずいぶん長い間、いろいろな計算に没頭した末、物思わしげな様子で頭を上げると、こう言った。

「あなたの話にあるような馬は、どこにも存在しない。わたしの身に災いが起こるだろう。あなたはわたしの敵だ。目の前にいる二十六人の騎馬武者は、実はひとりの人物だ。いるのはケサル王だけで、あとの者たちはただの影法師にすぎぬ。あなたはあなたの道を行くがよい、わたしはわたしの道を行くから」

ラマは占いの道具を片づけさせると、ホル国へ向かってゆっくりと歩を進めた。

「こいつは厄介だ」とケサル王は思った。「このラマは、わたしが変装していたにもかかわらず、わたしが何者かを見破った。かくなる上は、わたしのことを洗いざらいクルカル王に告げるだろう。彼を王宮に行かせてはならぬ」

そこで英雄は天上の兄弟に救援を求めた。兄弟神たちは激しく雹(ひょう)を降らせ、ラマは秘書役のふたりの僧とともに岩陰に避難した。すぐさまトゥンチュン・カルポ④がその岩に雷を落とし、岩は崩れ落ちて隠者とふたりの僧を押しつぶした。

ケサル王が占い師に変身する

ケサル王はその後、占い師の荷物を奪うと、頓死したふたりの僧そっくりの幻像を作り出し、みずからは亡きラマ〔＝ゴムチェン・チュジャク〕の姿に扮した。この新たな変装で、王宮から見える地点に到着した。その合図を受けて、王はラマのもとに重臣たちと馬⑤を遣わし、ラマは盛大な行列を組んで王宮へと導かれた。

翌朝、彼は魔術の道具を一切合財(いっさいがっさい)箱から出させ、クルカル王の前に進み出ると、どのような占いをお望みかと尋ねた。

王は言った。

「わが兄弟とわたしは悪夢を見ました。一頭の虎が風変わりな方法でここに連れて来られ、一(いち)の大臣(おとど)を喰い殺しました。鍛冶屋にはどこの馬の骨とも知れぬ弟子がいて、途方もないしわざをやってのけました。そいつはケサル王ではないでしょうか。敵の攻撃を受けたら、わが方は反撃して勝利を収めることができるでしょうか。この国の繁栄は続くでしょうか。わたしは長寿をまっとうできるでしょうか」

「よろしい」と占い師は答えた。「三日後にお答えしましょう」

彼は補佐役の僧たちにおびただしい数のトルマ⑥を用意させ、祭壇にたくさんの灯明(とうみょう)を灯し、香煙で部屋が暗くなるほどどっさり線香を焚いた末に、ふたりの僧に戸口で番をさせて、ひとりきりで閉じこもった。

四日めの明け方、彼は、兄弟たち〔＝クルセル王、クルナク王〕、ドゥクモ妃、重臣たちに取り巻かれて、不安にいても立ってもいられぬ思いで待つクルカル王のもとにもどった。

贋占い師の宣託――ケサルの策略

「いくつもの占いをいたしましたが、その結果は驚くべきものでございます」と占い師はただちに明言した。「中には吉報もありますが、不吉な前兆もあります。いくつかの点は、闇に覆われてはっきりしません。上様のご身辺は、数々の突きとめがたい秘密に包まれています。いましばらくの間は、王ならびにこの国は平和と幸せを享受するでしょう。その後、もろもろの厄介ごとが起こると予告されていますが、それらがどのような決着を見るのかは、わたしにはまだわかりかねます。王のお命がいつまで続くのかも、はっきり見きわめがつきません。都の城壁にかかっているあの〔ギャツァの〕首が、あなた方が見た悪夢の原因であり、大臣の死を招いたのも、ホル国の人心を不安に陥れているのも、やはりあの首です。あれを城壁から下ろして埋葬せねばなりません」

「どのような方法であれを下ろして埋めれば、われわれに迫る危険を避けられるのか」とクルカル王は尋ねた。

「その件については、新たに占いをせねばなりません」と占い師は答えた。「明日、お答えいたしましょう」

彼はまた部屋にもどって引きこもり、翌日姿を現すと、次のような神託をもたらした。

「丈夫な鉤のついた、長い鉄の鎖を作る必要があります。その鉤で、王宮の屋根のてっぺんに鎖を掛けられるようにするのです。屋根に向かって下から鎖を投げ上げて、鎖そのものが屋根に引っかかるようにします。頑丈な鉄の杭を宮殿の城壁の外に埋め込み、それで鎖の下端を地面に固定します。この鎖伝いによじ登り、城壁にかかっている首のところまで到達できた者こそ、首を下ろして埋葬すべく、神々の指名を受けた人物です」

王はただちにチュタ・ギェルポとその弟子を呼び寄せ、占い師が語ったものと寸分たがわぬ鎖を作るよう命じた。

「この仕事には大量の鉄が要ります」と弟子は答えた。「それだけの量を王がご用意くださらぬ限り、鎖は王宮の屋根まで届くほどの長さにはならないでしょう」

クルカル王は答えた。

「目下のところ、それほどたくさんの鉄は持ち合わせていない。あの首はすぐにも壁からはずさねばならず、そのためには鎖がどうしても必要だというのに、まったく何たることだ。王宮の宝物庫には大きな鉄の塊があるが、あれは累代の先祖たちの〈命〉(7)だ。稀(まれ)に音が漏れるし、ことばを発したこともある。あれを壊したりしたら、もってのほかの一大事になるだろう。ラマの意見を聴かないことには、何とも決めかねる」

贋隠者は、それを占うにはさらにもう一日かかると言い、次の日になって、その鉄棒こそ、まさしく使うべき品である、と宣言した。それ以外の鉄片から鎖を作ったとしても、切れてしまったり、短すぎたり、事故が起こったりして、望ましい方法で首を下ろすことができず、ホル国を脅かす危険は払いのけられない、というのである。

王宮の宝物庫の大きな鉄の塊を溶かして鎖を作る

そう聞くと、クルカル王はもはやためらうことなく、重い鉄の塊を鍛冶屋のもとに運ばせた。それが何百年にもわたって崇められてきた神聖な鉄であり、そこにはホル国代々の王たちに受け継がれてきた王朝の〈命の精髄〉が宿っていると知る鍛冶屋は、弟子に言った。

「とんでもない仕事を仰せつかったものだ。この神与の鉄を灼熱するまで熱することなど、並の火力ではとても無理だろう。これが加工できるなんて考える方が、頭がどうかしている。鎖はできっこないし、クルカル王はわれわれを厳罰に処すだろう」

「心配はいりません、おやじさん」と少年は答えた。「寝室に行き、安心してお休みください。そして特に今夜だけは、どんな理由があろうとけっして鍛冶場に降りて来てはいけません。ガルツァ・チュデンさんひとりで手は足りますから、あとはお構いなく。鎖がどうなったか、明日の朝またお話ししましょう」

老人は、弟子の一風変わった流儀には慣れていたので、若者たちだけに任せて、部屋に上がった。ふたり〔＝少年とガルツァ・チュデン〕は鍛冶場にこもり、炭を山のような高さに積み上げると、その真ん中に鉄の塊を置いた。そうしておいて、ケサル王は天上の兄弟たちや、友人の神々、そして〔母方の〕親戚の龍神たちを勧請（かんじょう）した。神々は、金槌ややっとこ、その他の工具を携えて、一団となって駆けつけて来ると、鉄を打ち始め、一万発の雷鳴をもかき消すほどのすさまじい騒音が三界を揺るがした。

　チュタ・ギェルポはびっくりして目を覚ますと、弟子がまたもや何やら魔術の離れ技に没頭していると知って、震え上がった。同時に、鍛冶場で何が起きているのか見たくてたまらなくなり、階下に降りて行き、扉の隙間に片目を押し当てた。額が木の扉に触れたとたんに、巨大な火の粉がかまどから撥ねて隙間を通り抜け、目に入ってひどいやけどを負ってしまった。不運な老爺は神々の働くさまをかいま見ることすら叶わなかった上、片目を失明し、痛みに呻きながらまた二階に上って行き、床に就いた。

鉄の鎖を宮殿の金の屋根に取り付ける

　次の朝、弟子が部屋に入ってきて、言った。

「おやじさん、さあ起きてください、鎖を王にお届けしに宮殿に行かねばなりません。とても重いので、運ぶのに力を貸してください」

「なんてことだ！」と老匠は嘆いた。「それどころではない、わしは身動きが取れぬのだ。ゆうべ、鍛冶場であんまり大きな物音がするので、おまえの仕事ぶりを見たくなった。ところが、火の粉が戸の隙間を通り抜けて、わしは目をやけどしてしまった。一つ目になってしまい、傷が恐ろしく痛むのだ」

「夜出歩けば、犬に嚙まれるというものです」と少年は答えた。「部屋から出ないようにとあれほどお願いしたではありませんか。事故に遭ったことはお気の毒に思いますが、わたしにとっては吉兆です。その意味するところは、わたしのもくろみを探ろうとする人は目がつぶれるということですから」

巨大な鎖がクルカル王の御前(ごぜん)に運び込まれると、王は、ただちにそれをラマに指示された通りの方法で取り付けてほしいと所望した。王の側近には屈強な男たちがそろっていたが、誰ひとり宮殿のてっぺんに輝く金色の屋根[8]の高さにまで鎖を投げ上げることはできなかった。まず手始めに召使いたちが試み、次いで力も腕前も彼らより秀(ひい)でていると自負する武将や大臣たちが手柄を立てようとした。がんばったあげく、けがをした者も何人かいたが、骨折り損をしただけだった。そのとき、鍛冶屋の弟子が腕試ししたいと名乗りを上げた。王の許しが得られると、最初の一投で屋根に鉤を打ち込み、鉤が深く刺さって、鎖はしっかりと取り付けられた。すると人々が鉄の杭を城壁の向こう側の地面に打ち込み、鎖の下端がそこに固定された。

いまや残った問題は、斬首された頭の掛かる高さまで鎖をよじ登り、首を下ろすことだけであった。またもや何人かが試してみたが、無駄骨に終わった。

「そちは何でもうまくやってのけるから」とクルカル王は鍛冶屋の若者に言った。「あの鎖だってきっとよじ登れるにちがいない。あの首級を取って参れ」

「たやすいことではありません、お頭様」と鍛冶屋の若者は答えた。「もしわたしが首尾よくやってのけたら、何をくださいますか」

「褒美の品は自分で選ぶがよい」とクルカル王は約束した。

宮殿の城壁からギャツァの首を取り外す

すると、それ以上何も言わずに、その弟子は鎖を伝ってよじ登り、首に手が届くとそれをはずし、降りて来てクルカル王の足もとに置いた。

「あのラマ〔＝ケサルが変装したゴムチェン・チュジャク〕はわれわれに首を埋めるようにとおっしゃった」と王は言った。「だが、いったいどこに？　それをお尋ねせねばならぬ」

王の命令で、ディクチェンがまだ宮殿に留まっている髪の長い隠者に会いに行き、助言を求めた。

ラマは答えた。「サンセル・リ・ムクポ山⑨のふもとに、大きな穴を掘らねばなりません。その穴の底に棘のある木の枝を敷きつめなさい。木綿の布で包んだ首をその上に置き、穴の入り口を大きな平たい石で塞ぐのです。首は、それを城壁からはずした鍛冶屋の弟子の手で、その場所まで運ばれることになります。トンツ・ユンドゥプとペトゥル・チュン将軍が、騎兵百騎を率いて、同行するように。

寸分たがわずわたしの言った通りにすれば、万事がホル国にとって吉と転じ、王は心の安らぎをとりもどすでしょう。あなたは今や知りたいことのすべてを知りました。わたしがこれ以上長くここに留まる理由はありません。おいとまをいただいて今日の午後にでも自分の庵に帰りたいとわたしが願っている旨を、王にお伝えください」

ディクチェン⑩は占い師のことばを王に伝えた。王はそれらのことを聞いてたいそう喜んだ。数々の心配ごとがことごとく霧消したのである。

兵士たちと将軍は土砂に埋もれ、ギャツァの首は身体と一体となる

王は、次の日に首を埋めることに決め、ラマに豪華な贈り物を寄進した。数刻の後、ラマは王宮を発って、ギャン⑪の自邸へ向かうと見せかけた。

贋占い師の指示に従い、首は翌日サンセル・リ・ムクポ山のふもとに運ばれた。兵士たちが穴を掘り始め、将軍はそこから少し離れたところに坐って、トンツ・ユンドゥプともにお茶を飲んでいた。

ふたりが休憩していると、鍛冶屋の弟子が将軍に「部下たちのところに行き、隠者の命じたことがすべて厳格に守られているか、ご自身で確かめていただきたい」と、鄭重（ていちょう）きわまる口調で嘆願した。

「これは王の、そして一国の命運にかかわる、きわめて重要なことですから、一般の庶民に仕事を任せるべきではありません」

将軍は、彼の言うことはもっともだと認め、人夫たちの方に近づいて行った。鍛冶屋の弟子はトンツ・ユンドゥプに向かってことばを継いだ。「われわれは、ラマが言っておられたような石を探しに行きましょう。石が見つかったら、みんなを呼んで、運ばせるのです」

ふたりがその場をかろうじて離れた瞬間、ケサル王の力によって山の中腹に地すべりが起こり、大量の土砂がいくつもの大きな岩塊もろとも崩れ落ちてきて、あっという間に将軍と兵士全員を埋めてしまった。

「逃げろ、逃げろ」と弟子は仲間〔＝トンツ・ユンドゥプ〕に叫び、ふたりとも全速力で逃げ出した。トンツ・ユンドゥプがわが身の安全にすっかり気を取られて注意を怠ったすきに、〔鍛冶屋の弟子に扮した〕ケサルは幼なじみの友ギャツァの首を、ふたたび〔身体と」一体となるようにと、彼が住む楽園に送った。

守護神ナムティク・カルポ神がクルカル王の夢に現れ、指示を与える

ふたりは命からがら、走りに走ってクルカル王の宮殿にもどって来た。ふたりとも息を切らせ、取り乱した顔つきで、恐怖で気が変になったようだった。

「何が起こったのだ」と彼らを目にした人々は尋ねた。「騎兵たちと将軍はどこへ?」

ふたりはいまわしいできごとを語り、自分たちが仲間と運命を共にすることをかろうじて免れたのは、まったくの奇跡に過ぎない、と付け加えた。

この災厄はクルカル王とその兄弟王たちにただちに報じられた。その知らせに一同は茫然自失した。いったいどうしてこのような災いがまたもや起こったのか。ラマ（＝ゴムチェン・チュジャク）は、あの首さえ取りはずして埋葬すれば、いっさいの危険は遠のく、とあれほど頼もしげに請け合ったというのに。あの占い師の学識や謹直さを疑うなど、まったく思いもよらないことだった。ただ、もしかするとペトゥル・チュン将軍もしくは部下の誰かがラマの指示に背き、そのせいで神々もしくは悪鬼たちの怒りを買ったのではないかとの懸念は拭えなかった。

この不吉な日の夜、クルカル王は、先祖代々の守護神ナムティク・カルポ神の夢を見

た。神は言った。

「クルカル王よ、そなたの国に立て続けに起こった、途方もない、いまわしいできごとについて、そなたは運勢を調べなくてはならぬ。明日、幾人かの者に弓を持たせて、いつも射手たちが稽古場にしている、的が描かれた赤い岩のところに遣わすのだ。トンツ・ユンドゥプ、ガルベ・パンツェン・ラドゥプ、トプチェン・トゥグ、ディクチェン・シェムパ、そして鍛冶屋の弟子を指名せよ。彼らの矢が岩に当たり、岩が割れてその破片が平原に落ちたら、よい兆しだ。⑫それをもって、すべての危険は遠ざけられる、と予言したあの占い師の見立てが正しかったことを、そなたは知るだろう。騎兵たちと将軍の死は彼らの悪行のせいで、そなたとはかかわりのないことだ」

クルカル王はぱっと目を覚ました。真夜中だったが、いても立ってもいられず、王は夜が明けるのを待ちきれずに、神が白羽の矢を立てた者たちをただちに呼び寄せた。面々が御前にそろうと、王は「弓矢の支度を調え、日の出とともに的場に到着できるように出発せよ」と命じた。

臣下はクルカル王の命令に従うが、任務は失敗に終わる

皆、前の日に起こったいまわしい出来事に大きな衝撃を受けており、悪鬼を恐れて、

真夜中の道行きをひどく怖がっていたが、王命に背くわけにはいかないので出発し、夜明け前には赤い岩の前に着いた。

「王のご命令だから、おのおの方、いざ射ようではないか」とトンツ・ユンドゥプが言った。「とはいえ、われわれの誰ひとりとして、あの硬くて滑(なめ)らかな岩をみごと割ってみせる者などいるわけがない。そして、不首尾に終わったら、クルカル王はご立腹になり、われわれに重罰を科すだろう」

「わたしは射ないことにします」と弟子は言った。「ゆうべ、悪夢を見ましたので。ひとりの赤い男が赤い馬にまたがり、赤い投げ縄を手にしているのが見えました。男はその投げ縄を投げ、わたしと一緒にいた同輩のひとりを捕らえたのです」

「そんなことはよくない」とトプチェン・トゥグが言った。

「じつにあつかましい小僧だ。よくもぬけぬけと、言うにこと欠いて、『わたしは射ないことにする、王の命令には従わない』だと?」とガルベ・パンツェンが言い返した。「おまえの夢ではそうだったかもしれないが、それでもわれわれは、命じられた以上はやらねばならぬ」

そして皆、弓を射始めた。何回やっても、矢は岩の表面ではね返って折れてしまい、ほんの小さな岩屑すら、はがれ落ちることはなかった。突如、赤い男が赤い馬に乗って赤い投げ縄を振り回しながら岩から飛び出し、馬を疾駆させてこちらに突進して来たが、その表情には悪意があからさまだった。度肝を抜かれ、身を守るすべとて皆目わからないまま、射手たちは逃げ出した。すると赤い男は投げ縄を投げ、トプチェン・トゥグを捕らえるとそのまま引きずって行き、岩のてっぺんまで引っぱり上げた。その瞬間、鉄の杭を手にした四人の悪鬼の娘たちが姿を現し、その杭で不運な男を直立したままで岩に釘付けにした。杭が腹に打ち込まれ、はらわたが飛び出した。

不運な男の四人の連れは大急ぎで王宮にもどったが、クルカル王の御前にまかり出る勇気はなかった。王の兄弟のクルセル王に取り返しのつかない事件を報告しに行き、クルセル王はその報に打ちのめされた。とはいえ、クルセル王もクルカル王に知らせざるを得なかった。知らせを受けたクルカル王はただちにクルナク王とドゥクモ妃に、夢の中でナムティク・カルポ神から受けた勧告とその結果を詳しく説明した。

クルナク王はどうにかしてふたりの兄弟に勇気をとりもどさせようとした。

「ナムティク・カルポ神が将軍の死についてそう明言なさったのと同様に、おそらくトプチェンの死をわれわれにかかわりのある前兆と見なすべきではないでしょう。わたしが推測するに、われわれが先祖代々の神々に供物を奉納するのを怠っていたために、神々がお怒りになったのです。神々の御心(みこころ)を和らげねばなりません。近日中に、山の上で神々を崇めたたえ、生贄を捧げましょう。われわれの心配事はひとつ残らずかたが付くにちがいありません」

クルカル王と取り巻きの者たちはクルナク王のことばにこぞって賛同し、ナムティク・カルポ神、バルティク神、サティク神⑬を崇めたたえる盛大な祭りを執り行うよう、ラマたちに依頼することにした。そうと決まると、クルセル王とクルナク王は式典の準備に当たるため、めいめいの本拠地へと出発した。

グル・リンポチェがケサル王の前に現れ、指示を与える

弟子(=ケサル王)は、弓の試合が陰惨な結末を迎えた後、クルカル王の怒りに直面する気になれず、鍛冶屋の家にまっすぐ帰っていたが、まさしくその夜、部屋がまばゆい光に照らされるのを見た。パドマサンバヴァが白い虹から降りておいでになり、彼の前にお姿を現した。

「目を覚ましなさい」と師はケサル王におっしゃった。「眠っている場合ではない。そなたに話すべきことがある」

ケサル王はグル・リンポチェの前に何度もぬかずき、師はなおもお続けになった。

「ここまでのところは、そなたにとっては万事順調だった。そなたは、将軍とその配

下の騎兵たち、一の大臣、そなたの変装を危うく暴くところだったラマ（＝ゴムチェン・チュジャク）、その他何人もの人々を殺すことができた。ホル国じゅうが恐怖におののき、怖気づいたクルカル王はまっとうなふるまいができなくなっている。そろそろ彼との決着を付けねばならぬ。なぜなら、そなたが彼と闘うことができる年まわりも終わりに近づきつつあるからだ。さっさとやってのけないと、星のめぐり合わせが変わり、クルカル王と王を取り巻く悪鬼たちが勢いをすっかりとりもどすだろう。そのとき、彼らの力は揺るぎないものとなる。

あした、魔法によって三人のインド人の姿を作り出すがよい。旅回りの役者よろしくそのおのおのに猿を一匹ずつ持たせるように。そうやって王宮の前に姿を現すのだ。そなたはドゥクモ妃に話しかけねばならぬ」

それ以上説明することなく、パドマサンバヴァ師はお姿を消し、サンド・ペルリ宮殿にお帰りになった。

ケサルは指示通りに七つの魔法の像を作り出す

指示されたとおりに、ケサル王は七つの魔法の像を作り出した。そのうちのふたつは猿回しのインド人の姿をしており、もうひとつは鍛冶屋の弟子に扮してチュタ・ギェルポ親方の家で留守番をし、その一方で彼自身は三人めの旅芸人の役を演じるのである。さらにまた、あとの三つの像は三匹の猿であり、四つめは旅人たちのわずかばかりの荷物を運ぶ、やせこけたロバであった。

ケサル王がパドマサンバヴァ師の来訪を受けていたとき、セチャン・ドゥクモ妃は悪夢に悩まされていた。彼女はクルカル王とはちがい、確たる安心感が持てず、この数か月というもの不安にさいなまれて過ごした。来る日も来る日も、いつかケサル王が目の前に現れるのではと覚悟してはいたが、クルカル王を憎からず思うようになり、ひとり息子までもうけた今となっては、夫の帰還は彼女が被りうる痛手の中でも最悪の不幸と思われた。

セチャン・ドゥクモ妃の行動

ふだんにも増して胸騒ぎがして、何かおかしなことが宮殿のまわりで起こってはいないかと、屋上に昇って見渡してみたところ、色とりどりのけばけばしい服を着たインド人が三人、動物たちを連れてこちらにやって来るのが目に入った。

新来者たちの異様な風采に、彼女ははっと胸をつかれた。「今度という今度はもはや疑う余地はない」と彼女は思った。「あの猿回しの旅芸人たちはケサル王が案出したものだ。あのたぐいのやからがこの国にやって来るなんて前代未聞のことだ」彼女は屋上から大急ぎで降りて、クルカル王に知らせようとした。

王の居室に向かう途中、ディクチェン・シェムパの部屋の前を通りかかると、扉が開いていた。

「どちらにおいでになるのですか、奥方様⑭」と彼は尋ねた。

「王のもとへ参ります」と彼女は答えた。「今しがた三人の外国人を見かけましたが、あのようなやからはこの国に来たためしがありません。あれはケサル王にちがいありません。あんな変装をして、われわれを害しに来たのです」

そして妃は自分の目にとまった連中の様子を説明した。

「まさか」とディクチェンは答えた。「ケサル王はただひとりで、三人もいません。それに、三匹の猿と一頭のロバもご覧になったそうですが、そいつらもケサル王だというのですか」と言って笑い出した。

「よろしいですか、お聴きください」と彼はことばを継いだ。「ケサル王はひとりの頭領で、一頭の馬に乗り、数々の武器を携え、あまたの騎兵を従えています。猿回しの猿どもを連れてうろついたりはしません。あの連中はただの乞食です。どこから来たのか、彼らに尋ねてご覧なさい。すぐに安心なさることでしょう」

「あれはケサル王です」とドゥクモ妃は言い張った。「あなたはわたしとはちがって、彼の魔力がどれほどものすごいか、ご存じないのです。王に危険をお知らせせねば」

「あなたはご自分の空想によって、王のご心痛をますます増やすおつもりですか」とディクチェンは怒って言い返した。「ご婦人方ときたら犬も同然だ。頭は悪いし恥というものを知らぬ。王に新たなご心配をかけてはなりません。このわたしは三界に関してはありとあらゆることを知り尽くした物知りでございますが、ケサルめがあそこにいるかどうか、とんと見当がつきません。それをあなたはどうやって知ることができるというのです」

ドゥクモ妃はよくよく考えてみた。「結局のところ、ディクチェンが言うのはもっともだ」と彼女は自分に言い聞かせた。「もしわたしの思い違いだとしたら、そして王がわたしの言うことを聞いてあの乞食たちを殺させたりなさったら、わたしは重い咎を負うことになる。わたしが自分であの連中と話してみる方がよさそうだ」そう考えて、妃は下に降りて行き、王宮の門の外に出た。門のそばにインド人たちが立ち止まっていた。

「おまえたちはどこから来たのですか？　インド人ですか」と彼女は尋ねた。「この国に留まるのは、おまえたちの身のためになりません。ここはクルカル王の王国です。この国では大いなる御教えは重んじられておらず、誰かがそれを一言でも褒め称えようものなら、その者は罰金として馬一頭を納めねばなりません。ところが、教え〔＝仏教〕の戒に背いてたった一匹の虫でも殺生した者は、王を喜ばせた証しとしてヤクを一頭たまわります。この国で敬われるのは徳ではなく、悪徳なのです。あまりに仮借ない法律が万物の活動を厳重に律していますから、太陽や月も輝くことを許されず、犬は吠えることを、馬はいななくことを許されないほどです。[15]さっさと立ち退くことを勧めます。もし王が、おまえたちが領内にいることを知ったら、おまえたちを鞭打たせることでしょう」

旅芸人のうち年かさの者が、外国語の言い回しもまぜこぜにして、たどたどしい発音で返答した。

「あなたの言うこと全部本当。わたしはザムバ・アタ、あまり只者でないぞ。今着いたところ、あしたホル国を乱離骨灰(らりこっぱい)にするぞ」

ドゥクモ妃には風来坊のなまりがちんぷんかんぷんだったので、相手はいくらかはっきりとした話しぶりで続けた。

「クルカル王は本当にあなたが言うほど強い殿様かい？　そして、きれいなお嬢さん、[16]あなたは誰？　どういう身分でこの城に住んでいるのかね？」

猿回しの旅芸人からこれほどなれなれしく話しかけられて、ドゥクモ妃は立腹した。

「わたしに向かってそんなことばづかいをするとは、おまえたちは乞食のくせに、あつかましいにもほどがある」と彼女は叫んだ。「ホル国王は数多(あまた)の国々を支配しています。これほどの権力者は他に誰ひとりいません。わたしは美しきセチャン・ドゥクモ、リン国の生まれです。わが夫はケサル王。暗黒の北国にお出かけになって十年近くなりますが、いっこうにお帰りになりません。わたしは今はこの国に、悲嘆にくれて[17]暮らしています。こうした噂を耳にしたことがおありですか」

「いや、知らないな。だが、なんでまた、あなたのつれあいはそんなに遠い国に行っちまったのかね？」

「ルツェン王を討つためです。長らく旅を重ねて来たおまえたちは、ルツェン王の話を聞いた覚えはないか。ケサル王に会ったことはないのか」

三人のインド人はたがいに顔を見合わせ、合図の目配せを交わすように見えた。そして一番年上の者がことばを継いだ。

「では、あなたのつれあいは、鹿毛(かげ)の馬に乗って兜をかぶり、ルツェン王を殺そうとした、あの騎馬武者だったのかね。何てことだ、今まざまざと思い出した。彼はルツェン王に喰われてしまったよ」

「いったいどこで？」とドゥクモ妃は尋ねた。

「ドゥハツァン・コンカル峠の近くだ。峠を通りかかったとき、遠くの方にルツェン王の姿が見えたので、おれたちは岩間に隠れていた。その騎馬武者が北国の王と出くわしていくらも経たないうちに、王が彼を貪り喰ってしまったのさ」

このインド人たちは本当によその国から来た乞食であって、ケサル王ではなかったと確信し、彼が二度と姿を現すことはないと知って有頂天になった若妻は、白くてきれいな歯をすっかり見せて笑った。

「しばらくここにおいでなさい」と彼女は三人に言った。「お茶とチャンを届けさせますから」

ドゥクモ妃は晴れ晴れとした顔をして、ディクチェンに会いに宮殿へ引き返した。

「あなたの言ったとおりでしたわ」と彼女は言った。「あそこにいるのはケサル王ではありません。ケサル王は死んでいます。あの三人は、彼がルツェン王に喰べられるのを見たそうよ」

「そうにちがいないと思っていました」と大臣は答えた。「もし生きていたら、とっくに帰って来たはずですから。この朗報を王に知らせにお行きなさい」

安堵したクルカル王は翻弄される

クルカル王は、もはや宿敵を恐れる必要は皆無だと知って、ことのほか喜んだ。肉やバター、ツァンパ、チャン、お茶を、門の外にいる(18)インド人たちのもとに運んで行き、彼らに占いの心得があるか尋ねるよう命じた。

「もちろんです」との返事を聞いて、王は、何かホル国を脅かすような災厄はないか、そして自身が長寿をまっとうするかどうかを知るために、運勢を調べるよう彼らに命じさせた。

異国の人々がさいころを投げると、八点を示した。書物によれば、その意味するところは「王の身に一大事が起こり、長生きしないだろう」というものだった。

この回答を気に病んだクルカル王は、ドゥクモ妃をインド人たちのもとに遣わし、この不吉な運勢を払いのけるために何か手だてはないのか、と尋ねさせた。

「ひとつあります」と年かさの乞食が答えた。「わたしの帽子をみなさんの頭に載せることで、わたしが王および全臣民を祝福すればよいのです」

クルカル王は寿命を延ばすためならどんなことであろうと言いなりになった。それゆえみずからの頭の上に旅芸人の垢まみれの帽子をありがたくいただき、臣下たちにもそれを見習うよう命じた。こうして王に続いて二万人の人々が、この奇妙な聖体拝領を受けた。

全員、帽子をかぶった途端に意識がなかば朦朧となり、心が麻痺し頭が空っぽになって何も考えられなくなった。その状態は王も臣下と変わらなかったが、そんな夢うつつの中にあっても、ひとつの欲望だけはしぶとく残っていた。長生きしたい、という願いである。

「幾歳もの末永い命を確保するためには、他にどんなことをしたらよいのか」と王は重ねて尋ねた。

「それはわたしの口からは言えません」とそのインド人は答えた。「しかし占いには、あなたの守護神が今から七日後にあなたに会いに来る、と示されています。神が助言してくださるでしょう」

道中の食糧をもらうと、三人の渡り者と動物たちは、リン国への道を取り、去って行った。

ケサル王はナムティク・カルポ神の姿に変幻して、クルカル王の前に現れる

七日ののち、ケサル王は姿を変えて、夜ふけにクルカル王の居室の前の広廂に降り立った。そのいでたちは、白衣をまとい、雄ヤギにまたがったナムティク・カルポ神のそれであった。神は王の目を覚まさせて告げた。

「クルカル王よ、わたしはそなたの父祖の神、ナムティク・カルポである。聴くがよい」

王はひれ伏し、手を合わせて神を拝んだ。

神は続けて言った。

「そなたにある秘密を明かそう。日の出の時、七匹の白い蜘蛛(くも)が、ツァラ・ペマ・トクテンの地において七人の男に変身し、舞を舞うであろう。彼らはわたしを供奉(ぐぶ)する神々だ。そなたの臣下たち、大臣たち、ドゥクモ妃、そしてそなたの兄弟たちを全員もれなく、この踊り見物に行かせるように。そなたはくれぐれも用心して王宮から出てはならぬ。そなたの命はそれひとつにかかっている。そなたがここに留まるかぎり、そなたの命数は延び、そなたを脅かす危険は遠のくであろう」

こう言うと、すぐさまナムティク・カルポ神は雄ヤギに乗って空高く、輝く光跡を引いて飛び去った。

王は一刻の猶予もなく、ただちに宮殿にいるすべての人々を起こさせ、ありとあらゆる方角に向かって太鼓を打つよう、そして男も女も子どもも、首領も主人も僕(しもべ)も、全員即刻出発し、日の出前にツァラ・ペマ・トクテンに着いて七神の舞を見るよう命じた。

ドゥクモ妃は訝しがり、クルカル王の身を案じる

ドゥクモ妃はナムティク・カルポ神の諭(さと)しを奇妙だと思い、怪しむ気持ちが心の中に湧いて来た。何ゆえに、クルカル王はそのようにおひとりきりで留まらねばならぬのか。

妃は白絹のカタを手に、はらはらと涙を流して王のもとに駆け寄った。そして、どうかお考え直しになって、せめて戦士を何人かおそばにお置きになるように、と懇願した。これまで何回も天からのお告げを受けたことがあったが、それらのお告げからはまったく予測もつかなかったような数々の災いがそのあとに続いたことを思えば、今回もまた危険が迫っているということはありえないだろうか。しかし彼女が何と言おうと、夫の決意は断じて変わらなかった。王は魔法のせいで暗愚になっていた上に、寿命を延ばしたい一心だったから、妃の諫言(かんげん)のかけがえのなさがわからなかったのである。

クルカル王はひとりで宮殿に残る

王はドゥクモ妃のことばに耳を貸すどころか、彼女に対して腹を立て、「放っておいてくれ。おまえは他の者たちと一緒にツァラ・ペマ・トクテンに向けて今すぐ発つように」とつっけんどんに厳命をくだした。彼女は従うほかなく、王の取り巻きの人々も、

王がにべもなくはねつけるのを目の当たりにしてしまうと、あえてそれ以上固執しようとはしなかった。クルカル王をひとり残して、すべての人々が王宮をあとにした。

指定された場所に着くと、ホル国の人々は七人の舞い手が姿を現すのを目にした。舞い手たちは、この上なく優美で、この上なく目新しい振り付けの旋舞(せんぷ)に一心不乱に打ち込んでいた。僧にせよ俗人にせよ、祭りの日の踊りにおいてかくも軽やかで、かくもたおやかな舞を披露した者はいまだかつてなく、かくもきらびやかな衣装をまとったためしもなかった。天上の舞い手たちの衣装は、舞の型が新たになるごとに千変万化した。舞い手たちは疲れをつゆほども感じない様子で、休憩もとらずに踊り続け、見物人たちは感嘆してうっとりと眺め入り、時の経つことにも気づかなかった。だが、この舞い手たちはケサル王が魔術によって作り出したものであり、王はまたその力によって一日の長さも引き延ばしたため、その日はふだんの二日分に当たるほど長く続いた。ホル国の人々は日没を見ていないから、家に帰ることなど考えもせず、自分たちのために催された思いがけない祭典にすっかり喜び、自分たちはナムティク・カルポ神のご好意のおかげで神々の遊び戯れるさまを見る機会に恵まれたのだと信じていた。

この一日は、ツァラ・ペマ・トクテンでは桁外れ(けたはず)の長さとなったが、クルカル王の都では、反対に――やはりケサル王の力によって――縮められ、ふだんの半分の長さしかなかった。ひとりきりで過ごすことに不慣れなクルカル王は、はじめのうちは退屈し、その後静まりかえった宮殿の奥で、どことなく不安に感じるようになった。ドゥクモ妃や兄弟たち、そしてみんなは、日もとっぷり暮れたというのになぜ帰って来ないのか、と王はいぶかったが、彼の部屋が宵闇（よいやみ）に沈みつつあるそのとき、ツァラ・ペマ・トクテンではまだ太陽が天頂に輝いていようとは思ってもいなかった。待ちくたびれた彼はとうとう眠ってしまった。

クルカル王の最期

するとまばゆい光が王宮を包み、目が覚めて跳ね起きた王の目の前に、きらめく鎧（よろい）兜（かぶと）を身に着け、〈天鉄〉（＝鉄隕石）製の剣を手にしたケサル王がいた。その姿は太陽のように輝いていた。

「わたしが誰かわかるか、悪鬼王クルカルよ」と彼は言った。「我こそはケサル王、神々の一族にして、コルロ・デムチョクとドルジェ・パクモの息子、パドマサンバヴァの使者、リン国王、全世界の征服者である。おまえはわたしの国に攻め入り、その支配者となり、わたしの妻と財産を奪った。わが幼少からの友ギャツァを殺し、しかもその上、その頭をおまえの宮殿の壁に屈辱的なやり方で吊るすことにより、死者を辱（はずかし）め、リン国の人々を苦しめた。今わたしがここにいるのは、おまえの数々の極悪非道なふるまいの代償を求めるためだ」

「おお！」と、クルカル王は驚愕と恐怖で目を見開いて言った。「おまえがここにいると気づかなかったとは不覚のいたり、いかに見る目がなかったことか。ルツェンがおまえを喰い殺したと、誰もが言うものだから……」

ケサル王は彼にそれ以上話すいとまを与えなかった。一刀のもとに彼の首を刎ね、頭は部屋のまん中に転がった。骸をそこにそのままにして、英雄は精神を集中し死者の〈意識〉を西方浄土に送り届けると、天高く飛び去った。まさにその瞬間、ツァラ・ペマ・トクテンでは七人の舞い手の姿が突如消え、その一日がどれほどの長さであったのか、誰にも見当が付かなかったものの、まる一日大いに楽しんだホル国の人々は全員家路についた。

ドゥクモ妃は、王の居室に入るやいなや、王の頭が床板の上に転がっているのを目にし、恐怖のあまり悲鳴を上げた。その声に、王宮にいたすべての人が駆けつけて来た。

「これはケサル王のしわざです」と妃は人々に言った。「わたしの予感はことごとく当たっていました。ケサル王は帰って来ていたのです、そして彼こそが、この数か月の間にわたしたちが目撃した、数々の不思議な現象や取り返しのつかない惨事を引き起こしたのです」

誰も彼もがクルカル王の死を嘆き悲しんだ。そしてケサル王が、今度は自分たちを皆殺しにするために現れるのではないか、と恐れおののいた。

ケサルはホル国の臣民を許し、リン国にもどる

重臣たちの何人かは、ただちに軍隊を動員し、戦闘準備に入ろうとした。一方、ディクチェン・シェムパやトンツ・ユンドゥプをはじめとする一派は、威力ある英雄に帰順する方に傾いていた。ディクチェンが、まさに意を決して態度を表明した。

「ケサル王とわたしは同じ母から生まれた子どもです。彼を攻撃する者は誰しも、前に立ちはだかるわたしに出くわすことになる。そもそも、彼が持つほどの力に抗おうと考えること自体ばかげています。むしろ彼を迎える準備をした方がよい。わたし自身が、カタを手に彼を出迎えに行くつもりです」

一部の人々とディクチェンの家臣やトンツ・ユンドゥプの家臣たちはその意見に賛同し、他の人々は武器を取りに走った。

そのときリン国の方角に、幾柱もの神々に囲まれ、神々の系譜に属する戦士六百人を従えて、ケサル王が現れた。抵抗する者は最後のひとりに至るまで殲滅された。それ以

外のホル国人については、武将であれ一般人であれ、王は許してやった。
勝利をおさめた後、ケサル王はリン国に帰って行った。

第九章　ホル国征伐後の処遇

ホル国の臣下は、ケサル王の許しを乞うためにリン国に来る

セチャン・ドゥクモは勝利者となった夫の前に姿を現すこともはばかられ、宮殿の奥に隠れていると、ケサル王は彼女のことなど気にかけずに去って行った。王の出発後、鍛冶屋の娘ガルツァ・チュデンは、後ろめたい思いでいる彼女に、自分が一緒にリン国に行き、ケサル王に会って許しを乞いましょう、と申し出た。そう説得されて、ドゥクモはディクチェン・シェムパ、トンツ・ユンドゥプとともに出発した。

到着すると、男ふたりは宮殿の数ある中庭のひとつにぽつんと離れて建つ小さな小屋に泊まり、ふたりの女は数々の贈り物を携えて、王の足もとにひれ伏した。王はすでにディクチェンとユンドゥプが宮殿内にいることを知っていた。王は、ふたりを夜ひそかに玉座の前に連れて来るよう命じ、ふたりはめいめいカタと贈り物を手に、自分たちの運命やいかにと、恐る恐る御前(ごぜん)にまかり出た。

「われらの前世についておまえたちは覚えているか」とケサル王はふたりに尋ねた。そして、ふたりが黙っているので、サンド・ペルリ宮殿の正面に位置する楽園でパドマサンバヴァ師の主宰により開かれた集会の一部始終を、こまごまと思い起こさせた。王は、その使命達成を手助けするために、自分のかつての仲間であるふたりが人間界に生まれて来たいきさつを話して聞かせ、同じ母から生まれたのだから現世では自分の兄弟に当たると説明した。

「トトゥンが川に投じさせた袋の中には三人の子どもがいた[1]」と王はふたりに思い出させた。「そのうちのひとり、色黒のトプチェン・トゥグは、自分の出自も、いかなる務めを果たすために人間の子に転生したのかも、すっかり忘れ果ててしまった。彼はホル国軍の一員として戦闘に加わり、わたしの幼いころからの友ギャツァを殺してしまい、死んでみずからの罪を償った。燃える炎のような顔色をしたディクチェン、そして青い顔のユンドゥプ、おまえたちふたりだけが今日まで残ったというわけだ」

セチャン・ドゥクモはクルセル王とクルナク王の妻としてホル国に送り返される

「心して聴け、これはわたしの命令だ。おまえたちふたりは即刻、セチャン・ドゥクモとガルツァ・チュデンを連れてホル国へもどれ。ドゥクモをクルセルとクルナクのふたりの王に妻として与え、おまえたちは彼らに仕えて寵愛され、信頼を得るよう努めるのだ。わたしのことを彼らに話してはならぬ、われわれの血縁関係を彼らに覚られぬようにせよ。のちのち、わが使命が完了した暁には、西方浄土で再会しよう」

すると、ケサル王の魔法の力によって、四人とも瞬く間にホル国へと運ばれ、同国では彼らが不在だったことに気づいた者は誰もいなかった。

四人はただちにクルセル王の宮殿に向かった。王は兄（＝クルカル王）の死も、その宮殿の付近で戦いが行われたことも知らなかった。彼は予期せぬ来客に驚きながらも、四人を愛想よく迎えた。

彼らが、七柱の神々の舞を皆で見物に行ったこと、その留守中にクルカル王が殺されたことを話すと、一言二言を聞いただけで、クルセル王は深い嘆きの声を上げた。

クルセル王とクルナク王はリン国を攻め落とすべく、準備にかかる

「もはや疑いの余地はない。これらのことはすべてケサルめのしわざだ。クルナク王のもとに使いをやり、大至急戦士を招集するよう伝えねばならぬ。わたしもそうするつもりだ。十万の兵をリン国に派遣し、ケサル王の居どころをつきとめねばならぬ」

即刻、急使が立てられた。クルセル王はディクチェンに、ケサル王を攻める妙案とは

何か、意見を求めた。

クルカル王の元大臣〔＝ディクチェン〕は、かつてグル・リンポチェのご照覧のもとで自分に託された務めのことを、英雄に指摘されてあらためて自覚していたので、悪鬼の一族であるホル王家とは縁を切っていた。彼はリン国王のために、クルセル王を欺こうと心に決めていた。

ケサル王に寝返ったディクチェン・シェムパの提言

「わたしは上様とはちがった意見でございます」と彼は言った。「これらの災いはケサル王のせいで起こったのではなく、ナムティク・カルポ神、バルティク神、サティク神のお計らいによるものです。神々には大祭を催すことを前々から約束しております。もしかするとクルカル王は、ラマたちを招請して神々に供物を奉納することに、あまりご熱心ではなかったのではありませんか。王の信心が足りなかったか、あるいはまた王が奉納しようとした供物が、われらが守護神の嘉し給うようなものではなかったのではないでしょうか。神々の御心に叶うのはむずかしく、われわれのほんの些細な落ち度でも逆鱗に触れて、即座に罰が当たります。わたしの意見をお求めとあらば、ナムティク・カルポ神、バルティク神、サティク神のご機嫌をやわらげるため、すみやかにラマたちを参集させることをお勧めいたします。ケサル王はもはやリン国にはおりません」

ディクチェンの話しぶりにあまりに説得力があったので、クルセル王はケサル王に対する嫌疑をもう一度考え直し、戦士を招集してリン国へ派遣するかわりに、ラマたちを招請させることにした。あわせて兄弟のもとに別の急使を立てて、ホル国の神々を崇める荘厳な式典を神々が祭られている山の上で催すので、重臣たちを引き連れて参列するように、と招いた。

クルセル王は守護神を祀る大法要を営む

翌日は夜明けとともに、経文が記された旗や吹流し、色とりどりの布きれで飾られた槍や鉾、リボンを巻いた弓などが、ホル国の神々を祭った祭壇②の近くの山の頂上にしつらえられた。多種多様なトルマや供物のはざまには線香が焚かれていた。ラマたち③がお祓(はら)いの呪文を大音声(だいおんじょう)で唱え、太鼓、鈴(れい)、ギャリン、ラクドン④、シンバルがけたたましく鳴らされた。ラマたちの囂々(ごうごう)たる叫びと楽器の喧騒が、雷鳴さながら、山上に響きわたった。

人々がこうして儀式にかかりきりになる一方で、豪華な天幕の中に坐したクルセル王は、ナムティク・カルポ神、バルティク神、サティク神を祭る場所からかなり遠くに邸を構えている兄弟王クルナクの到着を、まだかまだかと待ちかねていた。しかし、その一行が来るのを見張っていた家来たちから、クルナク王が騎馬武者七騎を従え平原を疾(しっ)駆(く)し山のふもとへと向かっているのが遠くに見えた、と王に報告が上がった。

クルセル王が灰燼に帰す

ケサル王は、ディクチェンがクルセル王を欺いたこと、今まさに王やラマたち、重臣たちが山上で神々を拝んでいる最中であることを知っていた。そこで、愛馬キャング・カルカルに乗って空高く飛び上がり、友人の神々や天上の親類縁者に呼びかけると、すぐにおびただしい数の援軍が、全員手に手に〈雷電〉を携えて、彼を取り巻いた。その大群は大嵐の暗雲さながらに太陽の光を遮りつつ進んで来た。クルセル王とその家来たちがいる場所の真上に到着すると、神々は手にした〈雷電〉[5]を落とし、山の上にあったものはひとつ残らず灰燼(かいじん)に帰(き)した。

ディクチェン、ユンドゥプ、セチャン・ドゥクモ妃は王宮に留まっていて無事だった。ナムティク・カルポ神とその兄弟神を拝みに山上に行かなかった人たちも同様だった。それらの人々は、ケサル王が三神の崇拝者に雷を落とした瞬間、天幕のかたちをした大きな光が山の上に降りて来るのを目にした。神々がホル国を祝福しに天下(あまくだ)ったのだと思って、人々はその奇蹟の天幕の方に向かってひれ伏した。ケサル王を乗せた天馬がクルセル王の宮殿の前に降り立ったとき、王が見たのは、このようなありさまで平伏する人々の姿だった。

そのとき宮殿の門が開き、ドゥクモ妃、ディクチェン、ユンドゥプが、王宮に仕えるすべての者たちを従えて、英雄の方へと進み出るのが見えた。皆、灯明と豪奢なカタを掲げ、香を焚いていた。

ケサル王と王に連れ立った神々は、ホル国の人々に大いなる御教え(みおしえ)を、対機説法で相手の知的能力に応じてさまざまな方法で説き明かした。こうしてこの説法は万人にとって有益なものとなった。引き続き、英雄はホル国の人々に奥義入門の灌頂(かんじょう)を授け、この国に大いなる御教えを揺るぎなく打ち立てた。彼はその後一か月の間、クルセル王の宮殿に留まった。

クルナク王の逃亡と、その末裔

ホル国の第三の王クルナクが、ナムティク・カルポ神、バルティク神、サティク神を讃える盛儀に列するために、部族の代表として指名された七人の者を引き連れて山頂に到着したのは、兄弟〔＝クルセル王〕以下、三神を崇拝する人々が処刑された直後のことだった。彼は人々の黒焦げになった遺骸を戦々兢々として見つめるほかなかった。

「これはケサル王のしわざだ」と、彼は恐怖に駆られて叫んだ。「彼に戦いを挑んでも無駄だ。大急ぎで逃げよう、彼から逃れられさえすれば、どこであろうと構わぬ」

大臣のリクパ・タルブムが悲しげに首を振った。

「たとえインドや中国に逃れたとしても、われわれが絶対安全だと思えるような場所は、この地上にはどこにもありません。わたしは悪鬼ガラの予言の書物を何度も読んだことがありますが、それによれば、ケサル王は世界じゅうを巡歴し、あらゆる人々を帰順させ、正義の法を説くとされているのですから。しかしながら、ひどく辺鄙で人っ子ひとり住まない、ある場所をめざしてみましょう。さすがのケサル王も嫌気がさして、そこまでは追って来ないにちがいありません」

こうして彼ら一行は、ンガリ地方（南西チベット）のアチュン・バルゾンと呼ばれる地に向かった。

ケサル王は彼らが逃げたことを察知し、熟考した。「クルナク王とその手下の者たちをどうしてくれようか」と彼は自問した。「クルセル王やナムティク・カルポ神の信徒たちに対してそうしたように、雷を落として殺してしまうこともできるが、彼らの中にはトンツ・ユンドゥプの養父としていつも親身にふるまってきたリクパ・タルブムもいる。彼を他の連中もろとも殺すのは、良心に悖る仕打ちだろう。あの七人では大した害も引き起こせまい。それなら連中を生かしておこう」

こうして王は彼らを見逃してやった。

この七人のホル国人は、ンガリの山中に隠れて、今なお生きながらえている。巨人族で、その大きさたるや、ふつうの人間を手でつまむと、われわれが蚤でもあしらうように、指の間を転がせるほどである。彼らは落ち延びた先で人数を増やし、今となっては同類の連中がかなりおおぜいいる。

この地上の時間が終わりを迎えるとき〔＝現世劫末〕、彼らは大挙して脱出し、仏教徒を滅ぼし尽くすことであろう。

今のところは、サキャ・パンチェン⑥の法統を継ぐ直系の弟子であるサキャ派⑦の大ラマが、七人の巨人が巣窟から抜け出さないよう、封じ込めている。

しかしある日、巨人のひとりがまんまとその監視の裏をかいて、昔の仇を討つ好機が到来したのかどうか確かめてみようと偵察に出かけた。サキャ寺⑧の近辺までやって来たところで、大ラマがその気配に気づいて指を鳴らすと、巨人はばったり倒れて死んだ。ラマは、死骸の首を落として自分の邸のてっぺんに吊るすよう弟子たちに命じ、その首は今日もなお、そこにある⑨。

ドゥクモ妃とクルカル王との間に生まれた息子

ケサル王が〔クルセル王の〕宮殿に住むようになってから、ドゥクモ妃は明けても暮れても不安にさいなまれて過ごした。彼女はクルカル王との間にもうけた息子を身辺から離さぬようにし、不義の子が夫に見つかってしまうのではないかとびくびくしていた。「ケサル王はこの子を忌み嫌うだろう」と彼女は思った。「クルカル王の息子である以上、悪鬼の系譜を引くのだから、彼はこの子を亡き者にしようとするだろう」彼女は、鍛冶屋の娘ガルツァ・チュデンに、どうかくれぐれも秘密を漏らさないでほしいと頼み込んだ。

「もしもケサル王がこの子の存在をご存じないとでも思っていらっしゃるのなら、とんだお考え違いです」とガルツァ・チュデンは言った。「王は全知のお方ですから、何ひとつお気づきにならないことはありません。この男の子はあなたには何の役にも立ちません。この子からは何の得も期待できないでしょう」

「そんなことわたしにはどうでもいいの」とドゥクモ妃は言い返した。「わたしの骨肉を分けた息子なのよ。この子がのちのち、大いなる御教えとその信徒たちを滅ぼすことになろうがなるまいが、わたしの知ったことではないわ。この子をむざむざとケサル王に殺させたりするものですか」

　ガルツァ・チュデンは答えた。

「どうしてそんな言い方ができるのですか。ご自身が白ドルマ女尊の化身であることをお忘れになったのですか。とにかくわたしたちは、これから起こることを見守ることにしましょう。少なくともわたしは、沈黙を守ることをあなたにお約束します」

　クルセル王の宮殿でひと月暮らしたのち、ケサル王はリン国に帰るつもりだった。しかし、クルカル王の息子が生きていると、とうに気付いていて、頭を悩ませていた。子どもを殺そうと心に決めてはいたものの、母の手から無理やりに引き離したときの彼女の歎きを思い、決行をためらっていた。そこで、彼女を遠ざけるためにある策略を用いることにした。

「明日、ドゥクモ妃をわたしの前に連れて来るように」と王はトンツ・ユンドゥプに言った。「わたしはリン国に帰る。もし彼女が望むなら、一緒に出発してもよい、と彼女に伝えてくれ」

　ユンドゥプが王の言づてを伝えると、ドゥクモ妃は、「生まれ故郷をふたたび見られましたらうれしゅうございます」と答えた。

　すぐに彼女は旅立ちの準備にとりかかり、一緒に持って行きたい大切な品々を荷造りした。それらの荷駄はかなりの数にのぼった。

息子については、絹の着物にくるんで白檀の箱の中に坐らせ⑩、忠実な小間使いたちにその世話をゆだねた。

「あなたを置いてリン国に行ってきます」と彼女は息子に言った。「あちらにそれほど長居はしないつもりよ。わたしが帰るまでどうか元気にしていてね。そうしたらもう離れ離れにならずに、一緒に暮らしましょう。そのうちふさわしい年齢に達したら、あなたはホル国王になるのですよ」

「お母さん、ぼくは今三歳だ。六歳になったとき、まだお母さんがむこうでぐずぐずしていたら、リン国まで迎えに行くよ。ぼくは将来、ケサル王を討ち果たし、彼が奉じる大いなる教えを滅ぼすんだ」

ドゥクモは息子がこれほど勇ましい覚悟のほどを口にするのを聞いて、うれしくてたまらなかったが、慎重にするよう諭した。

「坊や、あなたの言うことは大層立派なことだけれど、わたし以外の人の前でそれを口に出さないよう、気をつけるのですよ。ケサル王は並の人間ではありません、強力な魔術師なのです。くれぐれも用心しなさい」

それから彼女はちょうど宮殿を出発するところだった英雄のもとに向かった。

ケサル王は、ドゥクモ妃とクルカル王との間に生まれた不義の子を殺す

兵士八百人と荷物を積んだ雌ラバ九十頭⑪から成る大部隊が随行した。

かつてドゥクモ妃が銀の瓶を隠しておいたコンカル・ティスム山のふもと⑫に旅人たちがさしかかったとき、ケサル王は、大事なものを宮殿に忘れて来てしまい、そのことを今思い出した、というふりをした。

「わたしはそれを取りにもどることにする」と彼は妻に言った。

寝ても覚めても息子のことが心配でならない彼女は、何とか思いとどまらせようとした。

「どうしてわざわざそんなご苦労を？」と彼女は答えた。「あなたの代わりにディクチェンかガルツァ・チュデンか、それともこのわたしが取りに参ればよいでしょう」

「いや、ならぬ」とケサル王は答えた。「置き忘れたのは、神々から授かった〈天鉄〉製の剣なのだ。あの剣で、わたしはクルカル王を殺した。それを白檀の箱の中に置いて来てしまった。あれを扱える者などどこにもいないから、わたしみずから行かねばならぬ」

ドゥクモ妃は、息子の存在を王が知っており、殺すつもりだと見てとった。

「あなたはご存じなのですね」と彼女は泣きながら言った。「わたしには息子がひとりいることを。あの子を殺すおつもりなら、わたしも一緒に殺してください、いっそ、その方が本望です」

ケサル王は驚いたふりをした。

「あなたには息子がいるのか。それは知らなかった。その子を殺すつもりはない。わたしの剣がその子に触れることはなく、わたしがその子にかすり傷ひとつ負わせるはずはない」

ドゥクモ妃はそのことばを信用できると思い、英雄は天馬に乗って飛び去った。宮殿の広廂に降り立ち、よろい戸の隙間から中を覗くと、幼い男の子が目を覚ましているのが見えた。その子は考え込んでじっと立ちつくしており、生きとし生けるものの心を読むことに長けたケサル王には、その子が何を考えているかがわかった。「ぼくはまだ三歳だが、そのうち大きくなるだろう。のちのち、父上の仇を討つときが来たら、ぼくは首尾よくそいつを殺せるだろうか。前兆によって成否を占ってみよう」その子は小さな弓を手に取ると、矢をつがえ、声高らかにこう唱えた。

「わたしの矢が中庭の反対の端にあるあの扉を射抜いたら、ケサル王を討ち果たすことができるというしるしだ」

彼が矢を射ると、矢は扉に当たり、それを割った。

ケサル王は、この幼子が成長したら手ごわい敵となり、リン国にとって、また同時に王自身ならびに大いなる御教えにとって、末恐ろしいことになると知った。そして相手を殺したいと強く願ったものの、ドゥクモ妃と結んだ約束ゆえに思いとどまった。

そうこうしていると、ブラフマー神とマ・ネネのふた柱の神が現れ、王の両肩にとまり、その耳元でささやいた。

「ためらうなかれ、英雄よ。この悪鬼の息子はきれいさっぱり消されねばならぬ。われわれも手を貸すから、武器をいっさい使わずにこの子を片付けてしまうのです」

神々はその子がいる広間の柱を一本持ち上げ、ケサル王が子どもの両足をつかんで柱の下に押しやると、すぐに神々が柱をふたたび落とし、その重みで押しつぶした。

ケサル王は哀れな少年の〈意識〉を大いなる至福の楽園に送りとどけると、急いで家来たちの一行に追いついた。

ドゥクモ妃は息子が殺されたと確信する

ドゥクモ妃は、王が取りに行った剣を見せてほしいと頼み、王は彼女にそのひと振りを見せた。その後、彼女は「王はあの子をご覧になりましたか」と尋ねた。

「いや、全然見かけなかった」と王は答えた。「だが、宮殿のまわりでたくさんの神々を目にした。たぶん彼は亡くなったのではないか」

ドゥクモ妃は、夫があいまいな約束で自分をだましていたのだと感づいた。「おそらくケサル王はみずからの手で息子を殺(あや)めたわけではあるまい」と彼女は思った。「だが、王には神々の世界におおぜいの友人がいるから、そうした神々が、彼に代わって手を下したのかもしれない」悲しみは深かったが、ケサル王がいつものように慈悲心から、生まれ変わったら必ず幸せになるよう、犠牲者の〈意識〉を至福の楽園に送ったにちがいない、と彼女は信じて疑わなかった。母として悲嘆にくれながらも、そう思えばつらい気持ちもいくらか和(やわ)らいだ。そもそも、彼女にはどうすることもできなかったのだ。彼女はうなだれ、沈黙したままだった。

ディクチェンとトトゥンの罵り合い

旅人たちは通常なら四泊かけて行く距離を一日で踏破した。まもなく一行はリン・カルマ・シュキヤダ、リン・トゥマクキ・ヤンラプ、ドタ・ルンパイ・スムドの三領が境を接する地点に着き、そこに野営した。

するとケサル王がディクチェンに言った。

「今までは、そなたは自由の身としてわたしについて来たが、明日、リン国の人々がわたしに会いに来て、そなたの姿を目にすれば、自国に攻め込んできた部隊を率いていたのがそなたであったことを、思い起こすだろう。[13] もしわたしがそなたを罰しなかったら、わが国の人々は驚きあきれ、ぶつぶつ不満を漏らすだろう。それゆえ、そなたはみずからの行いの結果を甘んじて受けねばならぬ」

そう言うと、王は彼を鉄鎖で杭につながせた。

翌日、実に一万人にも上るリンの村人たち、首長たち、ラマたちが、あるいは歩いて、あるいは馬に乗って、われらが王に歓迎のあいさつをしようとやって来た。

アク・チポン〔=主馬頭の老翁〕が祝辞を述べて王の勝利をことほぎ、全員がカタや贈り物を献上した。

最後に来たのはトトゥンで、ディクチェンが鎖につながれているのを見て、喜んだ。

「おれを見下して尊大な物言いをした、あのお偉い大臣が、このざまだ」と彼はひとりごちた。「今日日、あいつの誇りは地に落ちて、犬とどっこいどっこいのていたらくだ。あいつに言いたいことがある」

捕らわれ人のそばに近づくと、彼はいきなり声をかけた。

「やい、赤ひげのディクチェンめ、飛ぶ鳥も落とす権勢の大臣閣下とやら。おまえは自分が十二万の兵の先頭に立ってリン国に攻め入り、わが軍の武将を何人も殺し、われらが妃ドゥクモ様を連れ去ったことを忘れたのか。見下げ果てた奴だ。馬頭観音（タンディン）の化身にしてリン国の重臣たるこのおれが、おまえの両手両足を縛り上げ、おまえが参ったと言うまでたたきのめしてやる」

そしてさっそく、待ってましたとばかりに、ずしりと重い杖で何回も彼を打ち据え、さんざん悪態をつきながら足で蹴りつけ、怒鳴り上げた。

「おまえを五百回、棒でぶちのめしてやる。呪われた悪鬼め！」

「口をつぐんだ方が身のためだぞ」とディクチェンは言い返した。「わたしがリン国に到着したとき、おまえはあわてて自分から降参して来た。まだはっきり勝敗が決したわけでもないのに、強者の側に身を寄せたのだ。おまえはホル国王の寵愛とそれによって得られるであろう恩典のすべてをひとり占めするために、祖国の人々を裏切った。

わたしはクルカル王に仕える身であり、生まれたときから王の恩を受け、その命令を遂行する義務があった。だが、おまえは自国の王たるケサルの大義を見捨てたのだ。おまえは卑劣な裏切り者でしかない。わたしが懲罰に値するというのなら、おまえはその十倍重い罰を受けてしかるべきだ」

この理にかなったことばはトトゥンを逆上させた。

「何だと！　今度という今度は、おまえをぶっ殺してやる」

彼が長大な剣を鞘から抜き放ったところに、物音を聞きつけたユンドゥプが姿を現した。ディクチェンが目配せし、ユンドゥプが間に割って入った。

クルカル王の元大臣〔＝ディクチェン〕はユンドゥプに今起きていることを知らせ、自分だけが罰せられ、裏切り者から一方的に罵られたり殴られたりしても我慢せねばならないというのは公平ではない、との言い分をケサル王に訴えた。

ユンドゥプは急いで王に知らせたが、王はそのような喧嘩にかかずらっている暇はないと答え、仇敵どうしのふたりを引き離して、ディクチェンはそのまま鎖につないでおき、トトゥンは王の天幕の近くに連れて来るよう、命じるにとどまった。

「何というおことばでしょう！」とユンドゥプは叫んだ。「正義を行う暇がないとは？　それ以上に緊急かつ不可欠のものがこの世にありましょうか。そのようなものをひとつでもご存じなのですか。そうであろうとなかろうと、そもそもあなたは神々の息子として公平な治世をあまねく広めるために転生していらしたのではありませんか。

もし王にあのふたりを裁くお暇がないとなれば、彼らはふたりの間で決着がつくまで、野獣のように闘い続けることでしょう」

「よかろう」とケサル王は答えた。「彼らの過去の行いには、幸不幸いずれにせよそれにきっちり見合った報いをもたらす力があるのだから、その力がはたらくに任せよう〔吉と出るか凶と出るかは、ひとえに過去の行い次第だ〕。もしディクチェンが鎖をみごと断ち切ってみせたなら、トトゥンと闘うことを許す。それができないなら、彼は一生、鎖につながれて過ごすことになる」

ユンドゥプは王のことばをディクチェンに伝えた。そのときトトゥンは少し離れたところに坐っており、安心しきって彼を罵ったり嘲（あざけ）ったりし続けたものだから、ディクチェンは怒りのあまり十倍もの力が湧き、鎖を断ち切り、仇敵に襲いかかった。

ディクチェンがとびかかって来るのを見て、臆病者のトトゥンは髪の毛がぞくりと逆立つのを感じた。逃げようとしたが、肥満体なのですばやく動けなかった。瞬く間にディクチェンが上にのしかかり、そのひげを荒々しくつかむと、彼を何回も宙に持ち上げ、おしまいには地面にはっしとたたきつけた。

太っちょトトゥンのわめき声が野営地一帯に響きわたり、いったい何ごとかと、四方八方から兵士たちが駆けつけて来た。トトゥンはリン国の人々の共感を呼ぶような人物ではなかった。それでもケサル王は、人々がトトゥンをホル国人〔＝ディクチェン〕から庇（かば）おうとして、ディクチェンを悪（あ）しざまに言い、彼の怒りをかき立てて、その結果彼がふたたび敵に回ってしまうのではないか、と心配した。そこで王は家来を何人か遣わして、いがみ合うふたりを引き離させ、両人を御前に連れて来させた。

「なぜ不埒にもディクチェンを辱めるのか」と王は厳しい口調でトトゥンに言った。「賞罰の権限はひとえにこのわたしにある。わたしは、われわれがここに留まっている何日かの間、全員平和に過ごしてほしいと願っているのだ」

ディクチェンの改悛

ケサル王が陣営を引き払いリン国にもどったとき、ディクチェンは戦争捕虜として同国に連行された。しかし出発間際にマ・ネネが、クルカル王の元大臣の運命は神々によって定められており、それによれば彼はホル国の統治者となってケサル王が今後行わねばならない数々の戦いにおいて頼もしい援軍をもたらすはずであるということを、英雄に思い起こさせた。マ・ネネはあらためて彼を寛大に扱うようにと勧め、もちろんケサル王自身も、ディクチェンとは同じ母から生まれた息子同士なのだから、とっくにそうしたいと思っていた。そこでリン国に着くと、ケサル王はディクチェンに、指定された居所を離れぬよう、そしてホル国の悪鬼王たちと長年付き合っていたせいで染み付いた〈意識〉の汚れを浄化するためにふさわしいいくつかの修行を、一定期間やりぬくよう厳命するにとどめた。

悔い改めの期間が終わると、ディクチェンはケサル王に謁見を請い、長い絹のカタとさまざまな贈り物を携えて御前にまかり出た。そして王のもとにひれ伏した後、ホル国の悪鬼たちの中で暮らすうちになずんでいた無明の闇が今やすっかり晴れて、自分が王とリン国の人々に対してどれほどの過ちを犯したのか、あらゆる面から徹底的に理解したと語った。

「わたしを殺してください」と彼は言った。「そしてわたしの〈意識〉を楽園に送ってください。さもなくば、巡礼となって遥かかなたの聖地に旅立つことをお許しください。ここにいると、かつてわたしが領土を侵略したことをけっして許そうとしないリン国の戦士たちに、むごたらしく殺されるのではないかと、年がら年中びくびくして暮らさねばなりませんから」

こう言って、深い苦しみを訴えた。

ケサル王は彼についての神々の意向を告げられていた上、彼が〔仏教徒に〕改宗したホル国の人々を統べるにふさわしい境地に達したと見てとって、彼の望みどおり「リン国を離れてもよい」と答えた。「ただし、自分も一緒に行く。ふたりそろって秘密裏に出発せねばならぬ。そのことを誰にも話さないよう忠告する」続いて、王は彼に奥義入門の灌頂を授けた。そのおかげで彼は、前世では神の息子として自在に駆使していた、世の常ならぬ数々の能力を余すところなくとりもどした。

ケサル王は自らの幻影をのこし、ディクチェンをともなってホル国に旅立つ

翌朝、日の出よりかなり前に、ケサル王はキャング・カルカルに、ディクチェンは自分の赤毛の馬にうちまたがり、誰の目にも止まらぬうちにリン国を離れ、ホル国をめざした。しかし遠出をする前に、英雄は自分と寸分たがわぬ幻像〔＝分身〕を作っておいた。この幻像は王に代わって宮殿に留まり、万事ふだん通りにふるまい、替え玉となって側近たちの目を欺いた。セチャン・ドゥクモ妃と召使いたちが王の居室に朝のお茶を運んで来たとき目にしたのは、毎日そうしているように床の上に坐り、聖なる経典を読んでいる王の姿だったから、彼らの誰ひとりとして、王が出発したなどとは思ってもみなかった(14)。

しかし、ディクチェンや、王の愛馬の身代わりとなる幻像など、元の場所には影もかたちも残されていなかったので、リン国の人々は彼らが消えたことに気づいた。人々は馬の蹄の跡を長い間探しまわり、ホル国の方に向かったことをついにつきとめた。この事実にディクチェンとその乗馬がいないことを思い合わせれば、事情を知る人なら誰しも、次のように考えれば腑に落ちるように思われた。あまりにも寛大すぎるケサル王は

リン国の敵たるクルカル王の元大臣〔＝ディクチェン〕を許してやり、親切にはからってさえやった。ところがおおかたの予想通り、彼はそれを裏切り、神馬キャング・カルカルを盗んだ、というのである。

興奮した人々が一団となって、盗難事件を知らせに宮殿に駆け込んで来て、犯人を追跡するための指図を求めた。セチャン・ドゥクモ妃が人々を迎え、ケサル王――実はその幻像――は、数日間瞑想をして過ごしたいので誰が来ても面会謝絶だとおっしゃっておられます、と言った。とはいえ、ことの重大性に鑑み、妃は思い切って夫の居室に入って行き、今聞いたばかりのことを伝えた。リン国民の代表者たちは、入り口の近くまで押しかけて、王が下す命令を聴こうと聞き耳を立てた。

しかし、ケサル王の幻像はほほえんだだけだった。

「キャング・カルカルは神の生まれゆえ、誰にも盗むことはできぬ」と王は言った。「退出し、安心して帰宅するように」

皆、心底から驚いたが、あえてことばを返す者はなく、黙って退出した。ドゥクモ妃は英雄の魔法の力をよく知っているので、王の愛馬とディクチェンの謎の失踪は王の計らいによるのではないかと疑い始めた。

ケサル王はディクチェンをホル国の王の座につける

その間にケサル王とディクチェンはホル国に到着していた。ケサル王は即刻、掟の太鼓を打たせて、族長や民を集め、皆が勢ぞろいすると、ディクチェンについての神々の命令を告げ、彼をホル国王に即位させた。大がかりな祝典がクガル・ヤツィチュの地で催され、ホル国の諸部族は、ケサル王と同盟を結び、王が援軍を求めたときはいつでも必ず王の命令の下でともに戦うことを、厳かに誓った。

リン国への帰路、ホル国のラマ・アムンの〈意識〉を鎮め、楽園に送り届ける

それからケサル王はリン国への帰路についた。途中で、その炯眼(けいがん)によって、シデ(悪鬼のたぐい)があちこちを当てもなくさまよっていることに気づき、その正体はホル国のラマ・アムン師の〈意識〉が転生したものに他ならないと見抜いた。同師は強力な魔術師で、ボン教の教義にも仏教のそれにもいずれ劣らず精通しており、その呪力によってリン国の人々にあまたの災いを起こしたために、ついに彼らに殺されたのだった。いまわのきわに憎悪の念に駆られるままに、彼の〈意識〉は悪霊に生まれ変わり、姿は変わっても、あいかわらず甚大な害をもたらしていた。

ケサル王はラマ・アムンを回心させねばならないと思い、その目的を達成するために、

死んだアムン師の友人であったホル国の占い師ラマ・ドュンゴの風貌を借りた。亡者〔ラマ・アムンの転生した悪霊〕は、ラマ・ドュンゴ〔に扮したケサル王〕を見たとたん、友人がリン国の兵隊たちに殺されてしまい、ポワ[15]の儀式が済んでいないためにその〈意識〉が楽園に生まれ変わる道を見つけられずにいるのだと思いこみ、悲しんだ。

亡者〔＝ラマ・アムン〕は、自分がすでに死んでいて、ドュンゴの行く末を思いやったのとまさに同じ状況に置かれているとも知らずに、親愛の情にほだされてそちら〔＝ドュンゴ〕に駆け寄り、友のために修法を行ってその〈意識〉を幸せのすみか〔＝浄土〕へ送ってやろうとした。

ケサル王はアムン師に、おまえはもうこの世の者ではないのだと教えたが、師ははじめのうち、かたくなに信じようとせず、どう考えても死んだ覚えはないと言い張った。そこで英雄は相手の学識の高さを承知していたので、〈虚空の投げ縄[16]〉で彼を捕らえ、ボン教と仏教の双方の教義に沿って、因果の法則を説き明かした。するとラマは自分が本当に死んだことを理解し、これまでに犯した数々の悪行を悔い、心を入れ替えて、同じあやまちは二度とすまいと決意した。ケサル王はその願いに応えて、彼の〈意識〉を幸せのすみかに送ってやり、その〈意識〉によって命を吹き込まれていた悪鬼は倒れ死んだ。

ケサル王はリン国にもどる

ケサル王は誰にも気づかれることなくリン国に帰り、〔自分の身代わりとして〕出現させておいた幻像を〔現身(うつしみ)に〕再吸収して消した。翌日、王の家来たちはキャング・カルカルがいつものところにいるのを見つけた。人々はいそいそと食べ物を運び、馬が無事にもどったことを主人に知らせに行った。

それを聞いて、ケサル王はふたたびほほえんだ。

「それはよかった」とあっさり答えただけだった。

そのときドゥクモ妃は本物のケサル王が帰って来たことを知った。王は皆に、自分が行った旅のことを話して聞かせた。

第十章　ジャン国のサタム王征伐

サタム王の夢

ジャン国[1]ではサタム王[2]がある夢を見た。先祖代々の守り神たちの夢である。

色とりどりの雲でできた天幕の中、ナムテ・カルポ神[3]は赤鹿毛(あかかげ)の馬にまたがっていた。雲の衣をまとい、月光の色の鎖帷子(くさりかたびら)をつけ、きらめく兜をかぶり、透き通るような手で柄(つか)が三叉(さんさ)になった剣を振りかざしていた。

神は確信に満ちた声で言った。

「サタムよ、目覚めよ。立て、サタム。いざ、生きとし生けるものを活かしめる極上の糧(かて)[4]を摂れ、サタムよ」

曙光が進んで来る道の上、からみあう蛇たちでできた、高くそびえる城砦の中に、サテ・ナクポ神が黒いヤクにまたがっていた。その両眼は三日月のかたちをしており、身には鉄の甲冑(かっちゅう)をつけていた。その投げ縄は一匹の蛇で、それを頭のまわりに巻きつけてかぶり物とし、もろもろの生命を断ち切る剣をそこに挿して飾りにしていた。

神は力強い声で言った。

「サタムよ、目覚めよ。立て、サタム。いざ、生きとし生けるものを活かしめる極上の糧を摂れ、サタムよ」

広がったひげにそっくりの雲の幕のむこうに、大嵐の暗雲でできた宮殿がそびえていた。そこには怒れるバルテ神が、虎縞の毛皮をまとった雌ヤギにまたがっていた。その甲冑は稲妻のようにひらめき、その鋭利な剣は赤々と燃えていた。

「サタムよ、目覚めよ。立て、サタム。いざ、生きとし生けるものを活かしめる極上の糧を摂れ、サタムよ」

「ジャン国の王よ」と神々はなおも言った。「なぜそなたは無為に過ごしておれるのか。国境に接して豊饒の地があり、その無尽蔵の沃野を所有する民の安楽はまちがいない。その地マルカム国[5]には、すでにリン国のケサル王が力をおよぼしており、まもなく全面的にその支配下に収めてしまうだろう。この機に時を置かず行動せよ。そなたが先手を打たなければ、リン国王はマルカム国に地歩を固めてしまうであろう。そうなったら、ついにはそなたの本国まで攻め込んで来るであろうぞ」

そして三神こぞって、代わる代わるこう繰り返して、王を奮い立たせた。

「立て、サタムよ！　恵みの大地マルカムを征服せよ、サタム！」

サタム王はリン国支配下のマルカム国征服を宣言する

目が覚めるやいなや、王はこの夢を大臣のペテュルに語り、王家の守護神たちの至上命令に従い軍隊を動員する意向を公言した。

ペテュルはそれを聞いても熱烈に支持するどころか、むしろ不賛成だった。大臣は、サタム王の性格にある好ましからざる変化が起こっていることにしばらく前から気づいていた。かつて王は穏やかで慎重かつ思慮深い気質だった。ところが今や、わけのわからない興奮に駆られてくるくると意見を変え、理にかなわぬ行動を性急に決行しがちなように見えた。大臣は王にこうした懸念をあえて率直に指摘し、今ジャン国軍がリン国軍に戦争を仕掛けてはたして勝ち目があるのかどうかを討議するために集まって来ている、王国の顧問たちにもあからさまに伝えた。

「ケサル王は神の一族です、閣下」とペテュルは繰り返し言った。「彼は無敵です。そんな相手に攻撃する口実を与えれば、あなたはまっしぐらに破滅に向かうことになります。これまでどおり、この国の平和と繁栄を謳歌してお過ごしください」

王妃アジと王女ペマ・チョデンは大臣を支持し、ケサル王を挑発することの軽率さを延々と述べ立てた。

何人かの重臣はその意見に賛同したが、大半の人々はサタム王の側につらなった。誰よりも熱烈だったのは王の長子ユラ・トンギュルである。

「なぜ、臆病にも手をこまねいておられましょうか。そのようなふるまいはまったくのところ、戦士にふさわしくありません。さらにはわれらが王とわれらが神々が戦いをお命じになった以上、そのご命令の是非をわれらがあげつらうべきではなく、ただ従うのみです」

サタム王は、畏れ多くも王の意向に異を唱えた人々に、冷酷で侮辱的な言い回しで、服従を厳命した。王は話し終わると、やかましく歯ぎしりして口を閉じたが、怒りに燃える両の眼(まなこ)は、爛々(らんらん)と光る銅(あかがね)の球さながら、眼窩(がんか)をぐるぐる回っていた。

続いて王は、さまざまな部隊の兵力や、それらが差し向けられるさまざまな地点、それらを指揮する武将たちに関する数々の命令を下した。

マ・ネネのケサルへの警告

ケサル王の属国となっている〔マルカム国の〕領土にサタム王が攻め入る準備をしていると、マ・ネネが一羽の鷲に乗り、幾柱もの神々を付き従えて、リン国の王宮にいるケサル王の前に真夜中現れた。

「目を覚ましなさい、気高き英雄よ」と女神は王に言った。

「休息を願ってはなりません。そなたが滅ぼすべき使命にある西方⑥のサタム王が、みずから敗北のときを急ぎ、あなたをまさに攻撃しようとしています。相手は恐るべき強敵です。その命令一下、百戦錬磨の凄腕（すごうで）の将軍たちがそろっています。ただちに戦闘を開始せねばなりません。しかし、こうした手ごわい武将の率いる部隊の前に、軽々しく身をさらさぬよう気をつけなさい。とりわけ王の息子ユラ・トンギュルを挑発せぬよう、くれぐれも用心しなさい。彼は神の一族で、あなたと同等の力を持ち、誰にも彼を負かすことはできません。あなた方ふたりは前世では友情で結ばれていました。彼はいくつかの過ちのせいで、悪鬼族の父のもとに生まれ、そのことを忘れてしまいました。あなたはそれを心にとめておきなさい。のちのち、彼はかけがえのない盟友となるでしょう。彼を大切にいたわり、策略を用いて戦闘から遠ざけてやりなさい。同様にはかりごとをめぐらして、戦端を開く前にジャン国軍の力を弱めておくのです。また、さっそく明日にも、ディクチェンにホル国軍を率いて参上するよう命じなさい。彼の協力は不可欠です」

女神の声を聞いて、ケサル王は急いで香を焚き、祭壇に灯明を灯して、敬意を表した。

うやうやしく手を合わせ、ルツェンやホル国の諸王に対して行ったのと同様、サタム王についても、みずからの務めを果たす覚悟であることを、助言者の女神に確言した。まちがいなく勝利をおさめるにはどんな手段を用いるべきか教えてくださるよう、女神にひとえに祈り、また女神と神々のお力添えを請い願った。

「よく注意して聴きなさい」とマ・ネネは答えた。「あなたがなすべきことをこれから教えましょう。

ジャン国の守護尊であるほら貝の馬の彫像

サタム王朝の初代王の時代、一頭の馬をかたどった彫像がほら貝で作られました。博学の魔術師たちが、強い呪縛力を発揮して、この血筋を引く王子たちを加護するあらたかな力を、その彫像に与えました。この像は話すこともでき、敵の出現を王に警告しますが、それを聞くことができるのは王ただひとりです。それゆえ、サタム王の防御を破るためには、この彫像を壊さねばなりません。それも、急ぐ必要があります。そなたの軍隊の接近を王に知らせる暇(いとま)を与えぬために」

そう言うと、マ・ネネは姿を消した。

ケサル王はホル国のディクチェンに援軍を要請する

日の出とともにケサル王は大臣たちと顧問たちを招集させた。王は彼らにマ・ネネから受けた命令を伝え、リン国の戦士たちを動員することと、ディクチェンとその軍勢の援軍を要請するために、彼のもとに使者を遣わすことを命じた。しかしディクチェンへの参戦要請にかんしては激しい抗議が巻き起こった。リン国の将軍たちと大臣たちは、かつての敵との協力をかたくなに拒み、自国軍だけでは勝てないと王が判断したことに対して、面目をつぶされたと言い立てた。満場の人々が、ケサル王がわれわれを侮辱したと抗議し、ディクチェンを呼び寄せるのはご放念くださいと懇願した。そして「わが軍はジャン国軍めがけて進軍する用意があり、必ずや勝利をもたらす」と宣言して、喧々囂々（けんけんごうごう）の大騒ぎになった。

やむなく英雄は威信をもって人々に語りかけ、みずからの意志を断固貫徹せねばならなかった。ホル国へと出発した使者が遠路を急ぐ一方で、ケサル王は空飛ぶ愛馬にまたがって上空高く昇って行き、たちまち姿が見えなくなった。王はその日のうちにジャン国に到着した。

ケサル王は三頭のキャンに化身して、ジャン国に現れる

ほら貝の馬はユム・ドゥンズィク城砦の、黄色の花々が咲き乱れる庭園に囲まれた小さなお堂の中に安置されており、その庭園のまわりには、どこにも門がない青銅の城壁がめぐらされていた。ケサル王はキャン(野生のロバ)に変身し、他に二頭のキャンの幻像を作り出すと、三頭で庭園に姿を現し、花々を食んだ。王宮に仕えるひとりの召使いが窓越しにそれを見かけ、門のない城壁の中に摩訶不思議にも入り込んだ三頭のキャンの出現を、あわてて王に報告した。

王はそのとき、ケサル王がルツェン王とクルカル王に勝利を収めたのち、自分に襲いかかって来るだろうと告げる予言のことを思い出したが、神聖な祠のまわりで草を食む動物たちの正体については思い違いをした。「おそらくあの三頭のキャンはほら貝の馬の化身であろう。リン国王の攻撃の機先を制してこちらから仕掛けようとしている戦いにおいてわたしを加護し、敵がわが国内に侵攻できないようにするために、ほら貝の馬が作り出したものだろう」と考えたのである。「まずはこの目で確かめた上で、占い師のラマたちにこの件について解明してくれるよう頼むとしよう」

サタム王の寵姫の事故死

ほら貝の馬の神殿が建つ庭園は門のない城壁に囲まれていて中に入れないため、サタム王は寵姫（ちょうき）や廷臣たちとともに王宮の屋上に昇り、その中を見ようとした。召使いたちがあたふたと虎や豹の毛皮の敷物を広げ、主人たちの座所のしつらえを急いだ。しかしそこに腰を落ち着ける間もなく、突如恐ろしい突風が起こった。突風は屋根を吹き掃（ふきはら）い、敷物をくるくると舞い上げ、人々を地面にたたきつけ、全員が取り乱しているさなかに、寵姫(7)は虚空に投げ出された。その身体は秘密の庭園の中に墜落し、頭蓋は割れ、四肢も折れてしまった。それと同時に、三頭のキャンは白い虹の中に姿を消した。

〔亡くなった〕一番若い妃にくびったけだった王の悲嘆は、目も当てられぬほどだった。大臣や貴族から召使いにいたるまで、全員が王とともに夜通し涙にくれて過ごした。妃の遺骸をとり戻して、しきたりどおりに葬ってやれないことが、人々の悲しみをますますつのらせた。

三人の巡礼僧の占い

翌朝、三人の巡礼のラマが王宮の門前に姿を現した。「よいところに来たものだ」と失意のどん底にあった王は言った。「あの一行をそば近う連れて参れ。彼らなら、謎のキャンの正体についても、妃の亡骸（なきがら）を閉ざされた聖域の外に運び出す手だてについても、きっと占い当てることができるはずだ」

ラマたちは、サタム王が見た異様な夢や、王がまさに着手しようとしている軍事作戦、ケサル王がジャン国を攻撃するという予言、そして、つい昨日起こったばかりの惨事について、つぶさに聴き取った。その上で、自分たちは占いのわざに長けていると申し立て、王のためにあらゆることがらを解明してみせる、と頼もしげに請けあった。

晩になって、彼らは占いの結果を開示した。

「ここにおそろいの皆様方、王ならびにご家来衆、あなた方はある誤認をおかしています。ほら貝の馬はサタム王の守護者ではなく、ケサル王の勝利をはるか昔から仕組んできた、敵の悪鬼なのです。妃を殺したのはこの悪鬼であり、今や王を、そしてその臣下の大臣やこの国の族長たちを、殺めようとたくらんでいます。至急あの彫像を壊せば、王ならびに族長方は長寿をまっとうし、この国は繁栄を謳歌することでしょう」

ゆゆしき事態である。巡礼のラマたちのことばは、古来尊重されてきた言い伝えを真っ向から否定するものだった。大臣たちはほら貝の馬に手出しするのをためらっていたが、悲嘆に打ちひしがれた王が、躊躇を押し切った。

サタム王はほら貝の馬の破壊を命ずる

「あのほら貝の馬は、わが最愛の妻を殺したのだから、壊されて当然だ」と王は命じた。

そしてラマたちに向かって、その決行を引き受けてくれるか、と尋ねた。

「われわれなら可能です」と彼らは答えた。

ラマたちは重い斧で城壁に穴を開け、ほら貝の像を打ち砕き、妃の骸(むくろ)を収容して王の居室に運んだ。

「今はもう、悲しみを紛らわせようとなさいませんように。お妃様の葬式をしてはなりません。妃のお身体を床(とこ)の上に横たえ、そっとそのままにしておいて、あなたもともに、完全な隠遁に入るのです。のちほど、妃は息を吹きかえすことでしょう」

この約束を当てにして、ただちに王は屍(しかばね)とともに真っ暗な部屋に引きこもり、ラマたちは旅を続けると見せかけて、遠ざかって行った。

見通しがきかない地点まで来ると、ラマたち——実はケサル王の化身——の姿は消えうせ、ケサル王がキャング・カルカルに乗って、白光に包まれて飛び去った。〔リン国の〕王宮にもどると、そこには各将のもとに集結したリン国の戦士たちと、配下の軍勢に先んじて到着していたディクチェンが、王を待っていた。

「わたしの仕事の第一段階は完了した」と王は人々に言った。「われわれは作戦を開始することができる。しかし、われらの行くてにある邪魔ものを、あらかじめ遠のけておいた方がよかろう。

サタム王の長子ユラ・トンギュル

わたしがかつて住んでいた楽園には、ラプトゥ・オェパ・ドゥンネルという名のインド人の魔術師がいて、わたしの友人だった。彼はサタム王の長子として新たに生を受け、ユラ・トンギュルと名乗っている。無敵の強者（つわもの）で、その力を、みずからの指揮下の兵士たちに分かち与えている。彼がジャン国軍を率いているかぎり、当方に勝ち目はあるまい。さらにまた、もしもわが軍の手にかかって、ユラ・トンギュルが傷ついたりでもすれば、悔やんでも悔やみきれない。というのは、彼はただ単にわたしの旧友であるにとどまらず、次なる戦いにおいて、頼もしい助っ人としてわたしの役に立つにちがいないからだ。それゆえ、彼をこの戦闘から遠ざけておきたい。わたしはある夢告で彼をそそのかし、ツァムツォカ[8]に行きたいと思わせよう。ディクチェンがそこで待っていて、はかりごとをめぐらして彼を連れ去るのだ。どういう手を使えばよいかは、ディクチェンの思案に任せる」

ユラ・トンギュルの夢

次の夜、サタム王の長子ユラ・トンギュルはある夢を見た。夢の中で彼はツァムツォカにいた。そこでひとりの赤い男と出会い、そばには赤い馬が草を食(は)んでいた。見知らぬその男とお茶を飲み、仲むつまじく語り合った。朝、目が覚めると、彼はその夢のことを母に話し、ツァムツォカに行きたい、と願望を口にした。

王妃〔アジ〕は思いとどまらせようとした。

「リン国のケサル王は魔術に熟達しています」と彼女は言った。「彼はホル国の諸王を、まやかしの夢を用いて破滅に導いたのです。わたくしが思うに、彼がわが国を攻撃しようとしていると信ずべきふしがいくつもあります。用心しなさい、わが子よ、ツァムツォカに行ってはなりません。どうかお願いです」

しかし若者は聞こうとしなかった。

「あまりにもすばらしい夢だったから」と彼は答えた。「その続きがあるのなら、ぜひ見たいのです」

そして、愛馬に鞍を付けて、出発した。

ツァムツォカでのユラ・トンギュルとディクチェンとの出会い

ディクチェンは日の出前に湖のほとりに着いていた。お茶を淹れ、干し肉とツァンパを並べて、食事の支度をととのえた。そうしておいてから、ユラ・トンギュルをさらってリン国に連れて行くには、どんなふうに話しかけ、どうしたらよいのかと、待っている間ずっと考え込んでいた。

太陽が地平線に現れたとき、若者が全速力で馬を駆ってやって来た。ディクチェンとその馬を一目見て、「奇跡だ。夢で見たとおりの人と馬がいる！」と若者は叫んだ。そしてそちらをめざして進んで行った。

「あなたはどなた？　どちらからいらしたのですか」と、声が届くところまで来るやいなや、若者は遠くからディクチェンに向かって叫んだ。

「わたしはホル国のディクチェン・シェムパと申します」と、相手は鄭重に答えた。「ユラ・トンギュル様に会いに、ジャン国に参ります。⑨あの方とわたしは、前世で兄弟だったのです」

「それはなんと！」と王子は感嘆の声を上げた。「わたしがユラ・トンギュルです。昨夜、まさにこの場所であなたと出会う夢を見ました。あれは幸先のよい前ぶれだったのですね」

そしてユラ・トンギュルは馬の鞍に掛けてあった敷物をはずして、ディクチェンの敷物のそばの草の上に広げ、ふたりとも坐って、食べたり飲んだりした。

ディクチェンはユラ・トンギュルをリン国に連れ去る

しかしディクチェンは、サタム王の息子を連れ去るにはどうしたらよいものかと、その間ずっと考えあぐねていた。内心ケサル王に窮状を訴え、それを聞きつけたケサル王が疾風(はやて)のようにやって来て目に見えない姿でユラ・トンギュルの額の上に坐ると、ユラ・トンギュルはぐっすり眠りこんでしまった。

助けてくれた英雄に感謝を捧げつつ、ディクチェンは若者の両手両足を固く縛り上げた。目を覚ました若者は、自分が縛られていることに気づき、「卑怯(ひきょう)な裏切り者め」とディクチェンを激しくなじった。

「わたしに立腹なさらないでください」とホル国の元大臣は答えた。「わたしはケサル王のご命令に従ったまでです。王はわたしに、あなたを王のもとにお連れするようにとお命じになり、あなたのためによかれとのみ願っておられます」

「わたしはケサル王のところへなど行きたくない」とユラ・トンギュルは答えた。「王に会いたいとは思わぬ」彼が乱暴に身をもがくあまり、縄が切れてしまうのではないか、とディクチェンはひやひやした。しかし、彼をどうにか馬上にくくりつけることができ、リン国へ連れて行った。

ユラ・トンギュルは過去世でのケサル王との絆を思い起こす

ケサル王はユラ・トンギュルがこちらに向かっていることを知り、家来たちに、「歓迎のカタを携えて彼のもとに行き、その疑心が晴れるよう鄭重にお迎えして、こちらにお連れせよ」と命じた。

若き王子が目の前に現れると、ケサル王は懐かしげに彼を見て、尋ねた。

「ユラ・トンギュル殿、わたしに覚えがないか」

すると、その脳裏に数々の記憶が少しずつ呼び覚まされてきた。前世では楽園でケサル王と深い友情で結ばれていたことを彼は思い出した。そして、無明の闇に閉ざされて悪鬼の国に生まれて来たことを深く悲しみ、泣き出した。

縛(いまし)めを解かれた後、ユラ・トンギュルは〈白い獅子の乳〉で灌頂を施され⑩、黄色い絹の衣をまとい、小旗で飾られた鉄の兜をかぶるという晴れやかないでたちで、ケサル王の御前(ごぜん)の赤い虎の皮に坐った⑪。

リン国軍、ジャン国に向けて出発

次の日、ケサル王はジャン国へ進発すべく兵士を招集せよとの命令を下した。五人の将軍がそれぞれ十万の兵を率いて先陣を務めた。続いてケサル王が、セルワ・ニブムとユラ・トンギュルを引き連れ、八千人の兵士を従えて進軍した。その夜は全軍、ツァムツォカ湖畔で野営した。

ジャン国でのユラ・トンギュル王子捜索

その間に、サタム王の兄弟から王に、王の息子のユラ・トンギュルが奇妙な夢を見た後、ツァムツォカへ行ったきり帰って来ないと、知らせて来た。

「わたしが思うに、ケサル王がわが国に攻め寄せるとの予言が現実のものとなり始めたようです。ケサル王軍が迫りつつあるにちがいありません。わが方は、訓練をつんだ四万の兵がただちに動員可能ですから、至急召集しましょう。さらに、ユラ・トンギュル王子の捜索に数名を遣わし、またリン国軍の動きを探るため方々に密偵を送り込みましょう」

サタム王は兄弟からの勧告を聞きいれ、大臣たちも満場一致で、即刻それらの勧告に従うべきであると認めた。

七人の男がツァムツォカに派遣された。ケサル王は天与の炯眼によってそれを察知し、さらにまた都の近くで四万の兵士が動員されたことも見抜いていた。

「あの七人は生け捕りにせねばならぬ」と王は決断した。

その命により、七人の武将が金の装飾のある鞍をそれぞれの馬に置き、投げ縄を手に、敵の回し者を待ち伏せした。

魔法の棒ディプ・シン

ケサル王は友人の神々からディプ・シン⑫を譲り受け、所持していた。それを野営地の周りに立てめぐらせたため、陣営は目に見えなくなった。サタム王の家来七人が到着して目にしたのは、無人の湖岸であった。彼らは、王に報告すべきことなど何もなさそうだと思い、食事をとろうと腰を下ろした。そのとき、〔ケサル王に派遣された〕七人の武将が一斉に投げ縄を投げ、各々が〔サタム王の家来〕ひとりずつを虜にし、〔ケサル王の〕陣営にまで連れて行った。彼らが到着すると、ケサル王はディプ・シンを引き抜き、サタム王に送り込まれた者たちは、大軍に囲まれていることに気づいた。

するとユラ・トンギュルがケサル王にカタを捧げ、この捕虜たちは悪鬼の一族ではなく、サタム王の国〔＝ジャン〕の正真正銘の人間だから、命は奪わないでほしいと懇願した。

「明日、父の兄弟が来るはずです」と彼は付け加えた。「そちらは本物の悪鬼ですから殺してしまえばよいでしょう」

ケサル王は七人の回し者の命を助けることに同意したが、鎖につながせ、兵士数人に見張りをさせた。

サタム王の兄弟チュラ・ポンポがみずからツァムツォカに赴く

ジャン国の王宮では、王の兄弟チュラ・ポンポ・セルワチェンが王に会いに、王が隠遁中の部屋まで、ふたたびやって来た。

「微塵(みじん)の疑いもありません」と彼は王に言った。「ケサル王が国境近辺をうろついているにちがいありません。ユラ・トンギュル王子とまったく同様に、王が送り込んだ者たちもいっこうに帰って来ません。かくなる上は、わたしがみずからツァムツォカまで赴き、ケサル王のゆくえをつきとめ、討ち果たす所存です」

マ・ネネのケサル王への勧告

その夜、マ・ネネがケサル王の眠りを覚ました。

「厳戒のかまえをせよ、ケサル王よ」と女神は王に言った。「明日、チュラ・ポンポがこちらにやって来ます。前回と同様に、そなたの陣営を目に見えなくしなさい。チュラ・ポンポは強力な悪鬼だから、無謀にも彼と一騎打ちなどしてはなりません。彼に勝てる人間などいないのですから。

陣営の外に、そなたの乗馬キャング・カルカルを放しておきなさい。それと一緒に、ディクチェンの風より速い赤毛の馬と、鷲のように空を飛ぶデマ・サムドンの白馬とダプラの青い[13]馬の二頭も。世の常ならぬ能力を授かったこの四頭の駿馬(しゅんめ)が、悪鬼を思うままに引き回すでしょう」

そう言いおえると、女神は楽園の住まいへと帰って行った。

サタム王の兄弟チュラ・ポンポの最期

日の出とともに、ケサル王は女神から授けられた指示どおりに取り計らわせた。それゆえ、チュラ・ポンポが到着したとき、彼の目には陣営はまったく見えず、人っ子ひとりいない野原に四頭の馬がさまよっているだけだった。中の一頭を名馬の誉れ高い英雄の乗馬〔=キャング・カルカル〕と見て取った彼は、そこから推して、その主(あるじ)も遠からぬところにいるはずと踏んだ。

馬たちに近づいて行くと、彼はキャング・カルカルのたてがみをつかみ、首にぐるっと縄をかけるとひらりとまたがり⑭、声を限りにわめき散らしながら、右に左にと闇雲（やみくも）に走らせ始めた。

「やい、ケサルめ、出て来い、臆病者！　わたしはここだ、このチュラ・ポンポ様が、おまえの名馬に乗っているのだぞ。腰抜け野郎でないなら、馬を取り返しに来やがれ」

そして彼は、英雄を罵倒したり挑発したりして、やかましく騒ぎ立てた。

突然、キャング・カルカルが空中に飛び上がり、乗り手の度肝を抜いた。高く、いやが上にも高く、天馬は紺碧の空を昇って行った。もう三頭の馬も、大空を渡る雁の群れ⑮のように列をなしてそれに続き、四頭とも湖の真上まで来ると、キャング・カルカルは仰向けになり、はしゃいだ馬たちが牧草地の草の上を転がるように、空中を転げ回った。チュラ・ポンポは振り落とされ、三頭の馬が後ろ足で蹴ると、その身体はまるで石が落ちるようにまっしぐらに落ちてゆき、水中に沈んだ。

その後、馬たちは野営地にもどって来た。

リン国とジャン国との対決

ケサル王はそこで、敵軍の位置を確認するために三人の密偵をジャン国に送った。三人はもどって来ると、四万の兵が都を防御していると確言した。

その報告を受けて、ケサル王は配下の兵士たちを集め、先鋒部隊に加わるべき者を指名し、勇敢に闘い敵をひとり残らず殲滅(せんめつ)せよ、と厳命した。

騎兵たちは色とりどりの軍旗を無数に掲げ、長いトランペットを吹奏しながら、進軍を開始した[16]。

ギャン[17]の地に集結した敵将たちはケサル王軍の到着を知り、ドュ・ジェゲ・トゥカル将軍が兵たちの先頭に立って城壁の外に出撃した。

彼は弓を手に、リン国きっての勇将に、勝負を挑んだ。たがいに相手の顔めがけて矢を射るという、決闘の申し入れである。そして、デマ・サムドンをケサル王と思い込んで、彼をめがけて矢つぎばやに三本の矢を射たが、どれも当たらなかった。

するとデマ・サムドンは、それをものともせずに、言った。

「貴殿、白馬にまたがる武者よ、我こそはセラ・フル神の化身にしてケサル王の大臣、デマ・サムドンと知れ。貴殿にとどめの一撃をお見舞いする運命を、かねてより定められた身だ。今こそ、そのときが来た」

そして狙いすますと、相手の額のまん中に一本の矢を射た。矢は頭蓋を貫き、ドュ・ジェゲ・トゥカルはばったり倒れ、死んだ。

このときすでに、リン国軍は一万の敵兵を殺しており、味方の損害は百名にのぼっていた。ジャン国の軍勢は恐怖に浮き足立ち、中に逃げ込もうと、町の城壁をめがけて潰走(かいそう)した。ケサル王の兵士たちは追撃したが、敗走兵を入れた後、大急ぎで閉じられてしまった城塞の門を前にして足止めをくらい、きびすを返すほかなかった。

「わが軍は勝利をおさめました」と、野営地にもどった兵たちはケサル王に報告した。「しかし、ジャン国軍が砦(とりで)にたてこもってしまったため、戦闘を続けることはできませんでした」

「今日のところはそれで十分だ」と英雄は答えた。「明日はどうすればよいかは、神慮によって示されるだろう」

サタム王の反撃の決意

配下の軍勢がこのような敗北をこうむったというのに、サタム王はあいかわらず居室に閉じこもっていた。誰も扉から中に足を踏み入れてはならぬとの禁令を破って、一(いち)の大臣(おとど)が、味方がこうむった痛手を王に知らせた。王の兵士たちや勇猛無比の将軍たちの戦死のありさまを語り、隠遁を中止し戦士たちの先頭に立ってリン国軍を撃退するよう、うながした。

「明日にでもそうしよう」と王は答えた。「だが、神々のご加護をしかと確信するために、まずは乳の湖に行って手を清め、いつものならわし通り、龍女[18]から〈命の精髄〉を授かりたい。

皆の者に安心するよう言うがよい。このわたしが軍の指揮を執った暁には、リン国軍など最後のひとりにいたるまで殲滅してやる」

王のことばが伝えられると、ジャン国の人々は大喜びし、もはや勝利を信じて疑わなかった。

ケサル王はひとりでサタム王殺害に向かう

その夜、マ・ネネがケサル王にサタム王の企てを知らせ、魔術を使って相手の体内に入り込むよう勧告した。相手を殺すにはそれ以外に手だてがないからである。

「わたしはサタム王と相見え、彼をこの世から放逐するために、ひとりで出発せねばならぬ」と英雄は、日の出とともに集結させておいた将兵たちに言った。「わたしのなすべきことを手伝える者は誰もいない。それゆえ、全員陣営に留まっておれ」

将兵たちは、英雄がたったひとりで恐るべきジャン国王に立ち向かうのを見殺しにするわけには行かない、と困惑し悲嘆にくれた。

「何たることでしょう」と人々は言った。「サタム王はずる賢くて手ごわい悪鬼です。あなたが自分の手の内に入ったと気付こうものなら、あなたをぺろりと平らげてしまうでしょう」

けれどもケサル王は、自分は神々の親族ゆえ、災難に遭うはずがないと人々を安心させ、キャング・カルカルに乗るとたちまち遠ざかって行った。

サタム王の不吉な兆し

サタム王は前日に決めたとおりに、早朝から湖のほとりにおもむいた。まず香を焚いて、いつものように龍女の出現をうながす呪文を唱えた。次いで乳白色の湖水にうやうやしく両の手を浸して待ったが、龍女はいっこうに姿を現さなかった。

時が流れた。王とお付きの人々は無言のままだった。岸辺の小石の間に立てた線香が燃え尽きて地面すれすれまで減り、天高く昇り始めた太陽の光を受けて鏡のようにきらめく湖には、見渡すかぎり人影はなかった。

王にとって不吉な前兆だ、と仕える人々は思い、サタム王も不安に囚われ始めた。

ケサルは蜜蜂に変身しサタム王の体内に侵入する

そのとき、ケサル王が湖畔に着いた。自分が来たと知れぬよう、王はただちに愛馬を木に、鞍を小さな池に、兜と着衣をそのまわりに咲く花々に変え、みずからは鋭利な羽を持つ鉄の蜜蜂に変身した。

彼はこの姿で、サタム王がますます心配をつのらせながら待ち続けているところへとやって来た。

龍女は英雄のたくらみを知って、加担するために姿を現すのをわざと遅らせたのである。蜜蜂が湖畔に見えるやいなや、彼女は美しい少女の姿となって水面に浮かび上がった。両手で掲げていたのは不死の霊水を入れるための瓶だったが、このとき彼女が瓶に満たしておいたのは、神聖なお清めがなされていない、何の効能もないただの水だった。

龍女がしとやかにこちらに進んで来るのを見て、サタム王はすっかり心が軽くなった。心配は杞憂に終わったと信じて、慌てふためいて女神に向かって両手をさしのべ[19]、水をふた口、がぶがぶむさぼるように飲んだ。蜜蜂となったケサル王はこの瞬間をとらえ、その液中に飛びこみ、もろともに王の胃の中に潜入した。

龍女はすぐに水のなかに姿を消してしまい、贋(にせ)蜜蜂の切れ味のよい羽が羽ばたきを開始して、ジャン国王の胃にいくつもの深い傷をつけた。王は痛みで狂ったようになり、大声を上げながら地面を転げまわった。びっくり仰天した従者たちがあわてて王のまわりに駆け寄ったが、いかなる急病が王を打ちのめしたのか、さっぱり見当がつかず、苦痛をやわらげるすべがなかった。どうしてよいのかわからないので、人々は従者のひとりをペテュル大臣のもとへ急派して、起こった事態を知らせ、大臣はもっとも駿足の馬を全速力で駆ってやって来た。

サタム王のいたましいありさまを見、「誰かが身体の内側から自分を傷つけている」と王が言うのを聞いて、「これは何としたことだ！」と大臣はうめいた。「ああ、何たることでしょう、あのケサルめは魔術のありとあらゆる秘法を心得ておりますから、王の体内に入り込むことができないとは限りません。しかしながらわれわれには、しかとしたことはわかりかねます。最善の策は、この点についてわれわれに確かなことを示し、必要な治療法を教えてくれるような占い師に、ただちに相談することです」

「ケサルめがどうやってわたしの体内に入り込めたというのだ？」と王は答えた。「ばかげた憶測だ」

大臣は召使いのひとりに、医者を呼びに行かせた。その到着を待っている間もサタム王の苦痛は激しさを増す一方で、ケサルが本当に体内に入り込んだ、とついに王自身が信じるにいたった。激情のおもむくままに、王は剣をつかむと、蜜蜂の羽が肉に突き刺さっていると感じた箇所を、めったやたらに斬りつけた。

「ケサルめ、どこに行った」と王はわめいた。「いったいどこにいるのだ？　この剣で突き刺してやるぞ、おまえはわたしから逃れられまい！」そして王はわれとわが身を斬り刻み続けた。血がどくどくと流れ出て、侍医たちが到着したときには、王はすでにこときれていた。

ペテュルは、王を殺したのはケサル王だと信じて疑わなかった。王を救うことはできなかったが、この国を脅かす恐るべき敵を滅ぼして、国を救いたいと彼は願った。「ケサルめはサタム王の体内にいる」と彼は考えた。「あいつがそこから抜け出すのを何としても防がねばならぬ、そして大急ぎでご遺体を焼いてしまわねば。そうすれば、下手人はご遺体もろとも、炎に焼き尽くされてしまうだろう」そこで大臣は、死者の口を縫い閉じるよう命じ、身体にあるその他もろもろの穴も、ケサル王がそこから逃走せぬよう、ひとつ残さず念入りに塞がせた。

ケサルはサタム王の〈意識〉を楽園へと送った

これらの用心はことごとく無意味であった。人々が火葬台の準備をしている間に、英雄は蜜蜂の姿を捨ててごく小さな赤いハエに変身し、さらにもう一匹、黒い小バエを作り、その中に故人の〈意識〉を入らせた。そして、赤いハエが黒いハエを先導しつつ、二匹そろってウマの脈管を通って昇って行き、頭頂部まで来たところで、赤いハエとなったケサル王が「ヒク！　パット！」と、しかるべきやり方にのっとり儀式〔ポワ〕の叫び声を上げた。すると頭蓋にひとつの穴が開き、二匹のハエはその穴を通って抜け出した。サタム王の〈意識〉はケサル王によって送り出されるままに楽園へと向かい、ケサル王の方はふたたび人間の姿となって、変身させていた愛馬やその他の品々をそれぞれもとの姿にもどし、野営地へと向かった。⑳

ペテュル大臣とケサル王との一騎打ち

ペリトゥ湖〔＝乳の湖〕に沿って進んで行くと、ペテュルがこちらの方にやって来るのが見えた。彼は国王の葬儀の準備に当たるため王宮に赴いていて、今しがた王の遺骸のそばに引き返して来たのである。近づくにつれて、ペテュルは英雄〔＝ケサル〕をそれと見て取り、狂わんばかりに激高して、行くてに立ちふさがった。

「見下げはてた奴め」と彼はどなった。「魔術の手管（てくだ）を使ってわが王のお命を奪ったのはおまえだな。おまえはジャン国の諸部族を滅ぼそうとも企てている。もうどこにも行かせぬぞ。ここで会ったが百年目、おまえを地べたにたたきのめしてやる。命はないものと思え。これまでおまえが立ち向かった相手は、どいつもこいつも腰抜けばかりだ。おまえが何度でも勝利を収められたのは、そのせいだ。今日こそ、地上に現存する生きものの中で最強の、大臣ペテュルの腕のほどを思い知るがよい」

ケサル王は弓に矢をつがえ、誇らかに言い返した。

「ペテュル大臣とやら、わたしをご存じないようだな。われこそは、かつてかのサンド・ペルリ宮殿の真向かいなる楽園にて、一万の賢人成就者の長たるトェパ・ガワ神たりし者なり。現在の名はケサル、髪の黒いやからを何千となく、もっとましな世界へ送り込んでやったのは、このわたしだ㉑。一途にわたしを慕う人々の守護者にして、パドマサンバヴァ師の命を奉じて来りし使者、この全地上世界を知ろしめす神である。おまえごとき悪鬼などものともせぬ」

彼は矢を射たが、ペテュルはそれをよけた。今度はペテュルが射ると、矢はケサル王をかすめた。こうしてふたりは射続けたが、たがいに相手を射止めるにはいたらず、ふたりとも矢筒にあるかぎりの矢を射尽くしてしまった。交戦中も、ふたりはのべつ幕なしに罵りあい、また、みずからの勲を再々述べ立てて止まなかった。

彼らは無用の長物となった弓を投げ捨てると、剣で闘った。ふたりの乗馬は棹立ちになり、汗がその肌に白く光り、怒り狂った二頭のいななきが、その主たちのすさまじい怒号と交錯した。

ケサル王の攻撃をかわそうとして、ペテュルはとっさに動いたはずみで鞍から落ちてしまった。英雄はすぐさま自分も馬から跳びおりてとどめを刺そうとしたが、相手はすでに体勢を立て直していて、両雄は湖のほとりでくんずほぐれつの乱闘を始めた。

ペテュルはけたはずれの大力に恵まれていた。ケサル王は己（おのれ）の非力をはじめて感じた。王がとなえる魔法の呪文の効果は、やはり魔術に熟達した悪鬼族の大臣が大声で叫ぶ、負けず劣らず強力な呪文によって打ち消されてしまった。ペテュルは死にもの狂いになって、リン国の英雄を毒水をたたえた湖へと、とうとう押しやってしまった。片足が水につかり、毒の効き目で生身（なまみ）がただれるのが早くも感じられるようになり、ケサル王は気力をふりしぼってマ・ネネとパドマサンバヴァ師の助けを求めた。凧（たこ）がその糸を引く人に操られるように、王の思念の集中力によって、マ・ネネとパドマサンバヴァ師は抗しがたい力で引き寄せられ、天から石が落ちるようにまっしぐらに来臨した。すぐさまふたりがかりでペテュルを抑え込み、湖に突き落とすと、毒水の作用によって肉という肉が骨から離れ、彼の身体はやがてあとかたもなく消えてしまった。

リン国軍のギャン城攻撃

ケサル王は野営地にもどると、時を置かずに、ふたたび兵を率いてギャン城内に攻め入った。将軍デマ・サムドンは敵将チメ・チァクドの頭を一矢で射抜き、ディクチェン・シェムパは鉞(まさかり)をふるって敵将ミクナクにすさまじい一撃を与え、相手は胴を両断されて地面に横たわった。

ペテュル、チメ・チァクド、ミクナクという、ジャン国軍の支柱であった三強悪鬼が殺されてしまったため、大将を失った敵兵は分別をなくし、ちりぢりになった。リン国の軍勢は城塞に入城し、中にいた人々を手当たり次第に殺戮(さつりく)した。

すると王妃アジが、下のふたりの息子ユティコンとダティ・ミンドゥクを左右に引き連れて、王宮から出て来た。三人はケサル王への捧げ物として、しきたりどおりにカタとともに、金貨七枚と高価なトルコ石をひとつ、完璧に丸い瑪瑙(めのう)を七つ献上した。母子は勝利者の足もとにひれ伏して慈悲を乞うた。

ケサル王は、〔長子〕ユラ・トンギュル王子は無事だと知らせ、アジ王妃はある女神の化身ゆえ、この母子にはこの上なく手厚い配慮が払われてしかるべきだと命じて、三人を安心させた。アジ王妃は、生き残った兵士たちと近郊の村人たちの命を助けてやってほしいと懇願し、王はそれを聞きいれた。

その後、ケサル王は王宮の上層階に居を定め、兵士たちは城塞や街中に宿を取った。リン国軍は三か月の間ギャンの地に留まり、その間にケサル王は〈よき教え〉を皆に説き聞かせた。

出発を前にして、ケサル王は亡き国王の長子ユラ・トンギュルをジャン国王の位につけた。

「今やあなたがジャン国王だ」と彼は別れぎわに言った。「あなたは賢臣に取り巻かれている。それゆえ、平和に、正義にのっとって国を統べるがよい。

わたしはみずからの使命として四人の敵を滅ぼさねばならぬが、そのうちの三人はすでに死んだ。(22) 残るはあとひとりだ。わたしがそやつを攻撃するに当たり、あなたに出兵を依頼したら、必ず応じねばならぬ」

ケサル王のリン国帰還

ギャンの町から歩いて十三日のところに、マユル・ショキャ・リンモと名づけられた地がある。ケサル王とその指揮下の軍団はそこに三日間陣を張り、その後解散し、それぞれの国へ帰って行った。中にはジャン国へ引き返した人々もいたし、ディクチェンおよびふたりの武将とその配下の者たちはホル国へ向かい、ケサル王は騎兵百騎を従えてリン国の王宮に帰還した。王宮の門のところで、チャンと肉を捧げて王を迎えるセチャン・ドゥクモ妃と重臣たちの四人の娘の姿が見えた。五日の間、全員が喜びに湧き立ち、たらふく飲み食いし、その後リン国の兵士たちはおのおのの天幕にもどり、家族と再会した。

ケサル王は、戦闘で命を落とした者たちのために十三年間の瞑想修行に入る

人々がちりぢりに解散すると、ケサル王は大臣たちと家人に告げた。

「数々の戦いは終わりを迎えたが、その間わたしは多くの命を奪った上、わたしの命令の下、わが軍の戦士たちによってさらにおびただしい数の人々が殺された。わたしがなすべきは、こうした不幸な死者たちすべての〈意識〉が幸せの住みかへ向かうよう、思いを凝らすことだ。それゆえ、わたしは王宮の奥まった部屋に引きこもり、この務めを果たすために、十三年の間隠遁することにする」

こう言うと、王は厳格な隠遁修行のために必要なしつらえをした部屋を用意させ、そこに閉じこもった。それからは王の姿を見た者はひとりもいなかった。

第十一章　南の国のシンティ王征伐

マ・ネネのお告げ

鉄の馬の年の五月十五日、(1) ケサル王の隠遁が十年間におよんだとき、マ・ネネが王の前に現れた。

「ケサル王よ、そなたが滅ぼすべき使命を受けた悪鬼たちのひとりが、まだ生きながらえていることを、そなたはお忘れか。南の国の王シンティは繁栄を続け、揺るぎない地位を築きました。今年中に打ち倒さないと、情勢はあなたの手に負えなくなります」

「今のわたしがいかにして出陣できましょうか」と英雄は反論した。「わたしは十三年間隠遁瞑想(2)をすると決めました。それからまだ十年しか経っていません。隠遁瞑想の誓いをあえてみずから破ることは、その人の上に災いを招き寄せます。みずからの務めを果たすのを拒むわけではありません。隠遁瞑想が終わり次第、ただちにシンティ王討伐に向かいます」

「いいえ」と女神は言い返した。「それでは遅すぎます」

「どうすればよいのでしょう」とケサル王は尋ねた。「わたしが行った戦いで命を落としたあまたの衆生（しゅじょう）の〈意識〉を幸せの住みかに送りとどけることを、わたしは約束したのです。この義務にそむくことはできません」

ブラフマー神による説得

マ・ネネは当惑し、ブラフマー神に相談しに、その住まいのある楽園に行った。神はゆゆしき事態だと判断し、白い獅子に乗ってマ・ネネとともにケサル王のもとに向かい、隠遁を打ち切るよう説得した。王は、誓いを破ることが、苦の世界〔＝悪道〕に堕ち下等な生きものに生まれ変わることにつながるのではないかと恐れ、なかなか説得に応じようとしなかった。ブラフマー神が、神の資質を持つケサル王にそのような災いが起こることはありえないと確言したので、王は神の願いを容れて、ただちに南の王に対する戦いに出発する、とブラフマー神に約束した。

ケサル王はシンティ王征伐を決心し、その旨を妻に伝える

神々が姿を消すとすぐに、英雄は妻をそばに呼び寄せた。妻はひどく驚いた。ここ十

年間彼女は夫に会っておらず、③その隠遁が終わるときはまだ来ていないと知っていたからである。

「どうなさいました」と彼女は心配して尋ねた。「お加減がすぐれないのですか、それともお食事が足りませんでしたか、おなかがすいたのですか？　どこかお悪いなら、医者を呼ばせましょう。何か食べるものをお望みなら、お茶と干し肉をどっさり持ってまいります。ただ、どうか定められた期間に達する前に隠遁を打ち切らないでください、あなたの身に災いが降りかかりますから」

ケサル王は、マ・ネネとブラフマー神から受けた命令を妻に伝え、自分は神意にそむくことはできないと妻に言った。

セチャン・ドゥクモ妃は泣きながら、定められた期限前に隠遁を打ち切ることは不吉で危険な行為だと再度訴えた。しかし英雄〔＝ケサル王〕は、顧問と仰ぐ神々の権威を磐石のよりどころとし、その叡智に信頼を置いていたから、つべこべ言って煩わせるなと妻に厳命し、リン国の諸将あての召集状を遅滞なく届けさせるよう命じた。

シンティ王征伐の準備

数日後、百人あまりの武将が王宮の大広間に集まり、それぞれの地位に応じて、虎の皮、豹の皮、狐の皮の敷物の上に着座した。人々は王に、なぜみずから定めた時期が来る前に隠遁を中止なさったのか、いかなる理由があって南の国のシンティ王を攻撃するおつもりになったのかと尋ねた。

ケサル王は人々に、自分が受けた命令のことを知らせ、隠遁にあたっての通常の規則の方が神々のご意向より大事だという法はないと説明し、人々も納得した。

ディクチェンに、ホル国兵三十万を率いてこの遠征軍に協力するよう要請する一方、ジャン国のユラ・トンギュルに、動員可能なかぎりの多大な兵力を期待していると知らせることが決まった。

同盟軍の到着を待つ間、リン国の戦士たちは武具や馬の支度をし、女たちは兵糧の荷造りをした。

ディクチェンはホル国兵三十万とともに到着し、ユラ・トンギュルは六十人の武将と五十万の兵を率いてやって来た。リン国の戦士の数は三十万にのぼった。

このものすごい大軍が数千の軍旗を掲げて王宮のまわりを旋回するさまは、舞い揺らめく炎の海もかくやと思われた。

出　征

五日後、ケサル王の指揮の下、全騎兵が行軍を開始し、その日の夜カムの南の河④の岸辺に着いた。

河には、何本かの鉄鎖の上に板を掛け渡して作られた橋が、一本架かっていた。その橋は、国境警備の砦から一望できた。そこに住む人々は、これほどまでの大軍が真向かいの平地に溢れかえり、天幕を張っているのを見て、驚愕した。

こちらに来るのは友軍か、敵軍か、と人々はいぶかり、同僚どうしのふたりの司令官⑤タモ・トンドゥプとユムドゥク・ポエ・ロベは、うちそろってシンティ王のもとに行き、このことを知らせ、王の指示を仰ぐことにした。

シンティ王は隠者ラマ・テプサンに伺いを立てる

王は、山中の要塞化された宮殿に住んでいた。ふたりは、血も滴らんばかりに生々しい人間の皮の上に坐す王に謁見し、贈り物の毛皮の数々を献上した後、自分たちが参上したわけを王に報告した。

「その連中がいったい何者なのか、おまえたち同様、わたしにも見当がつかぬ」と王はふたりに言った。「王国の大臣たち六十人を召集し、諮ることとしよう」

大臣たちの会議が開かれたが、出席者たちの誰ひとりとして、得体のしれぬ軍勢の意図を見抜ける者はいなかった。満場一致で、それを解明できるのはタカル・オマ・ジクゾンの隠者ラマ・テプサン(6)ただひとりだ、ということになった。さっそく王はラマの住む洞窟に使者を派遣し、助けに来ていただきたいと懇請した。

「主人のもとへもどりなさい」と、隠者は届けられた手紙に目を通した上で、使いの者たちに答えた。「あなた方に返答すべきことはない。わたしが王宮に行くための乗馬として用意して来た馬も無用だ。帰れ！」

王の使者たちは困りはててしまった。ラマがシンティ王の要請を承諾したのか拒んだのか、あるいはまた、歩いて行くつもりなのか、さっぱりわからなかったが、隠者テプサンは気安く質問できるような相手ではない。ラマは使者たちを立ち去らせ、王の家来たちは帰路についた。

ラマ・テプサンはシンティ王に敵軍の到着を告げる

彼らの姿が見えなくなると、ラマは洞窟にもどり、いつも瞑想の座としている熊の皮の敷物の上に足を組んで坐って、身じろぎひとつしなくなった。しばらくすると、その身体からもやもやしたかたちが現れ、遊離し、固まってゆき、洞窟の中にはまったく瓜ふたつのふたりのラマ・テプサンが、ひとりはあいかわらず不動のまま坐し、もうひとりはその前に佇立(ちょりつ)していた。そして、佇立した方のラマは洞窟の出口へと歩いてゆき、外に出ると、シンティ王の居城の方角へ目くるめく速度で遠ざかって行った。もうひとりのラマ・テプサンは、熊の皮の上で足を組み、背筋をまっすぐのばして、無念無想のさまで深い瞑想にふけっているように見えた。

ラマ・テプサンは、異国の軍勢の到着について説明されると、もの思わしげに頭を振った。「これはあなたにとって吉兆とは言えません」と彼はシンティ王に言った。「疑う余地なく、敵の軍勢です」

シンティ王は真相を確かめるために使者を派遣する

「確かな手段によって確認した方がよかろう」と王は言った。「タモ・トンドゥプならびにメンチェン・クラよ、あの連中のもとに行って、彼らの意図を探って来い」

司令官〔タモ・トンドゥプ〕と、彼に同行するよう指名された大臣〔メンチェン・クラ〕は、それぞれ赤毛の馬と黄色い馬に乗り、河の方へ下って行き、宿営地が見えるところまで来ると、大声を上げて異邦人たちに呼びかけた。

そのとき、諸将はケサル王の天幕で会議を開いていた。呼び声を聞いて、そのうちのふたりが外に出て、河の方に歩いて来ると、対岸にいるシンティ王の臣下に向かって叫んだ。

「われわれに話があるなら、こっちへ来い」

使者たちは、異邦人たちがこちらをどうあしらうつもりなのか確かめないことには、おいそれと橋を渡る気になれなかった。しかし来るようにと招かれた以上、ふたりは橋を渡り、宿営地まであとわずかのところまで進んで足を止めた。彼らに話しかけてきたふたりの男が、進み出た。ひとりは、顔色が青く、青い馬に乗り、もうひとりは顔色が赤く、赤い馬に乗っていた。ふたりとも、小さな旗を飾った鉄の兜をかぶっていた。

「われわれに何か言いたいことがあるのか、殿ばらよ」とそのふたりは尋ねた。

南の国の使者たちは答えた。

「おまえたちは何者だ、殿ばらよ、これほどの大軍でやって来るとは、おまえたちの主君は誰か。

なぜ、ここで野営する許可を願い出て、牧草の代金を払わなかったのか。河をさかのぼるなり下るなりして引き返し、どこへなりとも好き勝手なところに行くがよい。だが、ここに留まってはならぬ。シンティ王はそれをお許しにならぬ。王のご機嫌を損ねぬよう気をつけろ。逆鱗に触れたら大変なことになるぞ。おまえたちなどこっぱ微塵だ」

青い顔色の男が答えた。

「南の国の戦士たちよ、われこそはジャン国の王家につらなるユラ・トンギュルと知れ。この陣営はケサル王のものだ。われわれは長ければ一年、短くても三か月、ここに留まることになろう。草や水の代金を払うつもりはない。われわれはシンティ王と話をするためにやって来た」

「リン国の乞食どもめ！」と高官メンチェン・クラが叫んだ。「南の国の最高権力者に対して何を話そうというのか。わたしに言うがよい、王にお伝えしてやろう」

ディクチェンが、トトゥンの息子の嫁にシンティ王の王女を要求する

すると、赤い馬にまたがった赤い顔のディクチェンが、十九サン⑦もの目方があって、一ボ⑧ものタバコが入る大きな黄金の煙管（キセル）をふところ⑨から取り出した。おもむろにタバコを詰めると、火をつけて言った。

「われわれがここに来たわけをどうしても知りたいというなら、話してやろう。

リン国のトトゥン閣下には当年とって二十（はたち）になる勇士の息子がいる。幼少のみぎりから毎年、占い師がその嫁にふさわしい娘は誰かを占ってきたものだが、答は毎年同じだった。シンティ王の娘を妻に迎えるべきというのだ。彼女の父親が快く娘をゆずってくれたら、わが方はお返しに金銀をさし上げるつもりだ⑩。しかし、断るというなら、事態は王にとって好ましからぬ方に向かうだろう。われわれは領内を荒らしまわり、娘を奴

隷として連れ去るだろう」

「あつかましいにもほどがある！」と司令官タモ・トンドゥプが叫んだ。「考えても見ろ、今年十五歳におなりの王女は、王のただひとりの御子なのだ。父の国を相続し、王位を継ぐことになろう。シンティ王が娘をリン国ごとき貧乏国に嫁がせるなんて、本気で思っているのかね？

おまえのことばどおりにわたしが王に復唱したら、王はおまえたちを最後のひとりにいたるまで皆殺しにすることだろう。だが、おまえがそれを望むなら、ままよ、お望みどおりになるがよかろう。どんな結果になるのか、われわれが見届けてやろう」

そしてシンティ王のふたりの使者は、手綱を反（かえ）して城塞にもどって行った。

使者がディクチェンの要求をシンティ王に報告する

ふたりは、ケサル王の武将たちと交わしたやりとりを王に報告した。彼らの前ではいかにも自信ありげで相手を軽蔑しきった態度であったというのに、その威勢はどこへやら、王には英雄〔＝ケサル王〕の怒りを買わぬよう、王女とトトゥンの息子との結婚に喜んで同意することを勧めた。

「ケサル王が巨人ルツェンを殺したのは、まだ十五歳[11]のときでした」とふたりは言った。

「その後、彼はホル国、続いてジャン国を征服してしまいました。敵に回すのは危険です」

この諫言（かんげん）に王はひどく機嫌を損ね、怒り出して、ふたりの役人を罵倒した。

「あんな流れ者の乞食どもの有象無象（うぞうむぞう）になぞ、金輪際（こんりんざい）娘をくれてやるものか。おまえらは見下げはてた臆病者だ。軍を召集せよ。尊大なケサルめを懲らしめるのに、さして手間取ることもあるまい」

シンティ王の娘メト・ラゼの夢

その夜、シンティ王の娘メト・ラゼ[12]は恐ろしい夢を見て震え上がり、翌朝さっそく父にその夢の話をした。

「わが国が闇に覆われ、城塞の中を血が滝のように流れる夢を見ました。宮殿内の高価なトルコ石の柱が折れていました。大臣のメンチェン・クラは皮をはがれ、四肢を地面に釘付けにされていました。わたくし自身は、白い虹の端を手でつかまえて、東方へと去って行ったのです。

どうかわたくしの言うことをお聞きいれください、お頭様（かしら）[13]、あなたやあなたのご家来衆のかけがえのない命を危険にさらすくらいなら、わたくしをリン国にお遣わしになってください、その方がわたくしにはよほどましなのです」

王はそれ以上耳を貸そうとせず、乱暴に「黙れ」と命じ、「こういう〔おとなの〕話が、おまえにわかるわけがない。たわけたことばかり言いおって」と娘に言った。

シンティ王は開戦を決意し、準備に取りかかる

大臣たちの会議で開戦と決まった。武将たちはただちに配下の部隊を王宮兼城塞に集結させようと大わらわになり、またケサル王指揮下の軍勢の情報を得るため方々に斥候(せっこう)を放った。千人の兵が河の橋の防護の任務に着いた。翌日ふたりの将軍がそれぞれ一万の兵を率いて、敵軍の行くてを阻むべく陣地を敷き、その次の日には別のふたりの将軍がそれぞれ三万の兵を擁して、あとに続くことになっていた。シンティ王は、ケサル王の軍勢がどれほどの数に上るのか気づいておらず、自国の兵力はリン国軍を壊滅させてなお余りあると踏んでいた。

南の国の王がこうした準備に没頭している間に、ケサル王はある夢を見た。白い小旗を戴いた銀の兜をかぶり、白馬にまたがった白い騎馬武者が、ただちに河を渡るよう彼に勧告するという夢である。

交　戦

諸隊は遅滞なく行軍を開始した。橋のそばに到着すると、橋を護る兵士たちや、その援護に駆けつけたタモ・トンドゥプ将軍はじめ諸将の軍勢が見えた。タモ・トンドゥプは前に進み出て、瞬く間にリンの戦士二十人を討ち取ると、配下の兵たちの進軍を促すために馬を反(かえ)した。ディクチェンが部下を従えて橋を渡り、恐ろしい声で叫びながら敵将〔タモ・トンドゥプ〕のあとを追った。

「わたしが何者か知らぬなら、われこそはホル国のディクチェンなり。神々の息子にして、戦士のうちでも最強無比のつわものと心得よ。わが力のほどを思い知るがよい」

そう言いつつ、〈天鉄〉〔＝鉄隕石〕製の剣を一閃(いっせん)しただけで、相手の首を斬り落とした。

ユラ・トンギュルはジャン国軍とともに馬の背に身を伏せて河を泳ぎ渡り、リン国の勇士たちに合流すると、南の国の兵士たちを情け容赦なく殺戮(さつりく)した。どうにか死を免れた者たちは命からがら城塞の中に逃げ込んだ。

ふたりの捕虜の処遇

この無残な結果を知って、シンティ王は狂わんばかりに激高した。王は別の部隊に、メンチェン・クラ将軍とトンチュン将軍とともに、ただちに侵攻軍を撃退せよと命じた。

恐るべき混戦になった。武将たちはおのおの、みずからの称号と勲(いさおし)を大音声(だいおんじょう)で叫び立てた。人々は弓矢で、剣で、槍で戦い、投げ縄の術に巧みな黒い天幕の牧人たちは、遠くから敵を捕らえ、落馬させると、地面を引きずり回し、馬蹄にかけた。

こうして、メンチェン・クラとトンチュンの二将軍を捕虜にした者たちは、両人を生かしたままケサル王のお目に掛けようとした。メンチェン・クラは地べたに伸(の)され、四肢に槍が突き立てられて、地面に釘付けになっていた。トンチュンは鎖につながれた。ケサル王はふたりを目にすると、メンチェン・クラを指さして、配下の者たちに言った。

「こやつは紛れもない悪鬼族の息子にしてその首領だ。こやつの皮にはもろもろの魔法の特性があって、わたしは先見の明でそれが見分けられる。いつかわたしの役に立つ日が来るだろう。この皮がほしい。トンチュンの方は、神々を先祖に持つ。のちのち、わが国において枢要な地位に就けることにするので、彼を殺してはならぬ。だが、この戦いが終わるまでは、捕虜として鎖につないでおくように」

そこで兵たちはトンチュンを連れて行き、トトゥンにその番を任せた。メンチェン・クラの方は生きながら皮を剝(は)がれ、死ぬとその遺体は深い穴に投げ込まれ、のちにその上に白いチョルテンが建てられた。

ブラフマー神の助言とシンティ王の最期

自国の軍勢が二度目の敗北を喫している間、シンティ王は何の知らせも受けていないため、気が気でなかった。自軍は敵を撃退するには弱体すぎるのではないかと危惧した王は、翌日ただちに援軍を送ることにした。

夜の間に、ブラフマー神はケサル王に、敵の準備が着々と進んでいることを知らせた。そして国境から王城に行くためにはどうしても通らねばならない隘路を見おろす高みにある、戦略上有利な地点を敵の新鋭部隊が占領してしまう前に、シンティ王を奇襲するよう勧めた。

この勧告に従い、ケサル王率いる軍勢は夜陰にまぎれて出発した。日の出前に一行は敵の牙城の前に陣取り、包囲すると、東西南北の四方に火を放った。

火の手は見る見るうちに広がった。ただならぬ物音に目を覚ましたシンティ王は、すぐに自分が炎に囲まれていることに気づいた。燃えさかる火に、退路はすべて断たれていた。シンティ王はある魔術の秘策を使っておのれの運命を免れようと試みた。悪鬼の息子に生まれ、もろもろの秘術に通暁していた王は、このような火急の場合に備えて、天まで昇って行ける梯子(14)を作っておいたのである。大急ぎでそれを延ばすと、すばやく横木をよじ登り逃げ去ろうとしたとき、ケサル王に見つかってしまった。英雄は狙い澄ました一矢で梯子を壊し、シンティ王は炎の中にまっさかさまに落ちていった。

王女メト・ラゼの救出

メト・ラゼは右往左往し、火に遮られていない道をむなしく探し求めて、半狂乱になっていた。燃え上がる宮殿の窓から身を乗り出している彼女をケサル王が見つけ、遠くから大声で呼びかけた。

「あなたが神の一族なら、空中を突っ切ってわたしのもとにいらっしゃい。悪鬼の一族なら、炎の中に落ちるがよい」

すると王女は虚空に身を投じ、炎上する都のはるか上空を越えて、木の葉のように軽やかに英雄の膝の上に舞い降りた。

シンティ王の財宝を戦勝品として持ち帰る

戦いは終わった。ケサル王は、山奥の地下に築かれた宝物庫に蓄えられていたシンティ王の財宝を分捕った。そこに収められていたあまたの貴重な品々の中に、三日月のかたちをした宝石があった。その宝石は、それが向けられた方向にいる人物の本性や感情に応じて、あるいはその持ち主の身辺に密かに発動している、好意的もしくは敵対的な諸力にしたがって、変幻自在に色を変えたため、得がたい目印となった。

トトゥンの息子と王女メト・ラゼの結婚

リン国に帰ると、ケサル王はトトゥンの息子に若き王女との結婚を許し、盛大な宴を何度も催して勝利を祝った。それが終わると同盟諸国軍はそれぞれホル国やジャン国に帰って行き、リン国の戦士たちは各自の天幕にもどり、英雄は王宮の奥に引きこもった。

ケサル王は任務を果たし、悪鬼王たちは消滅した

ケサル王に課された使命は達成され、もはや悪鬼王たちはいなくなった。彼らの姿をとって生まれてきた邪悪な力は、ケサル王の計らいによって善意の力に変えられ、彼らの〈意識〉と結びついたまま、しばしの間憩いのときを西方極楽浄土で過ごしたのち、また新たな生きものの姿で出現することだろう。

これらの生きとし生けるものたちは、みずからの行いによって他のもろもろの力と結びつき、それらの力とともに、ますます力強く善の方に邁進したり、あるいは有益な徳性を失ったりしながら、幸せや苦しみを生むことだろう。かくして輪廻はめぐりにめぐる。幸いなるかな、輪廻から解脱(げだつ)する者は。

オン・マニペメ・フン！

第十二章　タジク王征伐

ケサル王の叙事詩は悪鬼王たちの死後も終わらない。英雄はその後、厳密な意味でのその使命、つまりプロローグに示された仏敵を滅ぼすという使命とは関係のない、一連の戦争に手を染める。[1] 彼はリン国王として、未開で貧しい牧人たちのこの国に、文明と福利の基礎となる数々の要素を授けた。その武勇伝のはじまりにおいて、すでに王はこの国に医薬の恩恵をもたらしている。今後は、タジク王[2]の雌牛とモンゴル王の馬を分捕(ぶんど)って、配下の軍団の勢力を拡大することとなる。彼は戦利品として、タングート[3]から金を、そして中国からは絹織物と茶を、次々とこの国にもたらすだろう。

こうしたさまざまな遠征譚をたどって行けば、本がもう一冊できるほどの材料はゆうにあるが、その中身は往々にして同工異曲の繰り返しである。本書では、それらのうちの最初の一編を語るにとどめよう。ケサル王が南の王に対して勝利を収めたのちの後日譚が、その話の糸口となる。

大臣ツァジョンの娘に対するトトゥンの老いらくの恋

息子が当年十五歳の若く美しい王女メト・ラゼと結婚したことが、トトゥンをとまどわせた。新婚の嫁が邸の中を軽やかな足取りで小走りし、しとやかに夫に仕えるのを見て、自分も似たような蝶をわがものにしたいという欲望が、心の中にじわじわと忍び込んできた。「なんだかんだ言っても、おれはまだ九十三歳じゃないか」と彼は思った。「男盛りの年頃さ。おれの老妻は、おれからすればまるで使いものにならない古道具だ。小柄でしなやかな身を草原の若草のように撓める、色白で溌剌とした顔だちの小娘を娶らないわけがあるものか。そうとも、なぜそうしないのか。息子みたいな若造より、よっぽどおれの方が女を幸せにしてやれるぞ……」

そうと意を決すると、トトゥンはまわりにいる乙女たちを片っ端から調べ上げ、厳しく審査した結果、数ある乙女たちの中でたったひとりだけ、意に叶う娘がいた。その娘は彼が思い描いていた夢の絵姿とはちっとも似ていなかった。彼が選んだ娘は二十五歳だった。がっしりとした体格で肉付きがよく、若草の華奢なふぜいを思わせるところなど皆無で、色も黒かった。だが、トトゥンが望んだ相手は彼女だった。

重臣としての地位や莫大な富があるのだから自信満々なはずなのに、それでもやはりトトゥンは、その娘を妻に迎える手だてについて頭を悩ませていた。娘の父親のツァジヨンはケサル王の大臣のひとりで、彼と同等かそれ以上の財産を持ち、恋する老人は、父親からにべもなく断られるのではないかと少々心配していた。熟慮の末、ケサル王の養子で弁の立つダプラに、自分の願いを代弁してもらうのが上策と思われた。リン国で勢威があるダプラは、ホル国軍に殺されたケサル王の友人〔であり兄である〕ギャツァの息子で、センロン王の孫に当たる。(4) だから、センロン王の弟であるトトゥンは、この青年の大叔父(おおおじ)ということになる。そのことを盾にとって、青年に奔走を頼もうというのである。

結納品としてタジク王の名馬を贈ることに決める

ダプラを交渉役に選ぶと予定したものの、もうひとつ決めておかねばならないことが残っていた。しきたりとして、まずは手始めに彼に贈り物をする必要があったのだ。ダプラへけちくさいものを贈るわけにはいかないが、トトゥンにとっては自分の持ち物をこれっぽっちでも手放すのは、身を切られる思いであった。

彼は、ダプラの愛馬が年を取って、足が少し遅くなってきたことを思い出した。みごとな馬が一頭あれば、青年は気を良くするにちがいない。そのとき、老将の創意あふれる脳裏に、あるすばらしい考えが閃いた。一頭どころか三頭もの馬が見つかる場所を彼は知っていた。世界じゅうで他に類ない馬、タジク王の名だたる青い〔＝銀灰色の〕馬である。一頭は自分のために取っておき、もう一頭をダプラにやることにして、三頭めは花嫁の父にその対価として進呈すればよいだろう。

策は上々、あとは馬さえ手に入れればよい。

タジク国の名馬探し

彼は、抜け目なく立ち回って馬を探して来る任務を、配下の三人の奴隷たちに託した。それぞれ、その名をギャイ・ペピュ・トゥクグ、トン・トゥントゥン・メルゴ・ケノ、ギャプ・ケペ・ピペ・レプレといい、悪賢いならず者として札つきの連中である。

彼らはそれぞれ三十オンスの黄金を受け取り、トトゥンは三人の相棒たちに、自分の貴重なディプ・シン⑤を、旅先で役に立つかもしれないと、預けた。その上、成功すれば褒美は惜しまぬ、と三人に約束した。

十三日後、三人のならず者はタジク連合国⑥の国境に到着した。

そこから遠からぬところに、メモ・ユタンと呼ばれる地があって、タジク王とその宮廷が国の神々を祭り、その後野遊びを楽しむために野営していた。トトゥンの密使たちは、競馬や弓矢の試合を始め、やんごとない向きから一般庶民にいたるまで衆人注目の的のさまざまな競技を見物した。誰も彼も、召使いの最後のひとりにいたるまで、たらふく飲み食いし楽しむことに余念がなかった。太陽はまだ中天に達していないというのに、すでに全員が愉快に酔っぱらっていた。

馬の略奪

「こんな好機は二度とないぞ」と、三人のならず者は思った。

王は十三人の夜番に、「毎晩野営地の見張りをせよ。とりわけ、大切な馬たちをかくまってある天幕からは目を離すな」と、かねてから命じていた。しかし夜になると、他の連中と一緒に宴に酔い痴れていた夜番たちは、酔眼朦朧としてものが二重に見えたり、見れども見えずというありさまであった。

ものを見えなくする棒〔＝ディプ・シン〕をたずさえたギャイ・ペピュ・トゥクグとふたりの仲間たちは、その夜四更〔＝午前二時頃〕の間に野営地に入り込んだが、その時分には王も家来もぐっすり眠っていた。平原に張られた無数の天幕の中から馬たちを見つけ出すのは容易なことではなかったが、ついに一張りだけ少し離れて立つ、赤い瀟洒な小天幕に目をとめ、慎重に垂れ幕を上げると、三頭の青い馬が見えた。そうっと優しく首綱(くびづな)を取って馬たちを捕まえると、野営地の外に連れ出した。

それから自分の乗馬たちと合流すると、それらの鞍をタジク王の馬に付けてその上にまたがり、リン国への帰路をうれしがるもう三頭の馬をうしろに従えて駆けに駆け、東の方角へ遠ざかって行った。

姿を消した馬の捜索

王や身分の高い人々は満腹して、いつまでも眠りこけていた。召使いたちが目を覚ますと、他の馬たちのいななきは聞こえたが、青い馬たち〔の天幕〕は静まり返っていた。心配になって何人かの者が赤い天幕へ行ってみると、何たることか、中は空っぽだった。すぐに知らせを受けた厩番(うまやばん)の頭(かしら)は、怒りと恐怖に生きた心地がしなかった。王に何と言えばよいのか、どんな刑罰が自分を待っているのか。厩番と馬丁(ばてい)たち全員を呼び集めると、国中くまなく探しに行かせ、馬を取りもどせるかもしれないと期待して、タジク王への報告は先延ばしにした。

夜になって、人々がうなだれてもどって来た。馬はおろか、その足跡すら見つからなかったのである。こうなっては王に報告せざるを得なかった。王は、厩番の頭が恐れていたほどには、怒ったそぶりを見せなかった。

「わが国に盗人はいない」と王は言った。「馬は勝手に逃げたのだ。勝手にもどって来るだろう」

三日経ったが、馬はもどって来なかった。そこでタジク王は三人の武将と六百人の兵を派遣し、盗人の捜索に当たらせた。

メマ・ナチェン・コンマと名付けられた地に着くと、何人かの兵士が三頭のうちでもっとも美しい馬の蹄の跡を発見した。全軍を挙げてその跡を追い、西寧(7)のナムトゥ・コンマと名づけられた地に着いて、そこの峠の下で一夜を明かした。次の日その峠を越えると、それまで彼らがたどって来た谷が三筋に分かれているのが見え、前方のやや離れたところに、三十人の大商人と九十人の番頭、荷を積んだ千頭の雌ラバを追うおおぜいの使用人たちから成る隊商の一行が目に入った。

タジク王から遣わされた武将のひとりチァカル・デンパは、隊商の一行に大声で呼びかけ、両腕を大きく振って合図したが、相手方は応答せず、道を進み続けた。しかし間もなく、タジク王の臣下たちは列の後方にいた白服の男と出くわし、あの商人たちは何者で、どこから来てどこへ行くのか、その男に尋ねた。

チァカル・デンパはみずから名乗って、こう言った。

「わたしはタジク王の大臣のひとりです。わが主(あるじ)はここから遠からぬところに宿営中に、名馬を三頭も盗まれてしまいました。馬にはそれぞれ特別な印が付けてあります。中の一頭には、蹄の下にほら貝と八弁の蓮華の文様があります。われわれは峠の向こう側でその足跡を見つけたのですが、こちらではあなた方のたくさんの馬やラバたちが地面をさんざん踏みつけたせいで、さっぱり見分けがつかなくなってしまいました。

馬たちのゆくえについてご存じのことを教えてくだされば、たんまりご褒美をさし上げます、しかしわたしに嘘をついたら、わが王にはあなたを捕まえて罰することだって可能ですぞ」

馬上の男は答えた。

「わたしはパギェル・ユンドゥプといい、あの商人たちの総隊長は、かの有名なツァン・ガルダク・ツォンパ⑧です。われわれは西寧から運んで来た商品を、ツァンで金銀と交換するのです。わたしはあなた方の馬も、その足跡も見ませんでした。誓ってそう申します。

ガルダクの王子とタジク王とは古くからよしみを結んできましたが、このところ、長らく顔を会わせておりません。どうかお聞かせください、王はご健勝にあらせられますか、そしてご子息のタング・ダワ王子は、わたしが父王を最後にお訪ねしたときはまだご幼少でしたが、今は立派な若殿におなりでしょうな。民と国は栄えていますか。ご友人の朗報をわたしからお伝えしたら、わが主はさぞお喜びになることでしょう。
わたしは占いの技にはいささか心得がございます。もしお望みでしたら、あなたの馬についていて占って上げましょう」

商人パギェル・ユンドゥプの占い

チァカル・デンパは飛びつくようにして、その商人の申し出を受け入れ、商人は占いを終えるとこう宣言した。

「あなた方が今までと同じ方向に進み続けるなら、馬は見つからないでしょう。お国へ帰り、博学の占い師ラマの意見をお聴きなさい。わたしの管見で予測できるかぎりでは、タジク王の国から東方に向かってお探しになれば、馬を見つけられることでしょう」

商人はそう言うと、鞍に吊り下げた袋のひとつから、青や白のカタを何枚か取り出した。そしてその一枚のすみに金貨九枚を置き、くくり付けると、チァカル・デンパに、王にこれをさし上げて、次にご領地のそばを通るときには商人一同でお訪ねするつもりだから、あらかじめそう申し上げてくれと頼んだ。

その助言に従って、タジク王の家来たちは王のもとに帰参し、旅の間に起こったさまざまなできごとを報告した。

三人の占い師

「われわれの講ずべき最善の策は、実のところ、博学の占い師に相談することです」と彼〔＝チァカル・デンパ〕は言った。「ラマのトゥルク〔＝化身〕・アルベと、ボン教徒のトゥルク・ミパム、そして占いの大家のモパ〔＝占い師〕・ティセル・ドンナクを招請なさいますように」

王ならびに国事会議につらなる重臣たちの前で、三人の占い師はめいめい独自の、厳重に秘匿した手続きにのっとって占いを立てた。

最初に、ラマのアルベが宣言した。「わたしの見るところによれば、リン国には馬はいません。同国は東方にありますが、わたしが馬を発見したのは、太陽が射さない、ある暗い場所です」

彼が話している間、ボン教徒のミパムは頭を振っていた。

「馬は東方にいます」と彼はきっぱり言った。「角のかたちをした要塞の中です」

ティセル・ドンナクはぶっきらぼうに宣告した。

「馬は死んだ」

いらだった王は叫んだ。「どれを信じればよいのだ。三人が三人とも、さっぱり見当がつかないにちがいない」

その後、他のふたりよりボン教徒の方を信用して——なぜならボン教の僧たちは世界でもっとも偉大な魔術師だったから——王はミパムに向かって言った。

「もう一度やってくれ」と王は彼に頼んだ。「馬がリン国にいるのかどうか、見きわめてくれ」

ミパムは新たに占いを立て、長時間にわたって数々の儀式的な計算に没頭した末に、次のような神託をもたらした。

「馬はリン国にいます。ダプラの家です」

タジク王の激怒

そう言い切った口ぶりには疑念の余地はなく、王は思いもよらない結果に激怒し始めた。

「あのケサルめ」と王は言った。「かつてジョルと呼ばれた乞食が、リン国王になりおった。ルツェン王、ホルの諸王、ジャン国王、そして南の国のシンティ王を亡き者にした男だ。今度はわたしに攻めかかり、ありきたりのこそ泥まがいに、わたしの馬を盗みやがった。何という下劣でふてぶてしい奴だ！　わが戦士たちを集結させ、すぐにでもあいつの妻セチャン・ドゥクモと、あいつが貯めこんだ豪勢な戦利品を一切合財奪ってやる。リン国の領土はわが支配下に置かれることとなろう」

天下無比の馬を失ったことを王が深く悲しんでいると知って、大臣たちと顧問たちは黙りこんだ。しばらくして、その中のひとりシェサ・ラプノが、タジク王にカタを捧げ、言った。

「占いの結果はまちまちで相矛盾しています。それゆえわが方には、ケサル王に対抗してただちに軍を派遣するだけの根拠がありません。ケサル王の支配下にはあまたの族長、あまたの天幕、あまたの村がございます。たとえ馬がその領内に連れ去られたとしても、われわれは誰が盗人なのか知りませんし、おそらくケサル王も家来の誰かがしでかした悪事など承知していないでしょう。

頭が切れる者をふたり、物乞いに変装させて、リン国に送り込みましょう。その者たちが馬を探しに行き、馬が誰のところに閉じ込められているのか見つけた上で、どういう手を打つのがよいか、見定めることとしましょう」

満場の列席者がシェサ・ラプノの発言を賢明だと褒めそやし、王もその意見に賛同した。大臣のチァカル・デンパ⑨と厩頭（うまやがしら）のトンティ・ラベンが乞食（こつじき）巡礼者に扮した。長い杖を手にして、荷物を背負い、ふたりはリン国へと出発した。

タジクの名馬を贈呈されたツァジョンは娘をトトゥンに嫁がせる

盗まれた馬はリン国に着くと、トトゥンの差配によって、新しい持ち主のもとに送り届けられていた。一頭はダプラのもとに、もう一頭はツァジョンのもとに、そして、三頭のうちもっとも美しい馬を、彼はちゃっかりわがものにしていた。

ダプラはこの贈り物に十分値するはたらきをした。骨の折れる仕事だった。ツァジョンとその親族たちはうら若い娘を年老いた族長に嫁がせることを断固拒否し、当の娘も百歳近い老人の妻になるなんていやでたまらないと激しく言いつのった。しかし、この国の権力者で弁舌巧みな策士のダプラがあくまでも強く頼み込んだので、ツァジョンと身内の者たちは甘んじて折れるほかなかった。悲しみにくれた許嫁(いいなずけ)の娘には、ひとたび親族の同意が得られた以上、沈黙と従順が娘たちにはふさわしいこと、たとえ意に染まぬ相手でも、のちのち世帯を持てばその埋め合わせがつくことが、何度もの平手打ちと、二、三回の棒でのしたたかなお仕置きによって、有無を言わさずたたきこまれた。

こうして彼女はトトゥンの邸に連れて行かれ、トトゥンは新婚を祝って盛大な祝宴を開いた。

名馬探しの密偵

その同じ日、セチャン・ドゥクモ妃の親類のチァロクサンの配下の羊飼いたちが三千頭の羊を追ってマユル・ティラ・タモに草を食(は)ませに行き、天幕を幾張りも張っていた。トトゥンの家はそこから遠からぬところにあった。少し前に着いて、そのまま野営地にいた羊飼いたちのなかのふたりが、ふたりの乞食巡礼者がこちらにやって来るのを目にした。ふたりの羊飼いのうち若手のツゥンドゥプは、すぐにぴんと来た。「あのよそ者ふたりは、トトゥンに盗まれた馬を探しに来たタジク王の密偵ではないとも限らないぞ」その後、彼らが天幕のそばまで来たので、凝乳(ぎょうにゅう)を一鉢施すよう、同僚に言った。

「どこからいらしたのですか」と彼は巡礼たちに尋ねた。「どちらの国のご出身ですか」

「われわれはジャン国の者です」と、彼らのひとりが答えた。

「そいつは奇遇ですな」と羊飼いは言った。「わたしもジャン国の生まれです。ユラ・トンギュル王はいかがお過ごしですか」

そして彼は巡礼たちに、ジャン国の人々や風物についてさまざまな質問をした。

「われわれは国を離れて二十六年になります」と乞食巡礼者たちは言った。「その後、国元で何が起こったのか、とんと存じませんのですよ」

「一風変わった乞食巡礼者の方々とお見受けしますが」とツゥンドゥプは旅人たちに探(さぐ)りを入れながらことばを返した。「あなた方のような手合いと出会ったのは、これがはじめてです。あなた方は道中、よほどよいものを食べていたにちがいないし、それほど長く旅を重ねたわけではありますまい。あなた方の肌ははちきれんばかりに脂がのっているし、色の白さといったらまるで王子様並みだ。方々を巡り歩いても、さほど日に焼けなかったと見えますな。

荷物を下ろしなさい。貧民の持ち物とはとても思えない包みだ。金目のものがしこたま詰まっているにちがいない。荷を解き、中身を見せてごらんなさい、きっと何かわれわれが買い取れるような品があるでしょう。いったいどこに行こうというのです？」

ふたりの密偵は戦々兢々となった。

チァカル・デンパはかしこまって答えた。

「ご立派な羊飼いのお方、乞食巡礼者の荷物は開けてはなりません。あなた方がそんなことをなさるのを、リン国の人たちが見たらどう思うでしょう。あなた方が巡礼から何か盗もうとした、と人々は思い込むことでしょう。われわれがどこに行くのか、申しましょう。リン国のケサル王にお会いしに行くところなのです。王は今、どちらにおいでか、ご存じですか」

若い羊飼いが贋巡礼たちに対して抱いた疑いは、ますます強まった。

「風には、われらが主チァロクサン様の羊たちの毛並みから、毛一本たりとも吹き飛ばすことは許されておらぬ。空飛ぶ鳥たちは羊の群れに影を落とすことを許されず、人々も群れの方に視線を向けることさえ許されていないのだ。どうやらおまえたちは家畜を盗みに来たならず者と見える。このまま出発させるわけにはいかない。チァロクサン様の前で申し開きをしに行くがよい」

お人よしで少々頭の弱い、年かさの方の羊飼いが、中に割って入った。

「おいおい、口が過ぎはしないか」と彼は若い同僚に言った。「この気の毒な方たちに旅を続けさせておやりよ」

それから乞食巡礼者たちに向かって、続けて言った。

「むこうの方に見える峠を越えてお行きなさい。そのむこうに、トトゥン殿様のお邸がある。ちょうど今頃、ご自身の婚礼を祝って、盛大な宴を開いておられるはずだ。殿は当年とって九十三歳という高齢にもかかわらず、若妻をご所望になった。二十五歳の娘と結婚したのだ。妻を娶るために、タジク王の青い馬を盗ませたのだとさ。披露宴に行くといい、山ほどご馳走にありつけるぞ」

ツゥンドゥプは、おしゃべり爺の不都合で口軽な発言をなんとか止めようと、何度も目配せしたが、当人はそれを気にも留めていなかった。

密偵はトトゥン邸に到着する

この情報を得て、盗まれた馬はすぐに見つかるに違いない、と贋乞食巡礼者たちは大喜びした。彼らはいとまごいをすると、あいかわらず哀れな素寒貧（すかんぴん）のふりをして、とぼとぼとその峠へと向かった。

翌日、ふたりはトトゥンの邸の前に着いた。門は閉まっていたが、中庭の塀越しに家の上階でお歴々とその夫人たちが宴につらなっているのが見えた。

「この門を開けて中庭に入れさえすれば」とチァカル・デンパがトンティ・ラベン⑩に言った。「馬を見つけられるに違いないのだが。しかし、どうやったら中に入れるだろうか」

「おれたちは乞食の巡礼なのだから」とトンティ・ラベンは答えた。「奴らがやるように、お恵みを乞うてあらん限りの声で叫べばいいのさ。きっと誰かが食べ物を持って来てくれるよ。門が開いたときに、少なくとも中庭は一目見られるだろう」

その場ですぐに、ふたりはお慈悲を哀願する乞食たちの通例にしたがい、大騒ぎを始めた。

それを聞きつけたトトゥンは考えた。「あの手の乞食巡礼者たちはたくさんの国を渡り歩いている。あいつらを中に入れてやれば、おれの豪勢な住まいと若妻を見て、それをあちこちで吹聴（ふいちょう）してまわるだろうから、おれの評判はめきめき上がるぞ」

そこで召使いのひとりを呼び、ふたりの巡礼を家に上げるよう命じた。門の敷居をまたいだ途端に、地階の厩(うまや)につながれている馬がふたりの目にとまった。青い馬のうち、トトゥンが自分用にとっておいた一頭である。ふたりが上階に上がると、老主人〔＝トトゥン〕は部屋の片隅に敷物を敷かせ、彼らが坐れるようにした。そして、どこから来たのかとふたりに尋ねた。

「タユル・テウから参りました」とふたりは答えた。

「今日はここでゆっくり過ごすがよい」とトトゥンは言った。「腹いっぱい食べて、大いに楽しんでもらいたい」

そして、使用人たちに命じて、チャンやさまざまな肉料理を運ばせた。

トトゥンの若き新妻自慢

ふたりの密偵は、素知らぬ顔で尋ねた。

「どちら様の結婚のお祝いですか。このきれいなお嬢さんのお婿さんはどなたですか」

老トトゥンは得意満面になってふんぞり返った。

「ほかならぬこのおれ様の婚礼さ」と彼は明言した。

タジク人たちはびっくりした様子だった。

「あなたが新郎とは！」とチァカル・デンパが叫んだ。「しかし、あなたは九十歳を越しておられるにちがいない。どうかおからかいにならないでください。いったいどうなっているのですか。どうやってこんなに美しいお嬢さんを射止められたのですか。いやはや、驚きました、まったくもって、おいそれとは信じられません、まさかあなたが……」

トトゥンはタジクから名馬を盗んだことを打ち明けてしまう

トトゥンは強いチャンや穀物の蒸留酒をすでにしこたまきこしめしていて、言った方がよいことと隠しておいた方がよいことの見きわめが怪しくなり始めていた。彼は馬泥棒の一部始終を語って聞かせ、馬の現在の持ち主として、ダプラ、ツァジョン、そして自分の名を挙げた。

贋乞食巡礼者たちは知りたかった情報をすべて知ることができた。

「わたしたちは、はるか遠方中国やインドにある聖地にまいります」とふたりは言った。「ゆっくりしてはいられません。ご長寿をお祈りします。いつの日か、またもどってまいりました折には、あなたのご親切にお報いいたしましょう」

すぐさまふたりは立ち去り、タジク王のもとに帰って、探索が成功したことを報告した。

真相を知ったタジク王は激怒し、トトゥンを捕縛すべく軍を派遣する

王は烈火のごとく怒った。

「そうとわかった上は」と王は言った。「おまえたちは明日兵士を招集し、明後日リン国へ出発し、あの盗人爺を厳重に引っ括って、ここもとに連れて参れ」

この命令は遂行された。八百人の兵士から成る小部隊が、急ぎトトゥンの邸へと、夜を徹して進軍した。

トトゥンの方は、邸にやって来て食欲旺盛に飲み食いして行った巡礼たちの正体をこれっぽっちも疑っておらず、酔いに任せて馬泥棒の話を彼らに語ったことも、もはやすっかり忘れていた。

婚礼の祝典を敬虔に締めくくるために、彼は土地の神々を拝みにマギェル・ポムラ山(11)に行くことにした。

参拝に行くはずであった日の早朝、召使いのひとりが水を汲みに出て、邸がおおぜいの兵士に取り巻かれていることに気づいた。彼は持っていた桶を放り出すと駆けもどって、あたふたと主人の居室に急ぎ、叫んだ。

「だんな様、だんな様！　タジクの兵隊がご門の前にいます。盗まれた馬をとりもどしに来たのです。ああ、わたしたちはどうなってしまうのでしょう？」

とはいえ、彼は勇敢な男だったので、ただ叫んだだけではなかった。主人の枕もとに掛かっていた〈天鉄〉〔=鉄隕石〕製の剣を手に取ると、良馬にまたがり中庭の門へと向かった。

わが身に迫る懲罰を思って怖くなったトトゥンは、隠れ場所を探して右往左往した。銅の大鍋を目にすると、彼は鍋をひっくり返してその下にうずくまった。

その間に、勇猛果敢な召使いは敵を五十人ほど倒して退路を開き、馬を駆って逃げて行った。若妻とその小間使いたち、トトゥンの家来たちは、敵兵たちが不思議な名剣をふるう男との戦いにすっかり気を取られているすきに、てんでんばらばらに逃げ出した。トトゥンの息子は、その前日、家畜の群れを見張りに出かけていた。そういうわけで、邸に残っていたのは、丸腰のトトゥンひとりきりだった。

トトゥンは捕らえられ、タジク国に連行される

タジク王の兵隊たちは残るくまなく探したが、彼を発見できないでいた。もしも臆病者〔のトトゥン〕が恐怖心に打ち勝ち、身体の震えを抑えることができたなら、追っ手から逃れられたにちがいない。ところが震えのせいで腰帯に付けられた留め金が大鍋に当たって鍋をカチカチと鳴らし始め、それが馬泥棒〔=トトゥン〕の逮捕につながった。

トトゥンはまずぶちのめされ、その後、鎖につながれた。その厩で見つかったただ一頭の青い馬とそれ以外の何頭もの馬、邸にあった貴重品は一切合財、戦利品として持ち去られ、その八日後には、部隊は捕虜とともにタジク領内のネモ・ユタンに到着していた。

タジク国の大臣ふたりが罪人を出頭させ、引見した。

トトゥンの処罰

「まず最初に、おまえは棒打ち刑五百回を受けることとなる」とふたりは宣告した。「しかるのち、明日には八つ裂きの刑に処す。不埒千万(ふらちせんばん)にも王が大切にしている馬を盗んでのけたおまえは、王の権力がいかなるものか、みずからの身をもって思い知るがよい」

トトゥンは五百回棒で打たれたが、この悪党は持ち前の神通力によってその身を青銅のように堅固にしたので、何の痛みも感じなかった。しかしながら、どんなに記憶をたどってみても、それを唱えれば八つ裂きにされても無傷でいられるような魔法の呪文は、皆目思い出せなかった。彼は、秘術についてのみずからの知識がそこまでは及んでいないことを、悲しいかな、認めざるを得なかった。

トトゥンの弁明

そこで、激しい恐怖に胸が締め付けられた彼は、「どうかお慈悲ですから、お裁きを下す方々に聴いていただきたいことがございます」と、へりくだって願い出た。重要な情報をいくつか暴露するというのである。裁判官たちはそれを聴くことにした。

「どうかご容赦くださいますように」とトトゥンは哀願した。「わたしは王の馬を盗んだことなど絶対にありません。数年前、三人の巡礼がわたしの邸に滞在し、その後インドへ向かいました。彼らはもどって来たとき、あの三頭を連れて来ましたが、どこから来た馬なのか、わたしは知りませんでした。わたしの息子がそれらの馬を買い受けました。わたしはそれらを誰にも譲り渡したことはありません。しかし、リン国で権勢をふるうダプラとわたしの義理の父が、それぞれ一頭ずつ、力ずくで奪ってしまったのです。わたしを殺さないでください、どうかお願いします。

まだ申し上げることがあります。リン国はわたしのものです。かつてちびのジョルと呼ばれた、現在のケサル王がわたしから横取りしたとはいえ、今もってわたしがこの国の合法的な持ち主です。わたしが売ろうと思えば売ることもできます。わたしがあなた方に国を売れば、あなた方はケサル王を殺して、美しいセチャン・ドゥクモ妃を手に入れ、貴国の王がリン国を支配することになるのです」

大臣のひとりは考えた。「この男は卑劣な悪党だ。彼はこれまでにすでに自国を裏切り、ホル国王に引き渡したことがある。ドゥクモ妃がホル国王に屈すまいとして用いた策略の裏をかく手だてを、ホル国王に教えたこともある。また同じ芝居を打とうとするのは、大いにありうることだ。この卑劣漢はわれわれの役に立つかもしれないから、当面の間見逃してやろう」

もうひとりの大臣は、その意見を聞いて、盗人を生かしておく方がよいだろうと同意した。こうしてふたりは、彼が前言を守ってリン国征伐に協力するなら、命は助けてやると約束した。

「あなた方をご主人と仰ぐことを、わたしはお約束します」と彼は明言した。「ただし、わたしをご信頼くださり、あなた方のご到着にそなえて段取りをととのえるためリン国にもどることをお許しくださらねばなりません。ケサル王にひどい仕打ちをされて、王の権威を覆したいと願っている族長たちに、渡りをつける必要があります。根回しができ次第、そのご報告にもどってまいります。

青い馬はリン国にも何頭かいます。ドゥクモ妃と何人かの族長たちが持っています。それらを召し上げてしまえばよいでしょう」

トトゥンはリン国に赴き、顚末を説明する

裏切り者がこちらの役に立つことを期待して、大臣たちはトトゥンを出発させた。トトゥンは、裁判官たちをやすやすと信じ込ませ、まんまとだますことを可能にしてくださった神々のご加護に感謝しながら、去って行った。

彼はケサル王を敵に引き渡したり、リン国を売ったりするつもりは毛頭なかった。そうしたことを忌み憚ったのは、彼に徳があったからではなく、ケサル王が無敵であること、王や王とかかわりのある者を攻撃して無傷で済んだ者はないことを、これまでにあまたの事例によって思い知らされていたからだ。

リン国にもどると、英雄〔＝ケサル王〕に会いにさっそく王宮に行った。応対に出たセチャン・ドゥクモ妃に、自分がタジク王の家来たちに攻撃されて略奪を受けた顚末を語った。しかし、自分が張本人であった馬泥棒の件については、用心して一言も触れなかった。そして、奪われた財産を取り返し、罪人どもを罰するために、タジク王に対し十万の兵士を派兵するよう、ケサル王にお願いしに来たのだ、と申し立てた。

「王はお部屋で〈絶対的な統一性〔＝不二一如〕〉の瞑想を行っておられます。お煩わせすることはできません」とドゥクモ妃は答えた。「でも、明日お茶をお持ちするときに、あなたがいらしてわたしにお話しになったことを、お伝えいたしましょう」

翌日は国務会議の開催日だった。大臣や高官たちが王の居室に隣接する部屋に集まって来た。間仕切り壁には帳の垂れた開き戸が設けてあるが閉ざされていた。王が戸を開けたときに限り、人々は王に話しかけたり、王のことばを聞いたりできるが、帳にさえぎられて王の顔は見えない。ただひとりドゥクモ妃だけが、王に食事を運んだり、朝は祭壇の上に置かれた鉢に清水を満たし、晩には灯明を灯したりするために、入室を許されていた。

朝のお茶を持って行ったとき、妃は王に、トトゥンがどんな目にあったかを伝え、〔報復してほしいという〕トトゥンからのたっての願いについて報告した。ケサル王は何も答えなかったが、会議の参加者たちが隣室にそろったところで、王は戸を開け、帳の奥から次のように命じた。

ドゥクモ妃から顛末を知らされたケサル王は、タジク王征伐を決意する

「戦士十万を動員せよ。明日、わたしは隠遁をやめて、タジク王征伐に出発する」

そう言うと王はふたたび戸を閉め、戸がパタンと乾いた音を立てた。議員たちはあっけにとられて、互いに顔を見合わせ、耳を疑った。

王の知恵と力をよく知る大臣たちは、英雄〔＝ケサル王〕を心から敬ってはいたものの、

〔王の意図を測りかねて〕ケサル王が戦争を企てた理由を自分たちに説明してくれるのを待ち、その上で兵を召集することにした。

次の日、王からのお召しを受けて、族長たちが長い絹のカタを手に手にたずさえて参上し、カタを王に捧げると、隠遁(ツァム)を終えた相手にはそうするのがしきたりだったから、ご機嫌はいかがか、と鄭重(ていちょう)に尋ねた。そして、王がタジク国を攻撃するおつもりになった理由を説明していただきたい、と嘆願した。というのも彼らにはさっぱりわけがわからなかったからである。

ケサル王はその洞察力によって、トトゥンの暗躍や青い馬泥棒を察知していた。王は人々にそのことを知らせ、次のように話を締めくくった。

「トトゥンは不正直な男で、考えることは支離滅裂だ。しかし彼は、有利な戦いをしかける口実をわれわれにもたらしてくれたのだ。わたしは数々の前兆を調べてみたが、それらはことごとくわが方の勝利を示していた。タジク王が〈タジク・ノルキ・ダクポ(富の長者タジク王)〉の異名を取るのもむべなるかな。わが軍が勝利を収めれば、豪勢な戦利品が転がり込んでくるぞ」

主馬頭(しゅめのかみ)が答えた。

「まったくのところ、トトゥン殿は悪党で、のべつまくなしに悪事を働いています。

あろうことか、今度はわが国と平和に共存している王の馬を盗むとは。なぜわれわれがそんな奴をかばったり、唾棄すべきしわざの始末をつけてやったりせねばならないのか、わたしにはわかりません。悪人を護るためにタジク国を攻撃すれば、われわれは不義の味方になってしまいます。将兵たちは、見下げはてた盗人の責めを負わされ、殺されてしまうのです。これが嘆かずにいられましょうか。いやです、王様、われわれは絶対に戦いたくありません」

会議の参加者は全員、主馬頭のことばに高らかに賛同した。いつもなら王に逆らう者など誰もいないから、ケサル王はとまどったが、発言者の述べ立てた論点の正しさを否定することはできなかった。

「確かにこれは、タジク王とトトゥンとの個人的なもめごとで、しかも後者に非がある」と王は答えた。「おまえたちに彼をかばってやる義務はまったくないし、われわれは目下のところ、この件について神々のご命令をいっさい受けていない。それゆえ、待とうではないか。今夜は王宮で過ごすがよい。よい知らせがもたらされるかも知れぬ」

マ・ネネの託宣

するとその夜、皆がぐっすり眠っている間に、マ・ネネが白い獅子にまたがって、ケサル王が休んでいる部屋の広廂（ひろびさし）に姿を現し、王を目覚めさせた。

「おお、将軍たちの中でもひときわ輝ける宝石にして、敵という敵を打ちひしぐ勇者よ[12]。お聴きなさい」と女神は言った。

それを耳にして、王は喜びでいっぱいになった。「これこそ、待ちに待ったよきお告げだ」と彼は思った。

「トトゥンのしわざを気に病むことはありません」と女神はことばを続けた。「タジク王はあなたの領内に侵入し、あなたの臣下のひとりの財産を略奪し、その者を兵隊たちに拉致させたのです。その不埒（ふらち）なふるまいは、それだけで十分に、リン国軍とその同盟軍が武器を取る名目になります。タジク王は世にも稀な財宝とおびただしい家畜の群れを持っています。リン国は貧しい国です、タジク王の持つ雌牛たちでこの国の牧場をいっぱいにしなさい。大切なのはそこのところです。それを配下の戦士たちに理解させなさい。これまでどおり、グル・リンポチェとわたし自身、そして味方の神々は、あなたとともにあり、あなたを助けることでしょう」

そう告げると、マ・ネネは姿を消した。

開戦決定

朝になるとすぐに、ケサル王は族長たちに助言者の女神のことばを伝えた。

人々はそれからというものは神々のご承認とあらたかなご加護を確信し、裕福なタジク王の財宝と家畜群を分捕るという構想に乗り気になり、開戦が決まった。リン国、元のルツェンの北国、ホル王国、ジャン王国は、それぞれ十万の兵を出し、総勢四十万の大軍を編成することになった。

動員命令をたずさえた伝令たちがリン国じゅうを駆け巡り、同時に同盟国の首長たちにも通達した。軍勢はリン領内のマユル・ティラ・タモに集結し、三十日間そこに陣を構えて、まちまちの武将の間で兵を割り振ったり、各隊⑬で武器や兵糧の準備をしたりした。その後、ケサル王はディクチェンとデマ・サムドンとともに、軍を率いて西の国へと出発し、ネモ・ユタンに着くと、そこで野営した。

タジク王は不安にかられ、リン国に密偵を遣わす

自分を軽率にも釈放した裁判官たちに別れを告げたとき、トトゥンは一か月後にもどると彼らに約束していた。その一か月が過ぎたが、トトゥンはもどって来なかった。捕虜からの数々の申し出を伝え聞いていたタジク王は、だんだん心配になってきた。

「どうも気がかりだ。おまえたちはあのならず者にだまされたのではないか」と王は

顧問たちに言った。「ケサルはぺてん師だし、トトゥンだって似たようなものだ。厳戒態勢を敷くとしよう。あのふたりの極悪人がわれわれに対して何をたくらんでいるのか、知れたものではない。リン国に密偵を放って、何が起こっているか探らせねばならぬ」

三人の密偵が出発し、ネモ・ユタンへ通じる峠の上に着いたところ、はるか下方の谷間に、軍隊の天幕が見えた。そのさまはあたかも、神々への捧げものとしてその地に築かれた、おびただしい数の白い小さな石塚(14)のようだった。恐れをなした密偵たちは来た道を引き返し、走って王宮に向かった。

密偵の報告

タジク王の側近たちが彼らの姿を遠くから目にして、王に注進した。

「あれはどう見ても吉報をもたらす使者の足どりではありません」と王に言った。

中のひとりが、付け加えた。

「リン国の軍勢がすでにわが領内に侵入しているのではないかと危ぶまれます」

「ケサルなど恐れはせぬ」と王は豪語した。「至急、戦士を招集せよ。あんな流れ者の盗人（ぬすっと）一味など、あっという間に蹴散らしてやる」

七十万の人々がタジク王の呼びかけに呼応した。要塞とその周辺は、さながら蟻がうようよとうごめく巨大な蟻塚といったありさまだった。

神秘の火の洞窟

そこから遠からぬところに、ボン教徒の魔術師たちしか近づこうとしない、人々に恐れられた地があった。高みから谷を見おろす洞窟の入り口を巨岩が塞いでいることを除けば、見た目には何の変哲もない場所である。

はるか昔、トギェル・エケン師[15]の弟子のひとりが、そこで〈火の瞑想〉に精励した。長い年月が経つうちに、その身体は燃えさかる塊に変わっていた。すると、ある神の力、もしくは隠者自身の力によって、岩山が山の頂上からもげて、斜面を転がって洞窟の前で止まり、入り口を塞いだ。それ以来、中で行われている秘儀は人間の目には隠されてしまった。

その隠者の身に何が起こったのか、誰もあえて尋ねる者はいないし、おそらく知る人はいまい。

夜になると、ほの暗い照り返しが岩山のまわりを照らし、人々は声をひそめて、あそこには無尽蔵の火の貯留槽があって、今は岩山によってせき止められているが、いつかは奔流となって谷を流れ落ちるかもしれない、とささやきあったものだった。

ボン教の学僧たちを介して、現王の遠い先祖のひとりが燃える洞窟の神秘の住人と秘密の関係を結んだ。王の先祖が長期にわたって贖罪（しょくざい）の儀式を行った結果、この隠者は、危険が迫ったときには自分が燃えさかる炎の形相で庵を出て降りて行き、越えがたい障壁となって防いであげよう、と約束した。タジク王の臣下たちは皆、誕生時に結ばれる養子縁組[16]によって、この火の作用に対して抵抗力が付き、洞窟の精霊の恩恵を保証されていた。

父祖たちと同様、タジク王も洞窟の精霊を拝み、その加護をあてにしていた。しかし王は、自分自身の数々の前世における境涯も、そこに綯（な）い交（ま）ぜられていたさまざまな生きものたちの他生（たしょう）[17]も、そしてこの加護の効果と相反することになるもろもろの因果の複雑な縺（もつ）れも知らなかった。

過去世での二匹の悪鬼と二柱の神の現世における出現

どれほど昔のことかまったくはかりしれぬほど太古の時代、二匹の悪鬼が誓いを立て、それに応じて二柱の神がその誓いを無効にする別の誓いを立てた。

悪鬼のうちの一匹は人類を滅ぼしたいと願い、もう一匹は炎の壁で守られた巨万の財宝の持ち主に生まれ変わりたいと願っていた。タジク王は後者であり、前者がシンティ王の大臣メンチェン・クラであった。

二柱の神のうちの一方は、「人類の滅亡を夢見る悪者を、わたしが退治できますように」と願い、もう一柱の神の方はそれに加えて、友情の絆で結ばれていた二匹の悪鬼について、「裕福な我利我利亡者を守る炎の壁を、その友だちの皮を使って、わたしが消し止められますように」と願った。この二柱の神とは、ケサル王の友人、ゴンポ・ペルナク神とパルデン女神であった。

しかし、天与の炯眼に恵まれたケサル王以外には、これらのいきさつはいっさい隠されたままであった。そして王はそれを知っていたからこそ、南の国のシンティ王との戦いの折、メンチェン・クラの皮を剝がせておいたのだった[18]。

パドマサンバヴァの出現

ネモ・ユタンに野営している折、ケサル王の眼前にパドマサンバヴァ師がお姿を現した。

「これ以上ここにぐずぐずしていてはならぬ、神々に愛でられし英雄よ」とグル・リンポチェは王に仰せになった。「タジク王の城塞との間を隔てる峠を、急いで越えよ。敵軍がそなたより先に〔平原を〕横切ってこの広大な谷間になだれ込み、襲いかかって来るのを許せば、そなたの敗北は必至だ。勝利が待つのは、山の向こう側だ。メンチェン・クラの皮をたずさえて、兵隊たちに先行せよ。というのは、山の高みから見下ろすそなたの前には、恐るべき光景がくりひろげられているからだ。ダイヤモンドの心臓を持つそなたなら、おののくことなくそれを見据えられるだろうが、家来たちが目にすれば、あまりの恐怖に息の根も止まることだろう」

この忠告に従い、ケサル王は配下の将軍たちを招集して、峠を越えて山の向こうにある城塞を守るタジク軍を攻撃すべく、準備せよと命じた。

「急げ」と王は付け加えた。「わたしは先に行き、おまえたちが敵の牙城にやすやすと近づけるようにしておく」

ケサル王はひとりで先発する

そしてケサル王は、旗のように風にはためくメンチェン・クラの皮を手にし、キャング・カルカルにまたがり、さながら大きなはげ鷹のように空を切って峠の上に降り立った。

ケサル王はそこから〔峠の向こうを〕見渡した。眼下には、平原⑲をタジク王の大軍が進軍し、色とりどりの旗や幟(のぼり)で飾られた城塞が高くそびえていた。城の屋上では、神々への供物として糸杉の葉を焚く香煙がたちのぼり、ラクドン〔巨大なトランペット〕が力強い唸りをあげていた。

三叉(さんさ)の矛(ほこ)や黄金の勝幡(しょうばん)が林立する建物の最上部に、陰険で尊大そうなタジク王の姿が見えた。彼はかつて隠者が引きこもっていた山の方を向いた。王があるしぐさをし、何かひとこと言うと、突如洞窟をふさいでいた岩が谷底へ転げ落ちた。火がほとばしり出て、滝のようにたぎり落ち、炎の湖となって城塞を取り囲み、王が財宝をしまい込んでいる山の宮殿への道をふさいだ。

タジク王の兵士たちは、炎の洪水の中で、何の痛痒(つうよう)も感じずに動き回っていた。居城の黄金の三叉矛を巡らせた高い屋上で、タジク王は夢を見ていた。そして峠の高みからは、翼を休める一羽の大きなはげ鷹といった風情で、ケサル王がそのさまを眺めていた。

その間に、ネモ・ユタンではケサル王の軍勢が準備を終えていた。たそがれどき、軍勢はにぎにぎしく進軍を開始した。武将たちはおのおの、前後に色とりどりの無数の軍旗をなびかせて進み、兵たちの兜は小旗で飾られ、その乗馬には金銀の象嵌(ぞうがん)をほどこした鞍が置かれていた。

ケサル王は、配下の軍勢が暗闇の中をこちらに登って来るのを、遠くから聞きつけた。

居城を囲む炎の防壁を頼みにして、タジク王は配下の者たちを城内に撤収させ、みずからも安心して眠っていた。あたりはすっかり静まりかえり、見渡すかぎり火焰の波を湛えた広大な海が、夜景をまがまがしく照らしていた。

深い思いに沈んでいたケサル王は、ふと我に返った。この戦慄すべき光景を家来たちの目に入れぬようにとのパドマサンババヴァ師の勧告を思い出し、空飛ぶ馬に乗って峠から降下した。

炎の上を滑空し、もろもろの守護神やラマたちの加護を祈りつつ、王はメンチェン・クラの皮を虚空に大きく広げ、手放してなりゆきに任せた。しかし、生気のない物体なら落ちて行くはずなのに、その皮はそうはならなかった。ある意志が抗う力を皮に与え、皮を駆り立てていた。皮は震え、身をよじらせ、触れれば火を消してしまうことになるので、火から何とか逃れようとした。

はるか昔に、のちにメンチェン・クラとなる悪鬼とタジク王となる悪鬼の間に結ばれた友情の絆⑳は、依然として効力を保っていた。メンチェン・クラの干からびた皮は、タジク王を敵から守っている防壁を何としても損ねたくはなかった。しかし、その涙ぐましい努力の甲斐もなく、じりじりと高度が下がって業火に近づいて行き、とうとう落下した。炎が天まで吹き上がり、皮を一瞬で焼きつくした。夜の闇の中に雷鳴がとどろきわたり、すさまじい豪雨が燃えさかる幻妖（あやし）の湖を水浸しにした。

ちょうどそのとき、ケサル王の軍勢が峠を降りて来て、夜陰に乗じて城塞を包囲した。

火焔の湖は草原と化す

タジク王と家来たちは目が覚めると、もはや火の閃きがちらりとも見えないことに驚いた。窓から覗いて見ると、燃える湖の代わりに見えたのは緑の草原であり、しかもその草原にはこちらを包囲するケサル王の軍勢の姿があった。

「いったいどうしてこんなことになったのだ！」とタジク王は茫然自失して叫び、火が消えたのは果たしてケサル王のしわざなのか、まだ疑っていた。しかし、まわりに居並ぶ重臣たちはこの凶兆に悲観して、がっくりうなだれ、目前に迫った死を思った。

ケサル王軍の攻撃

ケサル王の兵士たちがすでに城塞を四方から攻めていた。タジク軍は勇敢に立ち向かったが、勝ち目はなかった。

東の城門ではディクチェンが、クンケン・ミタク・シュブの首を一太刀で刎ねた。ジャン国のユラ・トンギュルは西門のところでジェ・トプデンの頭を一矢で射抜いた。大将タムデュ・ギケは南門で真っ二つにされ、大将シェサ・ラプノは北門で心臓を刺し貫かれた。その後、城内に入り込んだケサル軍は、そこに居合わせた者をひとり残らず無残に虐殺した。犠牲者の中にはタジク王とその息子も含まれていた。

ふたりとも、その身は城塞の中に横たえたまま、肉体を持たぬ亡霊となって逃げまどっていた。ケサル王は父子を見かけると、世界じゅうを休らう暇なくさまよおうとしている気の毒な〈分身たち〉を憐れに思い、ふたりを投げ縄でつかまえ、亡霊たちの〈意識〉を抜き出して、大いなる至福の楽園へと向かわせた。

ケサル王軍はタジク国の富を戦利品としてリン国に持ち帰る

夜になると、勝利をおさめた軍勢は城塞のまわりに野営した。次の日、兵士たちはそこにあった武器を残らず拾い集め、戦死者の甲冑(かっちゅう)をはぎ取り、それらをリン国に運べるよう荷造りした。

その後、ケサル王は六百人の家来を連れて、秘蔵されている財宝を手に入れるために山の宮殿へ向かった。

トトゥンの止まぬ色欲

途中、ユロン・タクマル・スムゾンのあたりを通りかかった折、きらびやかな装身具で身を飾った三人の美しい娘たちが、草の茂る山上で薬草を摘んでいるのが見えた。

英雄に同行した武将たちは驚き、「この美しい娘たちはいったい何者か」と、いぶかった。

ケサル王はすでに彼女たちがスィンモ(21)だと知っており、仲間をからかってみたくなって、言った。

「おまえたちは三人で、向こうも三人だ。彼女たちを気に入ったのなら、めいめいにひとりずつになるぞ」

「われわれは年を取りましたから」とディクチェンが笑いながら答えた。「色好みなどとんと無縁になりました。しかし、お供している若い士官たちの中には、あるいは心惹かれる者もいるかもしれません」

「天涯孤独にさすらっている、父親も夫もいないような娘になんて、ちっとも魅力を感じませんよ」と若い士官のひとりが言い返した。

しかしトトゥンは、あいかわらず美しい娘との出会いを求めて止まず、ケサル王にむかって言った。

「もしお許しが得られれば、わたしには別の考えがありますから、中のひとりをぜひともリン国に連れて行きたいものですな」

ケサル王の召使いのミチュン・カプデという少年は、老いたる放蕩者を内心小ばかにしていて、彼を笑いものにしようとした。

「もしトトゥン閣下が娘たちのひとりをご所望なら」と彼は大まじめに言った。「わたしもひとり、ほしいものです」

トトゥンは途端にかっとなった。

「おれと同じものをほしいだなんて、まったくあつかましい小僧だ」と、名乗り出た相手に言った。「いったいいつからだんな衆の遊びごとに召使いどもが加わるようになったのだ？　おれは三人の中で一番きれいな娘をもらうぞ」

「いいえ、わたしがいただきます」と少年は言い返した。

トトゥンが少年にとびかかろうとすると、相手は鍛え上げた拳を振り上げた。

競馬による娘選び

ケサル王が仲裁に入った。

「この場はわたしに収めさせてくれ」と王は言った。「競馬で優勝した者が、好きな娘を選ぶとしよう。三人の娘たちのもとに真っ先に着いた騎手が、望みの娘を選べるのだ」

この考えはトトゥンの気に入った。「おれは馬頭観音（タンディン）の化身で、魔術の呪文にかけては相当の心得がある。風を巻き起こして競争相手を邪魔してやれば、勝つのは簡単だ」

と彼は思った。そこで、ケサル王の提案を受け入れた。ミチュン・カプデは彼と横一線に並び、合図とともにふたりとも全速力で飛び出した。トトゥンはもろもろの魔術の呪文を唱え、相手にかなりの差をつけて、一着で娘たちのもとに到着した。

彼は馬から降りると、自分でもほれぼれするような優雅なほほえみを浮かべて、さっそく彼一流のお世辞をふりまき始めた。

「どちらのお方ですか、お月様のように色白で丸顔のお嬢さん方。すばらしい宝石を付けていらっしゃいますね。何としたことでしょう、こんなに寂しい山の上に三人きりで、くたくたになるまで薬草採りをなさるとは。そんなご苦労を見ると、おいたわしくてなりません。家の中にゆったり落ち着いて、ふかふかのお座ぶとんの上でおくつろぎになる方が、あなた方にはふさわしいでしょうに。

わたしはもう若いとは言えませんが、財産はたんまり持っています。珊瑚やトルコ石や、高価な宝石類もあります。わたしのみごとな首飾りをごらんなさい。これをさし上げましょう。

信心をしたいなら〈マニ〉を唱えるがよい、安楽に暮らしたいなら年寄りを夫にするがよい、と言われます。そこを間違えてはいけませんよ、お嬢さん方、うっかりだまされないように。世の中はあてにならないまやかしでいっぱいですからね」

娘たちは逃げ去る

彼は次から次へとことわざを引用し続けたが、娘たちはそれ以上聞いてはいなかった。薬草の束を手にして、野生のヤギのように軽々と逃げてしまった。

でぶのトトゥンは、馬術ならまだまだ達者なものだが、駆けっこの足の速さでは娘たちには到底かなわず、お得意の魔術のいかなる呪文も、そのような奇跡を起こせるほどの力はなかった。そこで、また馬にまたがり、逃げて行く娘たちのそばまでやって来たが、そこに着く寸前に、高くそびえた赤い岩のてっぺんに口を開けた洞窟の中に、彼女たちが姿を消すのが見えた。

「しめしめ、もうこっちのものだ」と、老閣下はこの冒険にすっかり興奮して、考えた。「彼女たちは草原の真っただ中でおれをもてなすのはわざと避けて、この隠れがを知っていたから、そちらに誘導するためにこんな手段を選んだのだ。なんて気の利いた、そしてなんて愛らしい女たちだろう!」と決めてかかった。

彼はふたたび馬を降りると、岩山の下に馬をつなぎ、切り立った斜面をよじ登り始めた。その間にスィンモたちは、赤い岩の洞穴に住む彼女たちの父親に、リン国の老爺に追いかけられた顚末を物語っていた。

「いったいぜんたいどんな巡り合わせで、リン国の奴らがこの近辺を通りかかったのだ！」と悪鬼は叫んだ。「まあ、そんなことはどうでもよい、片っ端から喰ってしまうまでだ」

すぐさま悪鬼の戦士を百匹呼び寄せ、思わぬ儲けものが到来したことを知らせると、悪鬼たちは雷鳴のような轟音とともに洞窟から飛び出した。

トトゥンは彼らがやって来るのを聞きつけて、すばやく二つの岩峰の間に隠れ、悪鬼たちはそれには目もくれずに、疾風のように岩山を駆け下りて行った。そして岩山のふもとをむなしく探索したあげく、また登り返して、首領に報告した。

「馬が一頭、木につながれていましたが、見つかったのはそれだけで、その馬はわれわれがたいらげてしまいました。馬の主もどこかに隠れているはずですが、発見できませんでした」

トトゥンはスィンポたちに捕らえられる

「例の袋[22]を使え」と悪鬼の首領が命じた。

トトゥンはこれから袋が投げられると聞き、思念を集中して、巨岩に変身した。悪鬼たちは持ち前の飛び道具を投げたが、そこまでかさばる物体をそれで捕らえることはできなかった。悪鬼たちはまた袋を投げた。トトゥンは今度は非常に重量のある青銅の大箱に変身したので、袋ではびくとも動かせなかった。三度めのときには、トトゥンは気が緩み、集中力を欠いていた。何に姿を変えるかまだ決めかねているうちに袋が飛んで来て、彼は吸い込まれてしまった。袋を投げたスィンポのラクチャ・ドンシ[23]が叫んだ。

「今度は何か捕まえたぞ」

袋を洞窟の中まで引きずり上げ、開けてみると、中にトトゥンがいた。

「なんて脂が乗っていることだ」と彼はうれしそうに感嘆の声を上げた。「すぐに喰ってしまおう」

しかしスィンポの首領のカムスム・ソクチェンが反対した。

「だめだ、兄弟」と彼は言った。「こいつの仲間がわれわれの縄張りまでやって来るのを待つべきだ。奴らを一網打尽にした上で、恨みっこなしに獲物を等分することにしよう。われわれ全員の腹を満たさねばならないのだぞ。これっぽっちのものをどう分けるというのだ」

彼らはトトゥンを袋から引っぱり出して、塩漬け用の大箱に押し込め、上に重たい蓋を載せて箱を閉じた。悪鬼の三人の美しい娘たちが、ほんの戯れに、軽いおしゃべりをしにやって来て、箱をたたいたり、彼をからかったりした。

ケサルはトトゥンの失踪に気づく

その間、ケサル王はトトゥンのことなど気にかけずに進み続け、夜になって行軍を止めて野営した。そのときようやく、お茶を飲みに現れるはずの老将の姿が見えないので、王の取り巻きの人々は彼の失踪に気づいた。

「わたしはただの冗談のつもりで言ったのに」と王は言った。「どうやら、それどころでは済まなかったらしい。あの美しい娘たちはスィンモだったのだ。われらが老道化師に自分たちのあとを追わせ、おびき出したにちがいない。今ごろ彼は、このあたりに住む悪鬼たちによって囚われの身となっていることだろう。これはあながち悪いことではない。というのは、旅人に危害をおよぼすあの悪党一味を滅ぼすための、よい口実と思えるからだ。それにしても、トトゥン殿をどこに探しに行けばよいものか」

ケサル王がふたたび馬に乗り、ディクチェンをはじめ何人かの武将を連れて、あたりを探索する準備をしていると、マ・ネネが王の前に現れた。

マ・ネネの出現

「お急ぎなさい、生きとし生けるものたちの守護者よ」と女神は王に言った。「トトゥンは、取って喰おうと舌なめずりしているスィンポたちに捕まってしまいました。塩漬け用の箱に閉じ込められ、窒息して死にかけています。ここに命の丸薬があります。これを飲ませて彼を生き返らせるのです。さあ急がないと、もう時間がありません。あちらに見える岩の頂上に口を開けている洞窟の中に、彼は監禁されています」

そう告げると、女神は姿を消した。

トトゥンの救出

ケサル王とその仲間たちは、マ・ネネが示した場所に駆けつけた。悪鬼たちがその住みかから飛び出して、恐ろしい雄たけびを上げて襲いかかって来たが、ケサル王が魔法の剣をふるって一味の者をばったばったと倒し、その残党も王の家来たちによって殲滅(せんめつ)された。

トトゥンが塩漬けの箱の中でぐったりしているのが見つかり、ケサル王がその口に丸薬を含ませると、老将は意識を取りもどした。

「これは何としたこと」と、彼はまだなかば朦朧(もうろう)としたまま言った。「おれに何が起こったのだ?」

そこに居合わせた人々は皆、どっと笑い出した。

「もう歯がだめになった者ほど、挽(ひ)いていない穀物を食べたがるものだ。年寄りほど若い娘を望み、あとを追いかけ回すとやら。そういうご仁はまんまと担がれるのが関の山で、それ以外のことなんて期待できるわけがないというのに。そんなこともまだわからないなら、今度の失敗に大いに学ぶことだな」と、ケサル王は、誰もが知っている数々のことわざを引いて、言った。

「わたしが近くにいて、助けてあげられたことを、幸運に思うがよい。わたしがいなかったら、あなたは死んでしまったところだ」

一晩休憩した後、全員でサクツァル・リリ・カルギャルと呼ばれる山にある宮殿へと道を進み続けた。

タジク王妃の処遇

〔タジク王の〕妃はケサル王がやって来たのを見て、何も持たずに身ひとつで、断崖絶壁をよじ登って逃れようとした。一歩踏みちがえれば谷底へまっさかさまという絶体絶命の危地にある彼女を英雄が目にして、遠くから「あなたを殺したり、毛ほども傷つけたりするつもりはないから、逃げないように」と叫んだ。その声の主の方を見ると、彼がおおぜいの神々や女神たちの輝かしい一団に囲まれていることがわかり、彼女は「まことにこの方は並の人間を超えたお方だ。本当に生きとし生けるものの守護者にちがいない」と思った。そして、信頼して宮殿に引き返した。

「何も恐れることはありません」とケサル王はもう一度言って、彼女を迎え入れた。「あなたにはこの世で幸せになってほしいと願っております、そして死後は、大いなる至福の楽園に行かせて上げましょう。ただし、わたしのためにタジク王の財宝がしまってあるすべての場所の扉を開けねばなりません。ちなみに、タジク王はわたしの計らいで、あなたより先に、すでに至福の楽園に行っておられます」

王妃は四つの金の鍵を取りに行った。

彼女が東方の白檀の扉を開くと、千頭の茶色の雌牛が現れ出た。西方のトルコ石の扉を開くと、一万頭の白い雌牛が現れ出た。南方の金の扉を開くと、二万頭の斑(まだら)の雌牛が現れ出た。北方の珊瑚の扉を開くと、四万頭の赤毛の雌牛が現れ出た。

その後、宮殿の中でケサル王は七つの宝を見つけた。すなわち、〔一〕鉄でできた歩くことができる雌牛、〔二〕瑪瑙(めのう)でできた吠える犬、〔三〕ほら貝でできたメエメエ鳴く羊、〔四〕〈天鉄〉〔＝鉄隕石〕でできた魔法の金剛杵(こんごうしょ)、〔五〕空色の龍の卵、〔六〕トルコ石でできたドルマ女尊の像、〔七〕珊瑚でできた無量光仏の像である。

ケサル王は王妃を、王亡き後のタジク連合国の女王の位に就けた。それから、すべての雌牛を残らず引き連れ、七つのかけがえのない宝をたずさえて、かつて火の湖であった草原に引き返して、全軍そこに宿営した。

戦利品の分配

そこから十三日の行程を経て、リン国の国境の地マユル・ティラ・タモに着き、そこに宿営した。神々やカンドマたちが英雄に歓迎の辞を述べた。ケサル王はこの地で千の灯明を灯して神々に献じ、このたび自分が持ち帰った富は、タジク王が長らく利己的にひとり占めしていたものだが、今後は分割されて、リン国の民やチベットの人々、そしてあまねく世界の生きとし生けるすべてのものたちの福利の源泉となりますように、と祈った。

その後、雌牛たちと武具、そしてすべての戦利品が、この戦いに参戦した全員に分配され、ホル国、ジャン国、北国の軍勢は、それぞれの首長に率いられて自国へ帰って行った。ケサル王はリン国の族長たちとともに王宮にもどり、族長たちは一か月の間、王宮に留まって、王とともに祝宴を開いた。

第十三章　ケサル王の最期

ケサル王は任務の完了を宣言する

「われらの任務は終わった(1)」とケサル王は忠臣たちに言った。

「われわれは今や、憩いと安らぎのうちに過ごすことが許されよう。しかし、われわれは皆、いずれこの世にまたもどって来て、西方の国々で〈よき教え〉を説き広めねばならぬ上、それに先立って、生きとし生けるものたちの営為を食いものにして身を養い、苦しみを蔓延させるやからを滅ぼさねばならぬ。これまでわれわれが耐えてきた数々の戦(いくさ)は小さな戦だったが、来(きた)るべきそれは、大きな戦となるだろう。たった一振りの太刀ではなく、二振りをふりかざし、わたしは両の手で敵をなぎ倒すこととなろう。

今は、あなた方は閑静なところに引きこもり、三年間の瞑想をするがよかろう。東方マルギェ・ポンリの地に白い岩山があって、その峰は天にとどくほど高い。その山にはおびただしい数の洞窟や岩穴がある。それらがわれらの庵となるだろう」

全員がマルギェ・ポンリで三年間の瞑想に入る

ケサル王に導かれて、全員マルギェ・ポンリに向かった。その地で、王はひとりひとりに〈御教え(みおしえ)のため〉と〈世のため〉の二重の灌頂(かんじょう)(2)を授け、そののち、ひとりひとりに住むべき洞窟も割り当てた。

英雄〔＝ケサル王〕はひとり、東を向いた山の中腹に居を定めた。セチャン・ドゥクモをはじめ二十人の女たちは南斜面を占めた。二十五人の族長たちと、センロン王を含めて十八人のケサル王の身内の者(3)たちは、それぞれ西斜面と北斜面の洞窟にこもった。全員、三年あまりのときをそこで不断の瞑想にふけって過ごし、〈脈管内の気の動き(4)〉の実践の果実を得た。

瞑想明けのケサル王の宣言

隠遁に入って四年めの五か月が過ぎたとき、ケサル王は隠遁修行者すべてを呼び集めた。

「われわれはみずからの願を完全に成就した」と王は人々に言った。「というのは、隠遁すべきと定められた三年の期間は五か月前に満了したからだ。

われわれは清められた。われわれがかつて犯した悪行の報いは、叡智によって滅却された。われわれは、生きとし生けるものに苦を生み出しうるもろもろの萌芽を、心身両面において根絶した。われわれは楽園に入ることができる。あなた方の中で、隠遁生活を続けたいと望む人たちは自由にそうすることができるし、〈〔住む〕世を変えたい〉と願う人たちはそうすることが可能だ。

〈まったき教え〉に匹敵するものは何もないこと、誰も我が物顔にそれを占有することはなく、誰もそれを与えうる者はいないが、誰でも必要な努力をすればそれを護持できることを、忘れるなかれ。

あなた方の中で、剃髪した者、僧衣をまとう者は、五戒[5]を厳守するように。それらの人たちはけっして不正な利益を得てはならず、人を妬んだり貪欲であったりしてはならず、いっさいの情念を放擲（ほうてき）すべきである。

あなた方俗人たちよ、大いなる御教えはあまりに広大であり、あまりに高遠だから、あなた方にはそのまったき広がりにおいて実践することは到底できないが、善意を涵養（かんよう）しなさい。生きとし生けるあらゆるものの幸せを願い、そのために有効な手だてを尽くしなさい。そうすればあなた方は救いへと進むことだろう」

すべての人々が、英雄〔＝ケサル王〕の賢明な講話を高らかに褒めたたえ、惜しみなく満腔の敬意を表した。人々は、死ぬまで隠遁生活を続けたいとの意志を申し立て、おのおのの洞窟へもどって行った。

ケサル王はセチャン・ドゥクモ妃と他の三人⑥をしばし引き止め、翌日日の出にもどって来るよう強く命じた。

ケサル王はこの世界での生を終える意向を声明する

次の日、四人が王の前にそろうと、ケサル王は「四人ともわたしと同様、神々の化身であり、ある任務をまっとうするためにそれらの神々から発現された身だが、今やその使命は果たされた」ということを彼らに思い起こさせた。そして、そのために作られたかりそめの身をかき消して、こちらに来る前まで住んでいた楽園に帰ろうと誘(いざな)った。

「生きとし生けるすべてのものたちの幸せを願い、熱意を込めて誓願(モンラム)を立てよう」と王は四人に言った。「三日ののち、われわれはこの世を去ることになろう」

五人そろって三日の間、飲食を絶ち、雑念を断って、いと高きところにいます神々から無下に儚(はかな)い虫たちにいたるまで、生きとし生けるすべてのものたちの幸せを願い、一心不乱にまったき思念の集中に没入した。その後、五人が瞑想の境地から脱すると、ケサル王は高らかな声で次のような誓願を唱えた。

「数ある山々のうち、ある山々は高からずあれ、他の山々は低からずあれ。数ある人々のうち、ある人々は強力であるなかれ、他の人々は無力であるなかれ。数ある富が、ある人々のもとに有り余ることも、他の人々のもとに不足することもあるなかれ。

高地は起伏することなかれ(文字通りには、「谷も高みもあるなかれ」)。

平原は一様に平らであるなかれ。

生きとし生けるすべてのものが幸せでありますように」

セチャン・ドゥクモ妃の誤解

ドゥクモ妃が答えた。

「もし高地に山も谷もなかったら、牧獣たちは雨風をしのぐよすがを見出せますまい。

もし平原がまっ平らでなかったら、種まきに不都合なことでしょう。

もし人々が平等で、皆が頭同然にふるまったら、物事はうまく行かないでしょう(文字通りには、「ことは運ばないでしょう」)。

幸せがチベットにあまねく広がりますように」

ケサル王はこの世に再来すると宣言する

「あなたにはわたしの言ったことがわからなかった」とケサル王はおごそかに言った。「わたしのことばはあまりに時期尚早だったようだ。もう一度言い直すために、わたしは再来するだろう[7]」

一同は賛歌を歌い、最後の瞑想に入り、〈意識〉を神界の楽園に送り届ける

そののち、ドゥクモ妃をはじめ一同は、絹の衣をまとい、たがいに肩を並べて立ち、吉祥を祈る賛歌を歌った。

「観音菩薩がチベットを見守りたまわんことを。
金剛手菩薩が中国を加護したまわんことを。
金剛薩埵[8]がリン国を守護したまわんことを。
大いなる御教えが花開きますように。
あまたの寺院が建立されますように。
栄えがあまねく満ちわたりますように。
ふさわしい季節に雨が降り、日が照り、生きとし生けるものたちの糧が豊かに育ちますように」

ケサル王はもの思わしげに一同を見やった。

「われらはこの肉体もろとも楽園に入ることはできない」と英雄はことばを継いだ。「明日、われらはポラン⑨の儀式によって〈意識〉を分離することとなろう」

五人とも不動のまま、ふたたびまったき思念の集中に入った。次の朝、曙光の射す前、白い虹に乗って、無数の神々が姿を現し、思い思いの楽器を奏で、花の雨を降らせた。

太陽の最初の光芒（こうぼう）が、遠くの山々のいただきに光の矢を放った。身じろぎもせず、伏せたまぶたを上げることもなく、ケサル王と仲間たちは「ヒク」と鋭い声で、それから「パット」とおごそかに叫んだ。すると白い山の岩の台（うてな）の上には、もはやもぬけの殻となった衣が五着、後光に包まれて残るのみであった。

注解

プロローグ I

(1) きわめて高次の精神修養次元に達し、次に生まれてきたらブッダになるであろう存在。〔訳注 サンスクリット語でボーディサットヴァ、すなわち「菩提(覚り)を目指す者」の意。〕
(2) チベット高原に棲む牛の一種。うなり声をたて、長い毛がある。
(3) 〔大麦の一種である裸(はだか)麦を炒(い)って粉にしたもので、〔バター茶に混ぜて食べる〕チベット人の主食。
(4) チベットの地理学では「西方の〔家畜の〕群れに富む」国。
(5) 「法輪を転ずる」とは教えを説くこと。
(6) 〔訳注 観音菩薩の六字真言で、「蓮の中の宝珠」の意。チベット人の間で最もポピュラーな真言で日本仏教の「南無阿弥陀仏」のようなもの。〕
(7) 〔訳注 原著では勝利者。ブッダの呼称のひとつ。〕
(8) 東西南北とその中間の方角、および天頂と地底の十方角。
(9) チベット語ではナムシェで、認識の根本主体を指す。他によい言葉がないので〈意識・

esprit 英語では the knower〉とした。〈意識〉とは、キリスト教徒が「魂」として理解しているようなものではない。より正確にはラマ教徒が列挙するたくさんの意識のうちのひとつを意味しており、それについて本書で説明するのは不可能である。著者の数々の旧著中の説明を参照のこと。〔訳注　具体的には、生きものが輪廻する場合、そのアイデンティティを継続する主体を指している。〕

(10) チベットのならわしに従い、山の中の人気のない場所に打ち捨てられ、はげ鷹に貪(むさぼ)り喰われたということ。

プロローグ Ⅱ

(1) 〔訳注　「蓮華から生まれた者」の意味で、蓮華生と訳される。チベット語ではペマ・ジュンネー。チベット仏教では一般にグル・リンポチェ「尊い師」と呼ばれ、第二のブッダと崇められる存在。〕

(2) 〔訳注　「銅色に輝く吉祥の山」の意。パドマサンバヴァの宮殿。〕

(3) パドマサンバヴァの妃のひとり。チベット人。

(4) パドマサンバヴァの妃のひとり。インド人。

(5) 〔訳注　「空を舞う女尊」の意。男性形はカンド。サンスクリット語では、男性形がダーカで、女性形はダーキニー。ブッダ・菩薩の従者で、その優れた能力でブッダ・菩薩の働きを手助けすると同時に、修行者・信者を助け、守護する。〕

（6） チベット人は〈〔死と再生の〕ふたつの間〉を指して〈バルド〉と呼ぶ。不確定な世界、夢幻的な領域、地獄の辺縁のようなところで、その中では死者の〈意識〉が、なかば麻痺した状態で、つまりものごとについての明瞭な思念が形成されることもなく、無数の幻覚のとりことなって、さまよっている。これは、楽園やこの地上世界、煉獄に生まれ変わる前の段階である。しかしながら、バルドの信仰は本来の仏教にはないものである。

（7）〔訳注　ひとりの人物が同時に複数の化身を産むことがある。〕

（8）〔訳注　古代のウイグル人・王国を指す。ウイグル人も含むトルコ族やモンゴル族の帝国は複数の部族で構成され、その各々に「王」がいる。本叙事詩のホル国の場合には、クルカル、クルナク、クルセルの三兄弟である。ちなみに「クル」は天幕でクルカル、クルナク、クルセルは各々「白天幕」、「黒天幕」、「黄天幕」の意。この部族連合体の全体を統治するのが「大王」で、クルカル王がそれにあたる。しかしながら本叙事詩では、「大王」という特別の称号は用いられておらず、三人の王が並列的に扱われている点に留意する必要がある。いずれにせよこのホル国征伐は本物語の中心テーマで、全十三章のうち第五章から第九章の五章分を占め、量的にはほぼ三分の一にあたる。〕

（9）〔訳注　ジャン国の王。第十章参照。〕

（10）〔訳注　南の国の王。第十一章参照。〕

（11）〔訳注　サタム王のジャン王国は、歴史的には南詔にあたり、現在の雲南省北西部に位置した。ここではリン国の「西の国」とされるが、実際には南方に位置する。〕

(12)〔訳注　修行を完成し、様々な超能力を身につけた者。〕
(13)〔訳注　「法輪勝楽」と漢訳される。〕
(14)〔訳注　「金剛豚母」と漢訳される。コルロ・デムチョク（法輪勝楽）とドルジェ・パクモ（金剛豚母）はチベット仏教の二大尊格。〕
(15)〔訳注　「その名を耳にするだけで、聞いた人に喜びが生じる者」の意。〕
(16)　ここで叙事詩人たちは、プロローグIをまるごと全部繰り返し朗誦する。
(17)〔訳注　具体的な実数ではなく、「多くの」といった意味であろう。この先現れる「十八頭のヤク」なども同じと思われる。〕
(18)　龍とは大海や湖、水源に住む蛇体の半神の類で、信じられないほどの財宝の持ち主とされる。女の龍が龍女。サンスクリット語では、男性形がナーガ、女性形はナーギーで、チベット語では男性形がルで、女性形はルモである。
〔訳注　インドの想像上の動物で、中国・チベットでは、同じく想像上の水生動物である龍（チベット語ではドゥク）と混同される。〕
(19)　チベットの地理観では、四つの大きな大陸と、それらの中間に八つの小さな大陸ないし島があるとされる。
〔訳注　仏教の世界観では、われわれ人間が住む南の閻浮州をはじめ、東の勝身州、北の倶盧州、そして西の牛貨州の四大陸があり、その各々の左右に小さな島があるとされる。〕
(20)　「神ならざる者」の意。巨人族の戦士の類。

(21) ここで用いられているのは、遊びやスポーツを意味する「ロルパ」ということばで、サンスクリットでは「リラ」という。

(22) この名誉ある座が師に与えられた理由は、チベット人の考えによれば、賢者は、ただ単に数々の徳と信心のおかげで神として生まれることができた神より、格段に優れているからである。〔賢者たるゆえんの〕知性は、徳や信心よりもはるかに優れたものと見なされている。

(23) 〔訳注　サンスクリット語はハヤグリーヴァ、チベット語ではタンディン。観音菩薩の一つの形。頭上に馬の頭が載っている。〕

(24) 〔訳注　物語中の登場人物の大半は、神々の化身であり、人間界ではその仮の姿にすぎない。〕

(25) 〔訳注　ドルマ女尊とは「(衆生を)救済する女尊」の意。サンスクリット語ではターラーで、チベット仏教に導入され、もっとも崇拝される女尊の一つ。〕

(26) 〔訳注　チベット語ではチャナ・ドルジェ。菩薩のひとつの形で、手に金剛杵(こんごうしょ)を持つ。〕

(27) 〔訳注　ここに名前が挙げられているだけで、実際の物語中には登場しない。〕

(28) 〔訳注　本物語の舞台であるアムド地方(東チベット。現在の青海省)にある積石山山脈の最高峰マチェン・ポムラ(アムネマチェン。標高六二八二メートル)がモデルであろう。この山はこの地方の守護神と見なされている。〕

(29) 〔訳注　現在の中華人民共和国四川省西部カンゼ(甘孜)・チベット(蔵)族自治州の徳格県一帯。宋元時代にあったリン(嶺)国に該当すると考えられる。この国の支配者であった家系はリンツァン(嶺倉)と呼ばれ、ケサル王の子孫であるとされ、現在まで続いている。〕

第一章

(1) 〔訳注 「貴重な師」の意味で、パドマサンバヴァを指す。〕

(2) 〔訳注 サンスクリット語グルの訳語で「上師」の意味。チベット仏教では、「仏も師なくしては仏になれなかった」と言われ、師は仏以上に崇められる。チベット仏教がラマ教と呼び習わされる所以である。〕

(3) 原語のンゴンポという形容詞は「青」を意味するが、チベット人はこの修飾語を「銀灰色」の毛の動物に当てはめる習慣がある。似たような例として、チベット語には「緑」ということばがあるにもかかわらず、若葉や若草は「緑」ではなく「青」と言われる。著者がチベットを旅している間、自分の乗る馬や雌ラバが、まるでおとぎ話の中でのように、「青」と称されるのを耳にするのは、数ある楽しみのひとつであった。

(4) ヤムドク湖はラサの南にあるので、この地理情報によれば〔東北チベットに位置する〕リン国からはるか遠くに導かれてしまう。
〔訳注 この箇所は本文中で( )内に挿入されているが、物語そのものではなく、原著者のコメントである。それゆえに、読みやすさを考慮して、訳文では注とした。以下同様なコメントがいくつかあるが、同じ扱いをした。〕

(5) チベット人はこの種の人定訊問をけっして欠かすことがない。旅人のほんの些細な用を足してやるにも、その前にたいがい、この種の質問を微に入り細をうがって、うんざりするほど延々と続ける。

（6）　この箇所から、物語に中国の影響があることがうかがえる。チベット人は床にじかに置いた座ぶとんの上か、壇の上に坐る。本来の意味での椅子はない。

（7）〔インドの〕想像上の海洋動物。

〔訳注　漢訳仏典では摩伽羅魚（マカラ）。〕

（8）　中央チベットでは家族内での一妻多夫――何人もの兄弟がひとりの妻を持つこと――が行われているのはよく知られている。共通の妻から生まれた子どもたちは、兄弟のうち年上の者を「父」と呼び、それ以外の年下の者たちを「叔父（おじ）」と呼ぶ。

（9）　チベットではこれ〔カタ〕は、敬意や感謝のしるしとして、また、到着した人への歓迎の意や、遠くへ旅だつ人への旅の安全無事の願いとして、あらゆる場面で贈られる。寺院の彫像や仏典などにも捧げられる。チベットでは、荷物の中にこれを用意せずに旅することはできない。織物としての品質と長さが、これを捧げる相手に対する評価の度合いを示している。

〔訳注　細長くて薄く、真っ白な純絹の布。大きさはまちまちで、幅は二〇センチから一メートル、長さは一から三メートル程まで。〕

（10）　文字通りには、「彼女は主人、つまり持ち主（ダクポ）と出会うだろう」。

（11）　チベット北部の広大な無人の地を正確に表した描写である。

（12）　この描写があてはまるのは、おびただしい湖があるチャンタン高原（チベット北部の砂漠地帯）の中央部である。

(13) オン・マニペメ・フンの六字真言を指す。

(14) 詩的比喩はさておき、これらの描写はすべて、北部チベットの実際の風景に照応しており、この国を知る人ならたやすくその場所を同定できるだろう。

(15) パーは次のように作られる。バター茶を少量お椀の底に残しておき、その上に焙じた大麦の粉(ツァンパ)を注ぐ。粉の量は、お椀の縁をかなり越えるほどの高さの小さなピラミッドが十分できるくらいでなくてはならない。まず人差し指を粉の中につっこみ、たくみにゆっくりかき回して粉を湿らせる。次に人差し指と中指でかき回し、粉が十分に湿ってひとつの塊にまとまったら、最後に手のひらと指とで握るようにして捏(こ)ねる。こうして粉をほぼ水気のない団子状にしたものをパーといい、それだけを食べたり、肉や凝乳(ぎょうにゅう)などと一緒に食べる。この作業を始めるにあたっては、乾いた粉をお椀からこぼさないよう、注意せねばならない。こぼしたりしたら、ひどく行儀が悪いことになる。

(16) 〔訳注　原著にはなんの説明もなく「ビール」と記してあるが、チャンと呼ばれるチベットの発酵酒のことを指していると思われるので、こう変更した。以下も同じ。チャンは小麦、稗、粟など様々な穀物からつくられる一種のどぶろくで乳白色である。それゆえに、著者自身が本章注(33)で指摘しているように、「暗い色」というのは奇妙である。〕

(17) ブッダとその偉大な教えと僧侶たちの集団〔＝仏法僧〕。

(18) 「夜の国」の意。

(19) ゴン国の女。

(20) この国の風習ではこのような考え方がよしとされている。

(21) 〔訳注　チベット語ではギェルツェンで「勝利の幟（のぼり）」の意。円筒状の五色の布で中に竿柱があり、持ち運ぶことができる。寺院、王宮などの屋根の上に固定する場合もあるが、その場合は金属製で、一般的にはゲンジラと呼ばれる。〕

(22) チベット人の聖水。

〔訳注　サンスクリット語ではアムリタ。不死の霊水。〕

(23) ケサルに生まれ変わるはずの神。

(24) チベットではきわめて一般的な装飾。八つの文様とは、(一)金の法輪、(二)不死の水を湛えた宝壺、(三)右回りに螺旋を巻いた白い法螺貝（ほらがい）、(四)勝幡（しょうばん）〔本章注(21)参照〕、(五)吉祥紐、(六)蓮華、(七)金魚、(八)宝傘である。

(25) チベット人は、ある人物や品物への非常に深い執着が、〈意識〉の旅立ちを長い間、延期させうるようなほだしを生むが、しかしながらそのほだしは、瀕死の人を快方に向かわせることはできない、と信じている。彼らによれば、この旅立ちはまた、この世を離れる前に何らかの行為を成就したい、とか何らかの義務を果たしたい、といった願望によって延期されることもありうる。瀕死の人が望んでいる行為を、その人に代わって成し遂げてあげるとはっきり約束することが、その人の生への執着を終えさせることになり、〈意識〉はついに身体から抜け出る。

(26) 〔訳注　明記はされていないが、名前からすると弥勒菩薩の兜率天（とそつてん）のことと思われる。〕

(27) 〔訳注　この三人は、後に登場するトゥンチュン・カルポ、ミタク・マルポ、ルトゥク・オセルの三神で、ケサル王の守護神である。チベット仏教では、人間には出生と同時に倶生神(くしょうしん)と呼ばれる守護神がいる。普通には左右両肩の二柱であるが、ここでは頭も加えて三柱である。またここでは同時ではなく、ケサル王誕生に先立って生まれている。〕

(28) アク。〔訳注　厳密には「父方の叔父」を指す。〕この称号は必ずしも実際の親族関係を示すものではない。礼儀上、人々の間で、年長者に対して用いられたり、あるいはまた、若者であっても個人的な地位や家族の身分ゆえに人々が敬意を払うような存在に対して用いられる。〔訳注「甥」を指す親族名称「ツァオ」も同様である。第三章注(6)参照。〕

(29) 〔訳注　先に言及のあった彼女の頭と両肩から生まれた白色、赤色、青色の童子のこと。〕

(30) 〔訳注　彼女の胸から生まれた童女のこと。〕

(31) すでにプロローグⅡで〔母親の三通りの化身に関して〕述べたとおり、チベット人によれば、同一人物が同時に複数の化身を持つこともありうる。〔プロローグⅡ注(7)参照。〕

(32) チベット人は男も女もとてもたっぷりとした服をまとい、腰に帯を締めている。そこで胸のあたりにポケットのようなものができる。チベットの服は例外なくそうなっていて、その中に実にさまざまなものがしまわれる。庶民の女性は、特に冬、毛皮の裏打ちのある服をまとうと、しばしば幼い子どもたちをすっぽりその中に入れて暖をとらせてやる。

(33) チベットのチャンはほとんど無色だから、奇妙な比喩である。〔本章注(16)参照。〕

(34) ヤクの雌。

(35)　一般に古典語では、この用語は、バラモン教徒やジャイナ教徒のインド人、つまり仏教徒から見れば「異端者」を意味する。ケサルの叙事詩の庶民的な文体においては、おそらく、単に仏教徒以外の人々、どちらかといえばネパール密教の信者を指して使われている。この叙事詩のいくつかの箇所は、後者の見解を許すものである。

(36)　この種の隠遁と暗中籠居については、原著者自身の『チベットの神秘家と魔術師たち』(英語からの訳は『チベット魔法の書―「秘教と魔術」永遠の今に癒される生き方を求めて―』(林陽訳、徳間書店、一九九七年刊行)をはじめとする、チベット仏教に関する様々な著作で詳しく扱われているので、それらを参照のこと。

(37)　チベットで用いられている尺度で、ドンパと呼ばれる。たとえば一枚の布を指でつまんでから、両腕を大きく広げ、できるかぎり背中の方に伸ばして、ぴんと張った布の長さが一ドンパである。小柄な人がこの種の尺度にのっとって商品を買う場合は、手の長い友人の協力を何とか得ようとする。

(38)　〔訳注　原著には「黒い人々」(俗人の意)とある。〕

(39)　三界は欲界、色界、無色界で仏教的世界観での全宇宙を指す。

(40)　儀礼用の極彩色のバター・小麦粉細工で、ごく小さなものもあれば、数メートルもの大きなものもある。

(41)　賢者の意、ブッダの弟子たち。

(42)　涅槃(ねはん)。

(43) ジョルとはカースト、子孫の意。ここではこのことばは「名誉ある先祖を持つ者」を縮めた言い方として使われている。この他に、貴人を意味するジョリクあるいはジェリクという言い方をする叙事詩人もいる。どちらの場合も、召使いの女と誰かもわからない父親の間に生まれた子どもの素性に対して、嘲り(あざけ)をこめて付けられたあだ名である。

(44) 野生のロバ。

(45) 野草の根。澱粉を含み、甘く、栗のような味がする。

第二章

(1) 〔プロローグⅡ(三九―四〇頁)参照。〕

(2) 〔訳注 第一の宝を、命の結び緒、命の水、命の丸薬という個々の品物ではなく、不死の命という宝だと解し、弓と矢は一対のものではあるが別々に数えると、八宝となる。〕

(3) ラマが真言を唱えながら結んだ、布でできた細いリボン。これを首に結びつけていると、その人の命が護られるとされる。

(4) 〔訳注 杵(きね)に似て中央がくびれ、両端に刃(=鈷(こ))をつける。本来はインドの武器で、仏教では修法に用いこれにより煩悩を破ると言われる。〕

(5) インド神話中の伝説的な鳥。チベット語ではキュン。〔訳注 漢訳仏典では金翅鳥(こんじちょう)と訳されるか、あるいは迦楼羅(カルラ)と音写される。〕

(6) チベット北東部、〔青海省〕玉樹地方。

（7）〔訳注　プロローグⅡ（四一頁）及び第九章（三二六頁）に従いこう改めた。原著にある「チョムデン・ドルマ（勝利者のドルマ）」は直訳すれば「仏のドルマ」で尊格としては存在しない。また第四章（一八二頁）には「白い勝利のドルマ」も登場するが、これもドルマ女尊の名称としては知られていない。〕

（8）チベット人がズィと呼んでいる石。〔訳注　天眼石あるいは縞瑪瑙と呼ばれる。本体は褐色で、「眼」とよばれる白線四角形の模様があり、その数が多いほど珍重される。〕

（9）裕福なチベット人、とりわけ大ラマたちは、保有する金を円輪や太鼓の形に鍛造させ、宝物庫に保管する。この種の金輪の中には非常に大きなものがあり、その重さゆえに運搬が極めて困難となるので、これは盗難防止のためである。

（10）〔第一章注（37）参照。〕

（11）〔訳注　おそらくチベット語でラプセーと呼ばれる部分。チベット建築は、その分厚い石壁構造上、窓や明かりとりがほとんどない。しかし最上階だけは例外で、床部分の梁を少し壁の外に張り出させ、その上に木造で明かりとり（大きい場合には長方形のベランダとなる）を設けることができ、ここが唯一開放的で明るく、外を見渡せる場所となる。〕

（12）「チャム」とは良家の結婚した女性を表す、礼儀にかなった呼び名である。とはいえ、貴族の女性に対する「ラチャム・クショ」という、さらに格上の称号に値しない女性に対するものである。チベットでは、妻を名指しで呼ぶこと、まして夫を名指しで呼ぶことは、礼儀に悖（もと）るとされている。「クショ」はフランス語の monsieur を一段高めた称号で、英語では sir に匹敵し、mister より上位に当たる。

(13) 礼儀正しい呼びかけ方として、相手が必ずしも実際に親族ではなくても、人々の間で一般に用いられる。

〔第一章注(28)参照。〕

(14) チベットの鞍は木製で詰め物が入っている。豪華さはまちまちだが、毛氈で覆うのが慣例である。鞍の前方は高く持ち上がった形をし、装飾が施されている。

(15) たてがみと尾が黒い河原毛の馬はチベットでは非常に高く評価される。

(16) 〔訳注 「叔母」の意。神意の伝達者。〕

(17) 十字形の模様が捺染された毛織物。

(18) 〔訳注 橛は杭の意味で、一方の先端が三稜の鋭い刃物のように尖った法具の一種。サンスクリット語でキーラ、チベット語ではプルパ。また、第三章(一三二頁)のように、この形をした尊格でもある。〕

(19) チベットではしばしば、ある個人ないしある集団の〈命〉は、山や樹木や生命のない物体の中に宿るとされる。それらを傷つけたり破壊したりすると、それらと不可分の命を持つ個人や集団の病や死を招くことになる。たとえば、チベットの〈命〉はヤムドク湖と不可分とされる。

(20) 奥義伝授、精神的エネルギーの伝達を意味する。チベット語ではワンクルで、様々な種類がある。

〔訳注　師が教えを授けるに際して、弟子(信者)にそれを理解・実践する能力があることを認定すること。形としては、その起源であるインドの儀礼に則って、頭に聖水を数滴濯ぐ。一般には、御加護と理解されている側面もある。〕

第三章

(1)　パルラは訶梨勒の異種。キュルラは浄血剤として使われる。

(2)　肝臓病に用いられる。

(3)〔訳注　本物語でのブラフマー神は、九つの頭(面)を持つと考えられている。「九」は象徴的な数で、他にも九つの頭を持った蛇、亀、象が登場する。一般的にはブラフマー神は四頭(面)であり、この形は第三章(一四五頁)に一度だけ登場する。〕

(4)　この四つの極端な理論は、チベット語では「ム・シ」といい、次の四項に関するものである。(一)開始と停止。(二)永続性と中断ないし分断。(三)存在と非存在。(四)現象界と虚空。

(5)〔第二章注(19)参照。〕

(6)　ツァオ。〔訳注　厳密には「甥」を指す。〕年下の話し相手に対して用いられる親密で情愛のこもった呼びかけ方で、相手は必ずしも親族とは限らない。

〔訳注　「父方の叔父」を指す親族名称「アク」も同様である。第一章注(28)参照。〕

(7)　「数々の薬の至高の谷」の意。

(8) シェンラプはボン教の開祖。

〔訳注　ボン教は、仏教伝来以前のチベットの土着宗教。〕

(9) ブッダがこの地方に滞在したという歴史的事実はなく、伝承にすぎない。

(10) ヴァジュラ・キーラはシヴァ神の数々の異称のひとつ。シンジェはインド神話における地獄の閻魔のチベット名。

〔訳注　両者とも仏教の尊格でもある。〕

(11) ワンチュク・チェンポはシヴァ神の別名。すでに示した通り、インドのさまざまな神々がチベット仏教に取り入れられ、その性格は完全に変容し、チベット仏教の様々な尊格となっている。ドゥクリ・ナクバルは「黒焦げの毒の山」の意で、土着の地方神の名と思われる。

(12) 神秘的象徴語法に特有の用語。

〔訳注　両者とも仏・菩薩の持物で、前者は衆生を救うための投げ縄である羂索、後者は同じく衆生を救うための釣り針。〕

(13) この馬がある神の化身であったことを思い出してほしい。

〔訳注　プロローグⅡ(四二頁)でこの馬は大日如来の化身とされている。著者はここで、トゥルクとトゥルパという共に化身を意味する用語に関して、著者の他の著作を参照するようにと述べているが、トゥルクとトゥルパの相違は厳密でなく、著者自身の使い方も必ずしも一貫していない。〕

(14) チベット人は、疾駆する馬に乗った神によって、風が起こると信じている。投石器で馬の向かう方向に石を投げ、もし馬の脚にぶつけることができれば、その走りを妨害できる。もし投げ縄で馬を捕らえられれば、馬の動きを封じることができ、その結果、風は止む。このような高度のわざは、ふつうは特別な神か大魔術師にしか行えないが、魔法の達人のラマたちは、目に見えない駿馬の脚に石をうまく投げられると自負している。

(15) チベット南西部、ンガリ地方にあった国の旧名。仏教の開祖ゴータマ・ブッダに匹敵する、ボン教の開祖シェンラブ師の祖国である。

(16) 「御法(みのり)の大海の蓮華」の意。ルンジャク・ナクポの娘である。

(17) フランス語の「占い師が二人いると、お互いに〔手の内が読める同士なので〕失笑を禁じえない」という諺に通じる。

(18) チベットの僧院は都市そのものであることを思い起こしてほしい。詳しい説明は『パリジェンヌのラサ旅行』(中谷真理訳、平凡社、東洋文庫、一九九九年)参照。

(19) 赤い風とは、文字通り赤い色の風という意味ではなく、激甚な大嵐を指すことばである。

(20) 〔訳注　原著者が( )内でこう記していることからすると、雄の駿馬ではなく雌の駿馬であるべきと考えていたと思われる。〕

(21) チベットでは、いとこ(従兄弟・従姉妹)どうしは、互いに兄・弟・姉・妹と呼びあい、また、実の兄弟姉妹と同様と思われている。そのような間柄どうしの結婚は、近親相姦と見なされる。

(22) 以下の歌詞からは、カム地方(チベット東部)の英雄叙事詩の中で歌われる歌とはどんなものか、おおよその見当が付くだろう。このような歌はケサル王の叙事詩に豊富にあり、そのため物語の展開はとぎれとぎれになる。その多くはボン教徒から取り入れられたものである。

(23)〔訳注　信者との間に誓約による格別な絆が結ばれた尊格。念持仏、守り本尊的存在。〕

(24)〔訳注　ラマ、イダム、カンド(マ)はチベット仏教の三本柱ともいうべき存在で、もっとも崇拝されている。〕

(25)〔訳注　原著にはメンリン・マルチァムとあるが、前出のメンリン・ゴンマに統一した。〕

(26)〔訳注　観音菩薩、文殊菩薩、金剛手菩薩の三菩薩。〕

(27)〔訳注　原文にはボン教の開祖シェンラプとあるが、文脈からして、こう訂正した。〕

(28)　一本の矢をさまざまな色の数枚の絹布で包んだ祭具。

(29)　インドの宇宙観におけるメルー山。

(30)〔訳注　尊格名であるが未詳。〕

(31)〔訳注　尊格名であるが未詳。〕

(32)〔訳注　死者の〈意識〉を身体から分離させ、仏国土に送り届ける儀礼。〕

(33)〔訳注　サンスクリット語ではストゥーパで、仏塔のこと。チベットでは、鎮圧された悪霊などが、再び威力を取り戻さないために、チョルテンで抑え込むのが一般的である。〕

(34)「大いなるみことば」は、ここではカンギュル(仏のことばの集成)を指している。「小さなみことば」とは「注釈集」つまりテンギュル、およびその他の哲学的な論書の集成のことと思われる。

(35)　哲学に精通したバラモン僧のこと。

〔訳注　仏教僧にも用いられる。〕

(36)〔訳注「仏法宝珠」王の意。ルンジャク・ナクポ亡き後の、新たな王の名前であろう。名前の通り仏教王である。〕

第四章

(1) ケサルとして転生してきたトェパ・ガワの、神界における両親のこと。〔プロローグⅡ（三六頁）参照。〕

(2) チベットの住居のほとんどと同様、土間のたたきが床の代わりになっている。厨房は一階に設けられていたと思われる。

(3)「クショ・ラ・オギェ」。挨拶としてよく使われる表現。

(4) チベット暦による名称。

〔訳注　チベット暦では日本と同じく十干十二支で年を数える。十二支は日本と同じであるが、十干は異なる。日本では、木、火、土、金、水の五行の各々に、陽すなわち兄、陰すなわち弟を当てて、甲、乙で始まる十干とする。こうして得られる六十周年のことを兄弟（正しくは干支）と呼ぶ。チベットでは、木、火、土、鉄、水の五要素の各々に男女を当てて、木・男、木・女などとする。そしてこの六十周年をラプジュンという。〕

(5) 地獄というよりむしろ煉獄のこと。というのは、そこの住人は死ねば別の場所に生まれ変わるとされているから。仏教徒には〔キリスト教のように〕永遠に続く地獄という概念がない。

(6)〔プロローグⅠ注(9)参照。〕

(7)〔プロローグⅡ注(6)参照。〕

(8)　仏教経典に用いられる〔仏弟子に対する〕礼儀正しい呼びかけ。〔訳注　漢訳仏典では善男子。〕

(9)〔訳注　両眼、両耳、二鼻孔、口、尿道、肛門。〕

(10)〔訳注　ヨーガでは、生命エネルギーが人間の体内を通う気道(ナーディー)が三本あるとされる。ウマが中央の道で、ロマ、キャンマが左右の道である。〕

(11)〔訳注　字義通りには「唯一母」であるが、尊格としては未詳。〕

(12)〔第二章注(7)参照。〕

(13)「良家の子弟よ」からここまでの箇所はすべて、臨終の人や息を引き取った直後の死者の枕元で、ラマが執り行う儀式で唱えられる祈禱のことばを踏襲している。

(14)　チベットでは、座ぶとんや敷物はもとより、他のどんな物であれ、他の人が坐ったり足で踏んだりした物の上に頭を載せることは、忌むべきこととされている。チベット人にとっては、不浄な品を欺いて枕として誰かに差し出すという行為は、重大な過失と見なされる。彼らによれば、そのような枕を使った人には汚れ(けが)がうつり、病気や精神障害につながりかねないとされる。チベット人の多くは、赤の他人ではなく自分自身が坐った座ぶとんでさえ、枕として使うのは避けるものである。

第五章

（1）〔第二章注(20)参照。〕

（2）死者の骨を砕いて粉状にし、粘土に混ぜて、小さな仏塔の形にしたもの。

（3）リン国王センロンは、ケサルが生まれる前に巡礼に出ており、死んだと思われていた（第一章・第二章参照）。彼はいつ帰って来たのだろうか。この叙事詩は個別の断章として単独で朗誦されるため、叙事詩人たちは数々のできごとを一貫した論理に沿って配置しなくてもかまわない。センロン王は、ケサルがルツェン王国に出発する前に、ふたたび姿を現し、ケサルと長らく友好な関係にあったらしい。著者が朗誦を聞いたのとは別の叙事詩人たち、あるいは著者が所蔵するのとは別の写本類の中には、センロン王がリン国に帰って来た状況や、自分に代わって王となったケサルとの関係について触れているものがあるかもしれない。この件について著者が集めた情報は漠然としている。それゆえさしあたり、センロン王がリン国に帰国していたこと、息子のギャツァ同様、ケサルともきわめて親しい関係を結んでいたことを知って、もって満足すべきだろう。

（4）〔訳注　原著中の括弧内に〈直訳すると〈彼の生命源〉〉とある。〕

（5）〔訳注　「（煩悩を）断ち切る（チェ）」行為およびそのための特殊な修行。〕

（6）〔訳注　原著の括弧内に（神秘主義の苦行者の特別な階級）とある。〕

（7）センロン王が旅立って間もなく、王の召使いから生まれたケサルは、それ以来ずっと、王の息子であり、〔正妃から生まれた〕ギャツァの〔異母〕弟だと考えられてきた。それゆえ、ギャツァの息子〔ダプラ〕にとってケサルは父方の叔父に当たる。加えて、この少年はケサルの養子となり、現在のリン国王は彼の子孫だと自称している。
〔訳注　ギャツァとケサルとの間には血の繋がりはないが、世間的には兄弟と見なされていたし、両者もそう認識していた。それゆえに本文中ではギャツァはケサルの兄とされる箇所もあり、友人とされる箇所もあるが、矛盾しているわけではない。〕

（8）　この詩が朗誦される際は、これらの一部始終がもう一度、最初から最後まで繰り返し語られる。

（9）　チベット人によれば、魔術によって形作られたこれらのトゥルパやトゥルクは、それらが代理する人物や動物自体に可能な行為は、何でも行うことができるという。

（10）　チベット人は、旅行するときや日中野外で過ごすときには、お茶を飲むための茶碗を携行する習慣がある。彼らは他人が使った茶碗でお茶を飲むことを忌み、そのようなことは滅多にしない。

（11）　前〔本章注（8）およびプロローグⅡ注（16）など〕にも指摘した通り、一部始終が再度繰り返される。リン国に帰ったセンロン王は、自分のかつての召使いでケサルの母であるゴンモ（本当の名は龍女ゼデン）から、彼にまつわる特異な事象をすべて知らされたにちがいない。

（12）〔プロローグⅡ（四一頁）参照。〕

（13）　食糧を携行しつつ長旅をするとき、種や穀類の入った袋を寝台に使うことは、チベットでは通常のことである。ふとんもないような貧しい人たちも、自宅でそうしている。

(14)　旅人が、旅の途上で靴の底革を自分で張り替えるのはよくあることである。

(15)　アシ・ラ、丁寧な呼び方。

(16)　前述の通り、マ・ネネとは祖母を意味する。

〔訳注　「前述の通り」とあるが、原著にはこれ以前に説明がない。また「祖母」とあるが、一般的には「叔母」を指す。第二章注(16)参照。〕

これは単なる名前ではなく、称号である。それゆえここでは、「祖母〔＝叔母〕なるドルマ」と解される。ドルマはラマ教の諸尊の中の主要な女神である。〔プロローグⅡ注(25)参照。〕

(17)　〔第三章注(6)参照。〕

〔訳注　ケサルはセンロン王と召使いの女ゴンモとの間に生まれた私生子と見なされていた。それがゆえに、ケサルはセンロン王の弟であるトトゥンの甥にあたる。〕

(18)　ケサル王の北国への出発に当たって発言した〔訳注　第三章(一三一頁)参照。ただし北国ではなく、外道の魔術師たちを征伐するための出発に際しての発言〕、既知の人物だが、その場面では、これほど途方もない年齢は付与されていなかった。

(19)　ここでまた〔本章注(8)、(11)で述べたように〕、これまでの一部始終が改めて物語られる。

第六章

(1)　野生の雄ヤク。巨大で、想像上の怪物はいざ知らず、現存するものの中ではきわめて恐るべき猛獣。チベット北部の草原には、いまだに野生のヤクが生息している。群れを成し、年老いた雄に率いられている。

（2）〔第一章（六八頁）参照。〕

（3）偉大なブラフマー神で、本物語では九つの頭を持つブラフマー神とは別とされる。〔訳注　原著者はツァンパ・ギャジンを「偉大なブラフマー神」という一つの神と見なしているが、字面からはブラフマー神（ツァンパ）とインドラ神（ギャジン）の二神と解釈するのが自然である。しかし後の箇所では、インドラ神は登場しないので不可解である。〕

（4）〔訳注「九つの頂を持つ金剛」の意。〕

（5）ディクチェン・シェムパはケサルの兄で、龍女の臍から出て来た袋に入っていた三人の童子のひとりである。〔第一章（七三―七四頁）参照。〕クルカル王に育てられ、その後、王の大臣になっていた。〔ジェクンドの町で〕著者にケサル王の叙事詩を朗誦してくれた叙事詩人たちのうちの第一人者が、ディクチェン・シェムパの生まれ変わりだと自称していたことが、思い起こされる。

（6）〔訳注　原文にはクリームとあるが、チベット文化圏には乾燥クリームはないので、こう改めた。〕

（7）〔訳注　トゥンチュン・カルポ、ミタク・マルポ、ルトゥク・オセルの三神。〕

（8）〔訳注　ここで著者は、「魔法の金剛杵のこと」と括弧内で記している。チベット仏教では金剛杵は雷電を起こす法具と見なされている。〕

（9）チベットの習慣では、動物たちは荷を下ろし、鞍をはずした上で、泳いで川を渡ることになる。

(10)〔訳注　中央チベットの西半分の地方。〕

(11)〔第一章(七六頁)参照。〕

(12)〔第一章注(21)参照。〕

(13)チベット語の「オイ」は、使用人や目下の人間を呼ぶときに用いられる間投詞。

(14)チベットの多くの場所では、隊商が村の近辺や、近くの牧人の牧場となっている地所に野営するときは、その村人や牧人は、動物たちが食(は)んだ牧草や飲んだ水の代金を請求する。

(15)〔訳注　ロンポは「大臣」の意。〕

(16)〔第十章参照。〕

(17)〔訳注　チベット文化圏に南接するインド系の王国。おそらく伝承上の国で、歴史的に実在したかどうかはわからない。〕

(18)〔訳注　仏教の世界観では、生きものは様々な境遇に輪廻転生する。その境遇の善し悪しによって善趣(天、人、時として阿修羅)と悪趣(地獄、餓鬼、畜生)に分けられる。〕

(19)アシ。社会的に身分の高くない女性に話しかける際の丁寧な言い方。
〔訳注　適切な説明ではない。「アシ」は元来「姉」を指すが、既婚の年配の女性に対して用いるのは敬意を欠くことになる。それゆえに、この場合のように従僕がドゥクモ妃のような高貴な女性と話すときに使えば、不躾(ぶしつけ)となる。なお、高い身分の既婚女性に対する丁寧な呼びかけのことばについては、第二章注(12)、第八章注(14)参照。〕

(20) これは単に、この人物の顔色が浅黒いという意味だろう。

(21) この奇妙な問いは、典型的なチベットの習慣である。役人やラマに面謁に行くとき、何を献上するつもりなのかを、前もって相手の使用人に告げておくのが習わしである。それを伝えないままだと、「何をさし上げるのですか」と質問されることになる。客人は多かれ少なかれ、持参した贈り物の価値に応じた儀礼をもって迎えられる。

(22)〔第一章注(16)参照。〕

第七章

(1) 乾燥したヤクの糞を牧草地で拾い集めて燃料に用いる。

(2) チベット語の語呂合わせ。ソク・パ・メ、ソク・パ・イン。「ソク・パ」は、同音・異綴りで、「肩」でもあり、「命」でもある。

〔訳注「これは肩ではなく、命だ」の意。〕

(3) これも語呂合わせ。プン・パ・マ・レ、ダ・プン・レ。「プン・パ」は「肩」の意で、「ダ・プン」は、「敵の群」の意。

〔訳注「これは肩ではなく、敵の大軍だ」の意。〕

(4) このようなヤクや羊の肉を日干しにしたものは、生活にゆとりのあるチベット人の主食である。彼らは新鮮な肉より干し肉の方をはるかに好んでいる。干し肉は保存状態がよければ数年は持つ。

（5）チベットの人々はこの種の祝賀行事が大好きである。数日間、ふさわしい場所に天幕を張り、たっぷり飲んだり食べたりし、その間に、競馬、駆けくらべ、袋を履いての駆けくらべ、ぴんと張った綱の上を跳ぶ高跳び、弓術、歌舞、フランスでは少女たちの遊びである縄跳びなどさまざまな競技に熱中する。これらの競技は、最後に挙げたいくつかを含め、すべて男性によって行われる。

（6）パヲ、「英雄」の意。ここではひとりの兵士。

（7）このような離れ技は、東洋のたくさんの物語に見られる。『ラーマーヤナ』では、猿王ハヌマーンは、薬用植物を摘むのをためらい、山ごと病人のもとに運び、有用な草を病人に選ばせる。

（8）〔第二章注(19)参照。〕

（9）ラマや首長たちの多くは、このような小型の動物園を、邸の中に具えている。

（10）この種の奇跡は、チベットやインドの物語には、しばしば繰り返し語られる。

（11）〔第一章(六八頁)、第六章(二二〇頁)参照。〕

第八章

（1）〔訳注　「ロ(年)スム(三)・チョク(同様)スム(三)」は、字義通りには「三年」と同様に「三」のものが全部で三つ(すなわち年月日)で、正確には三年三月三日間。〕

（2）挨拶の際の古典的な決まり文句。

（3）レルパチェン。このラマは髪を伸ばし放題にする苦行者たちの部類であった。

（4） ケサル王の母の龍女の頭から生まれた童子。〔第一章（六八頁）、第六章（二二〇頁）参照。〕〔訳注　原文にはトゥクジャク・カルポとあるが、こう訂正した。〕
（5） これらの馬は、賓客として迎えようとする旅人とその従者たちの〔今まで乗ってきた、〕疲れているであろう馬の換え馬として、遣わされる。
（6） 小麦粉とバターで作られる祭式用の捧げ物や神仏の像。〔第一章注（40）参照。〕
（7） 〔第二章注（19）参照。〕
（8） 高位のラマや枢要な地位にある首長の邸は、金色の屋根を載いている。
（9） 「銅と金の真っ暗な山」の意。
（10） このことばには中国の影響がうかがえ、この出来事の場所がチベットの東部〔中国との〕国境地方であることをよく示している。トンツは中国語の甘粛地方の方言で、通訳を意味する。通訳を意味するチベット語はケニ（skad gnyis）である。〔訳注　トンツは、中国語で通訳を意味する「通事（tongzi）」のチベット語読み。〕
（11） 〔訳注　この地名（国あるいは町）に関しては、第十章注（17）参照。〕
（12） このようにして、弓矢の結果によって運勢を変えることについては、『パリジェンヌのラサ旅行』に見るとおり、今日のチベットでも行われている。
（13） 〔訳注　ここに三神が登場するが、最初のナムティク・カルポの「ナム」は天（ちなみにカルポは白）、続くサティク・ナクポの「サ」は地（ちなみにナクポは黒）、そして最後のバルティクの「バル」は中間の意味である。チベット人の宇宙観では、世界は天、中間（虚空）、地（および

地下）の三層に分かれている。この三神でもって、全ての神々を表している。〕

(14)　ラチャム・クショ。高い身分の既婚女性に対して用いられる非常に丁寧な呼びかけのことば。フランス語の Madame la noble épouse とほぼ同じ意味。

(15)　クルカル王の臣下がそのもとで暮らすことを強いられている拘束を描写する比喩的な表現。

(16)　〔第六章注(19)参照。〕

(17)　彼女はいまだに三人の外国人の正体について疑念を抱いており、彼らのひとりがケサル王であった場合にそなえて、貞節な妻として心変わりしていないことを見せびらかそうとしている。

(18)　インドに見られるようなカースト制度はチベットには存在しないが、それでもやはり、ある種の人々は町なかや村に住んだり、上流階級のチベット人の家に足を踏み入れたりするのを、一般的に認められていない。それに該当するのは、肉屋、職業的な乞食、死体運搬人たちである。しかし、これらの禁制は今日ではかなり弱まっているように見える。肉屋はラサの中心地で店の奥に居を構えている。

第九章

(1)　〔訳注　第一章（七三―七四頁）参照。ただし、この三人とケサル王の神界における関係はどこにも述べられていない。〕

(2)　土地の神や先祖の神を祭るこれらの祭壇は、ただの石の小高い丘だが、ときには大規模なものもある。頂上には乾いた枝にまじって、経文が記された吹流しや、牧畜民の場合は羊毛やヤクの尾の毛などが飾られている。

(3) この場合のラマはチベット古来の宗教であるボン教の信徒。シャーマン。

(4) ギャリンはオーボエの一種。ラクドンはチベットの長大なトランペット。

(5) チベット人は、雷電は天上に棲む巨龍の卵が投げ落とされることによって生じると信じている。この卵が稲妻で、当たった人を殺す。嵐のときにこれらの卵が落ちるのを見たと主張する人が大勢いる。著者のためにこの詩『ケサル王物語』を朗唱してくれた叙事詩人も、そう自慢していた。

(6)〔訳注　サキャ・パンディタ・クンガ・ゲルツェン(一一八二―一二五一)のこと。〕

(7)〔訳注　クンチョク・ゲルポ(一〇三四―一一〇二)を開祖とするチベット仏教の一派。〕

(8)〔訳注　サキャ派の大本山で、西チベットのツァン州に位置する。〕

(9) 偉大なラマの宮殿の上には本当に首がひとつ吊るされている。しかし、俗信のやからが何と言おうと、それは人間の首ではない。

(10) チベット人たちが「箱」と呼ぶ、箱型の椅子のことと思われる。

(11) この国の習慣によれば、兵士たちは自身の糧食を鞍の両脇に吊り下げた袋に入れて携行したと考えるべきだろう。九十頭の雌ラバには勝者〔＝ケサル王〕の戦利品と私的な荷物が積まれていたに違いない。

(12)〔訳注　地名は異なるが、第六章(一二一―一二二頁)参照。〕

(13)〔訳注　ケサル王が北国のルツェン王征伐に出かけている間に、ホル国軍がリン国を侵略したときにディクチェンも加わっていたことを指す。第五章（一九〇―一九一頁）、第九章（三三三頁）。一方、原注に「ディクチェンが前回リン国に滞在したのはきわめて短期間だったから、人々に見られないですんだのである」とあるのは、ディクチェンがセチャン・ドゥクモ妃らとともにケサル王の許しを乞うためにリン国を訪れたときのことを指す。第九章（三一六頁）。〕

(14) チベットの人々は、同様の驚異のわざを、タシ・ラマ〔＝パンチェン・ラマ〕が行ったとしている。彼らによれば、タシ・ラマは、七年近くシガツェから逃れていた間、みずからの亡命を隠し、敵をはぐらかすために、自分と完璧に同じ姿の幻像をあとに残して行ったとされる。これについての詳細は『パリジェンヌのラサ旅行』を参照のこと。

(15) 〔第三章注(32)参照。〕

(16) 神秘的語法による表現。

第十章

(1) 〔プロローグⅡ注(11)参照。〕

(2) 〔訳注　実際には南詔国の中心地の地名であるが、ここでは王名として用いられている。〕

(3) 〔訳注　ホル国の三守護神ナムティク、バルティク、サティクと同じく(第八章注(13)参照)、ナムテ、バルテ、サテの三守護神が登場するが、「ナム」は天、「サ」は地、そして最後の「バル」は中間の意味である。チベット人の宇宙観では、世界は天、中間(虚空)、地(および地下)の三層に分かれていて、この三神でもって、全ての神々を表している。〕

（4） このzas kyi bcud（セ・キ・チュと発音）という含蓄に富んだ言い回しを正確に訳することは不可能だ。チュ（bcud）は精気、つまりある事物の滋養の根源を意味する。すなわち、食べ物や大地において、生命を維持しているところの栄養素である。

（5）〔訳注　リン国とジャン国との中間に位置する小王国。現在はチベット自治区昌都（チャムド）市の県の一つ。漢字名は芒康県。〕

（6）〔訳注　プロローグⅡ注（11）にすでに記したように実際には南方。〕

（7） この「寵姫」をめぐって、さまざまなヴァージョンに相当の混乱がある。この人物は、ケサル王を攻撃するのを思いとどまるよう、賢明にも夫に進言した王妃〔アジ。三四五―三四六頁〕ではありえない。というのは、後者は戦争が終わったとき、ふたたび登場するからである。〔本章（三七四頁）参照。〕おそらくここに出てくるのは王の第二夫人だろう。チベットでは一夫多妻・一妻多夫は実際にはあまり行われていないものの、合法とされている。

（8）〔訳注　原著にはカッコ内に「ある湖の近辺」と注がしてある。ツァムは「境界」で、ツォは「湖」、そしてカは「畔」で、「両国の国境にある湖の畔」という意味。〕

（9） サタム王の権力が及ぶ領土の中には、現在〔一九二〇年代〕の雲南省の北部に位置する麗江市街と中甸（ちゅうでん）〔現・香格里拉（シャングリラ）〕、ユンニン、アトゥンゼ〔訳注　この二つの地名は同定できない〕の町が含まれていたにちがいない。麗江以外には、今でもチベット諸部族が住んでいる。チベット人は今なお、これらの町々に『ケサル王物語』に登場する地名を付けている。

（10） ある特別な〈奥義入門〉の灌頂を意味する、比喩的表現。

(11)　本ヴァージョンではユラ・トンギュルは〔リン国との戦いには〕参戦していないが、別のヴァージョンでは、サタム王がケサル王に対して次々に送り込んだ三軍団のひとつを指揮し、それらの軍団はひとつまたひとつと潰走してリン国軍に殲滅される。とはいえ、ユラ・トンギュルは戦死せず、ケサル王の勝利の後、ジャン国を統治することになるという点では、ふたつのヴァージョンとも一致している。

(12)　人や物を目に見えなくするという特性を持つ小さな棒。
〔訳注　「ディプ」は「隠す」、「シン」は「棒」の意。〕

(13)　すでに〔第一章注(3)で〕述べたように、チベット語で馬にかんして「青い」という形容は、銀灰色を指す。

(14)　馬を短距離御(ぎょ)するときや、荷馬に乗るとき、チベット人は轡(くつわ)を使わない。

(15)　この劇が繰り広げられる舞台となる地方は、野生の雁の大群がしばしば見られる。

(16)　チベットや中国の、ことに国境地方の兵士は、今日もなおこのようにしている。

(17)　著者がもとにしているヴァージョンによれば、ギャンはジャン国領内にある町ということになる。この名を持つ村は今なお存在する。おそらく〔ギャン／ジャンと〕発音が違うだけで、この町も国も両者ともにジャンと呼ばれるのだろう。この物語の舞台となる地方には同様に、ジャンという村もある。〔第八章(二八三頁および二九三頁)参照。〕

(18)　蛇神の部類に属する女性の神格のこと。ケサル王の母も龍女だった。〔プロローグⅡ注(18)参照。〕

(19) ラマ教徒たちは聖水を授かるとき、左手のてのひらの上に右手を開いて載せ、祭式をつかさどるラマは、その右手のくぼみに聖水を注ぐ。通常は数滴しか注がないものだが、ここでは龍女は増量して注いでおり、〔現地で語り部の朗誦を書き取った〕著者の手稿のこの箇所には「王はがぶがぶと二回飲んだ」とある。

(20)〔第四章注(10)参照。〕

(21) つまり、彼はそれらの人々を殺し、その〈意識〉をさまざまな楽園に送り込んだという意味。「髪の黒い人々」とは中国人たちがみずからをそう呼ぶ言い回しである。ここで英雄が行ったとされる名乗りは、歴史上のケサル王が七世紀ないし八世紀ごろ、中国において戦いに勝利を収めたチベット諸王のひとりであったことを意味するのだろうか? 著者の序論参照のこと。〔訳注序論は、「解説」四九九頁で述べたように訳出しなかった。また、「髪の黒い人々」とは中国人に限らず、人間一般に用いられる。それゆえに、「歴史上のケサル王が七世紀ないし八世紀ごろ、中国において戦いに勝利を収めたチベット諸王のひとりであった」と推測するのは根拠に欠ける。「解説」五〇三―五〇五頁参照。〕

(22)〔訳注　ホル国のクルカル王、クルナク王、クルセル王は、ひとりの人物である母親の三つの化身であるからひとりと数え、北国のルツェン、ジャン国のサタム王と南の国のシンティ王で四人の敵であろう。〕

第十一章

(1) 太陰月の第十五日は満月の日に当たり、五月のこの日は、年に一度の仏教の大きな祭りの日である。「鉄の馬の年」はチベット暦の〔六十年〕周期法による年の名称。
〔訳注　チベットでも十干十二支に類似した六十年周期法が用いられており、「鉄の馬の年」は中国・日本の庚午(かのえうま)に当たる。第四章注(4)参照。〕

(2) チベット語ではツァム(mtsham)。

(3) 厳格な流儀の隠遁には、カルトジオ会修道士なみの節制が含まれ、隠遁者の食事や隠遁者が必要とする物品は、のぞき窓を通して差し入れられる。本書の主人公の隠遁期間は長すぎるように思われるかもしれないが、チベットにおいてはなんら驚くべきことではなく、今日もなお、ラマたちは同じくらい長期間、隠棲することがあり、全生涯にわたることとさえある。

(4) 〔訳注　カムはチベットの東部で、その北に位置するアムドと南に位置するジャン国の中間に位置する。「南の河」は同定できないが、国境を画する川であろう。〕

(5) それぞれの城塞(ゾン)には俗人であるドゥンコル(drung 'khor)と、僧職に属するツェドゥン(rtse drung)という、ふたりの司令官がいる。ここで、このふたりの司令官に言及されているのは、比較的近年になって──どう考えても、ダライ・ラマの世上権が確立した時代、すなわち十七世紀以降に──、追加されたことを示している。

(6) テプサンという形容語を付されていることから、このラマは悪鬼の一族に属するにちがいない。テプサン族は、チベット人が羅列する悪鬼の無数の種類のうちの一種とされる。

(7) チベットの度量衡の単位で約一キログラム。

（8）穀物をはかるのに用いる大きな枡。

（9）アンバク。チベット人がゆったりした着物を着て帯を締めると胸のところにできるポケットのような空間のこと。〔第一章注(32)参照。〕

（10）チベットでは、花嫁の親に、娘を育て上げるためにかかった費用に見合うと思われるだけの対価を払うのが通例である。

（11）〔訳注　原文には十三歳とあるが、第四章(一六五頁、一六八頁)での記述を考慮して、こう訂正した。〕

（12）「花のように美しい女神」の意。

（13）チベットの礼儀作法では、父親の身分が高い場合、その子どもたちが「父」と呼ぶことは許されず、その称号で呼ぶべきとされている。

（14）〔訳注　チベットの古代王たちが神界と人間界を行き来するために持っていた「ム」という綱が連想される。〕

第十二章

（1）〔訳注　ケサル王物語は未完であって、啓示を受けた語り部、著者が次から次に新たな章を継ぎ足していく。詳しくは解説参照。〕

（2）〔訳注　ペルシャ語「タージー」のチベット語音写。中国語音写では「大食」。現在のイラン地方を指す。〕

（3）〔訳注　中国北西辺境に活躍したチベット系民族で、中国語では党項と音写される。十一世紀前半に西夏を建国。〕

（4）〔第五章注（7）参照。〕

（5）〔第十章注（12）参照。〕

（6）　タジクはペルシャを指すらしい。実際にリン国があったと目される地方を出発した騎馬隊が、十三日で到達可能なのは、ペルシャではなく、単にチベットの最西端にすぎないが、ペルシャ出身の首長がそこまで進出していたのかもしれない。彼らがこの〔ペルシャへの〕旅を完遂するには三か月前後かかったはずである。もちろん、こうした架空の伝説のたぐいにあまり真実らしさを期待すべきではない。しかし、チベットの人々がしばしばこの王の名を、豹を意味する「ジク」と発音し、豹を意味することばと同じように綴るので、この伝承は〈ペルシャの王〉ではなく〈豹王〉と関連しているのかもしれない。このタジク（綴り字では Stag gzig）、ノルキ・ダクポ（nor gyi bdag po）〈富の長者〉〔四二〇頁参照〕はチベットの伝説や小話の中にしばしば名前の挙がる人物である。このような名で呼ばれる首長が誰だったのか、歴史的に実在した人物なのかどうかは、目下不明である。〔本章注（2）で記したように、タジクはペルシャ語「タージー」のチベット語音写。タジクの「ジク」はたしかに「豹」を意味する綴りが当てはめられているが、「豹」とは無関係であり、著者が豹と関連づけるのは見当違いである。ノルキ・ダクポ〈富の長者〉はタジク王を形容するときに用いられる常套句である。〕

（7）〔訳注　現在の青海省の省都。〕

（8）これは名前ではなく「ツァン地方からガルダクへ行く隊商の主の商人」という呼び名である。ツァンとはシガツェを首都とするチベット南部〔訳注　むしろ西南部〕の広大な地方を言い、ガルダクはダルツェムド〔訳注　康定。現在の四川省西部カンゼ（甘孜）・チベット（蔵）族自治州の東部〕の西方に位置する、おそらくカム地方のもっと主要な町ガルトクのことだろう。さらにまた、広大なツァン地方の端、チベット南西部にもやはりガルトクという名の都市があるので、この商人たちはここから来たとも考えられる。〔訳注　すぐあとで、ガルダクの王子と西方タジク王とは古くからのよしみがあるとされることから、このガルダクは東チベットのそれではなく、西チベットのそれであろう。この場合には「ツァンのガルダクの商人」となる。〕

（9）〔訳注　原著では、シャカル・デマ、シャカル・デンパ、ツァカルデンパと様々に表記されている。〕

（10）〔訳注　原著ではトゥジとなっているが、文脈からこう同定した。〕

（11）〔プロローグⅡ注（28）参照。〕

（12）チベット語ではマクポン・ノルプ・ダドゥル。

（13）〔訳注　原著にはサジョン・デマとあるが、こう同定した。〕

（14）チベットのいたるところで目にする、このような石の堆積は、ドチュ（rdo mchod と綴られる）〈石の捧げもの〉と呼ばれる。

（15）今日では神格化されている宗教上の師で、ボン教徒によれば、現世開闢（かいびゃく）以来のボン教の開祖とされているシェンラプ師より前に、教えを説いたとされる。

(16)〔訳注　チベット人の信仰では、人は自分が生まれた土地の地祖神を生涯の守護尊として崇める。日本で、出生地（うぶすな）の神社の神の氏子となるのに通じる。〕

(17)〔訳注　過去世には動物であったり人間であったり、その他、六道を輪廻してもろもろの生きものとして生きたことを指す。〕

(18)〔第十一章（三九〇頁）参照。〕

(19)　チベット語ではタン（thang）。平らな場所のこと。フランス語における plaine とまったく同じ意味では必ずしもなく、谷底を意味する。チベットでは——とくにこの『ケサル王物語』に描かれた地方においては——広大な場合がある。

(20)〔本章（四二六—四二七頁）参照。〕

(21)　女の悪鬼、人喰い鬼で、望みのままに姿を変えられる。

(22)　いわゆる底引き網のたぐいの漁網のような形をした皮袋。このような道具は小規模なものが実際に存在する。悪鬼を捕獲すると称するある種の魔術師は、後方の空中に袋を引くようにして使う。漁網と同様、袋の口はそこに通された紐を引くと閉じる。この場面では、スィンポたち〔男性悪鬼。女性はスィンモ〕が操っている袋は、巨大な寸法と想定される。

(23)「四つの顔を持つ人喰い鬼」の意。

第十三章

(1)　前述のとおり〔第十二章（三九四頁）〕、ケサル王はタジク国征討の後もなお、何回かの遠征を行ってきた。言い伝えによれば、彼がこの世を去ったのは五十歳前後のときとされる。

（2）チベット語ではチョエ・タン・ジクテン・ワンクル（chos dang 'jig rten dbang bskur）で、ふたつの道、すなわち現世の生活における活動の道と、涅槃へ導く神秘的な瞑想の道を歩む力を授ける奥義伝授のこと。

（3）ケサル王は奇跡によって誕生したのだから、ここに言う近親者たちとは、血のつながりによるものではない。しかし彼らはケサル王の形式上の父であるセンロン王と血縁関係にあるため、中国風にいえば、養子縁組を介してケサル王の近親者ということになる。さらにいえば、多くの人がセンロン王をケサルの実の父と見なしている。著者の所蔵する古い写本も含めて、この叙事詩のいくつかのヴァージョンは、奇跡的な誕生に言及せず、英雄を、センロン王と龍女ではなく、ふつうの女召使いの息子であるとしている。その場合、母の呼び名はゴンモではなくゴンサとなる。〔訳注「ゴンモ」は「ゴン国の女」〔第一章注(19)〕、「ゴンサ」は「ゴン国出身の妃」の意。〕

（4）ツァルンゴム（綴りは rtsa rlung sgom）とは、密教的、神秘主義的訓練の実践である。それを教える師たちによれば、この訓練はわれわれの意識をふつうの状態とは異なるさまざまな状態に到達させ、また、その熟達者が恍惚状態で自身の死を招くことを可能にする。この叙事詩の英雄たちが参入しようとしたのは、この境地である。

（5）すべての仏教徒に義務づけられている五戒とは、（一）いかなる生物も殺さぬこと〔不殺生戒〕、（二）他人が合法的に所有している物や自分に与えられたのではない物を、勝手に取らないこと〔不偸盗戒〕、（三）姦通しないこと、数々の性的行きすぎを慎むこと〔不邪淫戒〕、（四）嘘をつかず、欺かず、誹謗中傷せず、険悪な、あるいは悪意ある発言をしないこと〔不妄語戒〕、そして(五)あらゆる発酵飲料と、興奮や酔いを催すあらゆる薬物をひかえること〔不飲酒戒〕。

(6)〔訳注　誰を指すのか不明。チベット人は三に纏めることを好む。〕

(7)〔訳注　ケサル王が、「山は高からず、低からず、高地は起伏することなかれ」と言ったのは、高低差、起伏が激しすぎると、牧獣が飼えないという理由からであり、セチャン・ドゥクモ妃が理解したように「牧獣たちが雨風をしのぐよすがを見出せるように」という意味ではない。またある人々が強力で、他の人々が無力であったり、ある人たちには富が有り余り、ある人たちには不足したりすることがないように、と言ったのは、全員が押し並べて頭同然に振る舞うことを意味してのことではない。さらにケサル王は「平原が一様に平らであるなかれ」と言っているのに、セチャン・ドゥクモ妃は、平原はまっ平らであるべきと誤解し、「平原がまっ平らでなかったら、種まきに不都合である」と述べている。こうしたことから、ケサル王は自分の周りの人たちが、自分の考えをまだ理解するレベルには成熟していないこと(時期尚早)を察し、さらなる教化の必要があると判断した。ケサル王は、ここで一旦この世界を去るが、けっして死んだわけではない。彼の使命はまだ完了していないので、「わたしは再来するだろう」と予告したわけである。パドマサンバヴァが、一旦この世を去り、サンド・ペルリ宮殿に戻るが、要請があればいつでもこの世界に戻ってくると約束したことに通じる。冒頭の『ケサル王物語』の世界と概要」参照。〕

(8)〔訳注　チベット語ではドルジェ・センパ。チベット仏教では本初仏とされる。〕

(9)〈意識〉を肉体とその〈分身〉から断ち切ることで、〈意識〉の解放を行う儀式。ここでは、ケサル王とその仲間たちは、肉体的身体を残すことなく、一瞬のうちに分離・解体を起こすつもりである。同様の奇跡は何人もの神秘修行者が行ったとされており、名高いミラレパ（一〇五二―一一三五）の弟子レチュンパ（一〇八三／八四―一一六一）もそのひとりである。

解　説

今枝由郎

一　『ケサル王物語』

『ケサル王物語(Ge sar rgyal po'i sgrung)』は元来チベット人によって、チベット語で語り始められたものであるが、それが何時、何処で、誰によってとなると、今なお深い謎に包まれている。人々の間で非常に好まれているこの膨大な叙事詩は、チベット(現在の中国の蔵族自治区)本土のみならず、東チベットの漢族・チベット族が共存する中国の四つの省――青海、甘粛、四川、雲南――、新疆ウイグル自治区、ヒマラヤ南麓のブータン王国、その西のシッキム州(インド)、西チベットのラダック州(インド)、北方の内蒙古自治区(中国)、そしてモンゴル国、ロシア連邦のカルム(イ)ク共和国、ブリヤート共和国といった非常に広大なチベット仏教地域全体に広がり、語り部によって口承流伝され、また筆写され、木版・活版印刷された。録音・録画された資料の量、書写された、あるいは印刷された巻数は現在まできっちりと調査されたことはなく、はっきりと知られていないが、数百時間、数百巻に及ぶであろうことは間違いない。これは古代(前八世紀)ギリシャの吟遊詩人であったホメーロスの『イーリアス』や『オデュッセイア』、インドの『ラーマーヤナ』や『マハーバーラタ』に匹敵する、あるいはそれを凌駕する人類の最大叙事詩の一つであることは確実である。

と同時に、チベット仏教に帰依したモンゴル人たちの間にもかなり以前からモンゴル語に訳されたり、翻案されたりし、非常に広まった。モンゴル人の中には、『ケサル王物語』は純粋なモンゴル語文学であり、そのヒーローであるケサル王は、モンゴル人であったと信じる者も多くいたほど、物語は大衆的な人気を博していた。

二 『ケサル王物語』の成立と普及

『ケサル王物語』の成立は時代的にも、地域的にも、いまだ謎に包まれているが、元来はチベット語で語られはじめた物語であり、それが徐々に発展し、変化し、文字に記されて現在に至っていると考えられる。『ケサル王物語』には数多くの写本と木版印刷本もあるが、伝統的にチベットでは識字率が極めて低かったこともあり、どちらも読み物として読まれることはほとんどなく、民衆に知られていたのは圧倒的に語り部による口承版である。二十世紀になり、『ケサル王物語』が英訳出版されてからは(日本を除いて)世界的に読み物として知られるようになっている。しかし、物語が現在でも実際に流布しているチベット語圏内ではこの状況は現在でもあまり変わっておらず、語り部による伝統は脈々と続いており、『ケサル王物語』は生きた口承文学と見なした方が適切である。残念ながらこの口承伝統は、近代化とともに急速に失われつつあることも事実である。と同時にチベット人の間でも識字率が高まり、『ケサル王物語』を読む人も増えていることは喜ばしいことである。

こうした語り部(男性が多いが、女性もいる)の詳細に関しては詳しくわかっていない。スタン(R. A. Stein)教授によれば、彼らは特殊な帽子や装飾をつけた姿をし、一種の神がかり(トランス)の状態になって、物語の登場人物になりきって、物語を語るという。これは宗教的に言えば一種のシャーマンで、啓示を語るのに似ている。そして語り部が全員全く同じ文言で語ることはなく、各人ごとに相当な異同がある。しかも彼らの多くは標準語ではなく各地の方言で特殊な節を付けて語るので、その土地の人でも理解するのはけっして容易ではない。また、『ケサル王物語』は長編なので、全体を通しで語ることができる語り部は稀であり、各人が知っている、あるいは得意としている一、二章を語るだけの場合が多い。その一章もかなりな長さなので一挙に語るのには数時間かかるので、一回につき、一つか二つの場面が語られるだけである。それを聴く聴衆にとっても、集中力が続くのはその程度が限度である。それゆえに、『ケサル王物語』全体（それがどれだけの量なのかすらいまだにわかっていない）が通して語られたことはおそらく一度もないであろうし、当然の結果として全体を聴いたチベット人もモンゴル人もいないであろう。その結果、一般的民衆レベルで知られている『ケサル王物語』は、語り部が部分的に朗唱した箇所を直接聴いて知っている人たちが、聴かなかった人に語り伝え、それがまた別の人に語り継がれた口承情報がまとめ合わされたものの集大成で、その全体が『ケサル王物語』として知られている面が強い。当然のこととして、同一の章でも同じ話とは思えないほどの異同がある箇所も少なくない。しかし意外なことに、一般民衆の知る『ケサル王物語』は、語り部が語るものと全体的にはほぼ一致しており、国民的共通知識となっている。

三　『ケサル王物語』がチベット文化圏の外部に知られるようになった経緯

不思議なことに、元来チベット語であるこの物語がチベット語文化圏以外に最初に知られたのは、チベットからではなく、パラス(P. S. Pallas)により十八世紀後半に出版されたドイツ語旅行記によってであった。その後シュミット(I. J. Schmidt)が、一八一六年に北京で木版印刷された全七章からなるモンゴル語版テキストとそのドイツ語訳を一八三六年から一八三九年にかけて、刊行した。この本は二十世紀半ばに至るまで、多くの学者たちの注目を集め、広い分野にわたって、彼らの研究対象になってきた。その弊害として、チベット語の「ケサル」ではなく、そのモンゴル読みの「ゲセル・ハン」(ハンはモンゴル語で「王」の意)」が一般的となり、「ゲセル・ハン」の物語はモンゴル語の物語であると理解されるようになってしまった。現在でもモンゴル人は「ゲセル・ハン」はモンゴル人(そのモデルは、ジンギス・ハン)だと信じ、モンゴル人の英雄であると信じている人が多い。これは明らかな誤認であることはいうまでもないことであるが、これが訂正されるのには長い時間がかかった。現在ではモンゴル人研究者も、モンゴル語諸版の『ケサル王物語』はチベット語起源のもののモンゴル語版翻案であるという意見で一致している(ちなみに中国では、ケサル王は後漢末期に劉備(一六一―二二三)に仕えた武将の関羽(?―二二〇)が神格化されたものである関帝と同一視され、現在でもケサル廟といえば一般に関帝廟を指すことが多い)。

本来のチベット語『ケサル王物語』が世界に知られるようになったのは二十世紀に入ってからのことであった。その嚆矢(こうし)はフランケ(A. H. Francke)が西チベットのラダックに住む十六歳の一少女がチベット語の一方言であるラダック語で語ったものをチベット文字で記し、その原文と英文概要を一九〇九年に発表したものである。ラダック語方言は、ラサを中心とする中央チベットの標準チベット語とはかなりかけ離れており、非常に読みづらかったため、この書は学会でも、一般にも注目されることはほとんどなかった。

そうしたなかで画期的であったのが、一九三一年にフランス語で出版されたアレクサンドラ・ダヴィッド＝ネールとラマ・ユンテン(両者に関しては富樫「著者について」参照)による共編著(本日本語訳の原本)で、同書は二年後には英訳されて、(日本を除く)世界中で広く読まれるようになった。この版は非常によく纏まっており『ケサル王物語』の定番である。今回富樫と今枝は、本書をはじめて日本の読者に提供できることをこの上なく光栄に思っている。

ここで両名の役割を明記しておくと、フランス語原典からの日本語訳はすべて富樫が担当したものである。今枝は、富樫の訳文をフランス語原文と照らし合わせて、必要に応じて訂正し、人名・地名などのチベット語表記を統一し、チベットの文物に関することなどに訳注を付し、原文にはなかった小見出しを補うにとどまる。

もう一点注記しておきたいのは、本日本語訳はフランス語初版(一九三一年)、重版(一九七八年)の完全訳ではなく、そのなかから厳密な意味での『ケサル王物語』の本体部分だけを全訳したもので、日仏会館の初代館長を務めたコレージュ・ド・フランス教授シルヴァン・レヴィ(一八六三―一九三五)の序文、著者の序論と後日譚(十四章)は省いてあることである。この方が『ケサル王物語』そのものをよりよく理解していただけると判断したからである。

ちなみに、現在までに日本に紹介された『ケサル王物語』は五点あるが、すべてモンゴル語訳あるいは中国語訳からの重訳で、チベット語から訳されたものは一つもない。

四　『ケサル王物語』の研究、諸版、プロジェクト

こうした経緯を経て世界的に知られるようになった『ケサル王物語』に関する学術的な研究は、二十世紀を代表するフランス人チベット学者スタンによるものが大きい。まず一九五六年に三巻本からなるチベット語木版本(これ以前は、『ケサル王物語』には写本しかないと言われていたが、そうではないことがこの版本の発見で証明された)を東チベットでロ

ーマ字に転写し、そのテキスト全体とフランス語要約を発表した。そしてその三年後の一九五九年には氏のケサル王研究の集大成とも言える博士論文が出版された。この本は現在に至るまで『ケサル王物語』研究の最高峰と見なされている。

その後、様々な研究者によって『ケサル王物語』は研究し続けられているが、特筆すべきは、M・エルファー(Helffer)女史による、ケサルがリン国の王位に就くことになる競馬の場面の語りの音楽的観点からの研究である。チベット語版の『ケサル王物語』は、地の語りの部分は散文で書かれているが、会話などの部分は韻文(ただし全てのチベット語の韻文がそうであるように押韻はされておらず、七音節あるいは九音節に統一されているだけである)で書かれており、朗唱される場合には特別な節で語られるので、彼女の研究は非常にユニークであり、重要である。

膨大な数に及ぶ筆写本、木版印刷版、活字版に関しては、大きく二種類に分けることができる。

(一)「分部本」と呼ばれるもの。これは、ケサル王のある一つの事績(そのほとんどは諸国との戦い)を首尾を整えて、独立・完結した部とする形式のもので、この方が断然多い。中国での文化大革命(一九六六―七六年)後一九九〇年までに出版された『ケサル王物語』だけでも五十九巻に上り、最近ブータンで出版されたものでは全部で三十一巻ある。チベット語では、本、物語の一巻を構成する部はle'u（レウ）と記されるのが一般的であるが、『ケサル王物語』に限ってはリン（gling。例えばホル国征伐の部は『ホル・リン』と記されるのが特徴的である（ケサル王の国名はリン（gling）であるが、それとの関係は不明である）。さらに興味深いことには、まだ新しい部が増えつつあるということで、最も新しいものとしては、ドイツに関する部（Jar gling）が八世カムトゥル・リンポチェ・トンギュ・ニマ（一九三一―一九八〇）によって一九七五年にインドで出版されている。こうしたことからわかるように、『ケサル王物語』はまだ未完で、さらに拡大する可能性がある。

（二）「一巻本」と呼ばれるもの。これは比較的短く、ケサル王の一生の事績を、誕生からホル国など諸国との戦いまでを若干の章に分けて、語るものである。これは非常に数が少なく、写本としては王沂暖（おうぎだん）・華甲（かこう）（訳）『格薩爾王伝』の基となった「貴徳分章本」が知られている唯一のものである（ただしこの版は、ケサル王の誕生からホル国までの章だけで、末尾が欠落しており完本ではない）。

最近になって李连荣（编）『《格萨尔》手抄本、木刻本解题目录：1958-2000』（北京：中國社会科学出版社、二〇一七年）が刊行されたが、これに「分部本」「一巻本」の全てが網羅されていないことは言うまでもない。『ケサル王物語』の書誌学的研究は、まだ緒に就いたばかりで、この先も長くかかる作業である。

＊　＊　＊

最後に特記しておきたいのは、二〇一九年になって大谷寿一監督による『チベット　ケサル大王伝　最後の語り部たち』（二〇一三年公開版のタイトルは『チベット　天空の英雄ケサル大王』）という映画が公開されたことである。また中国では、ケサル大王の一代記を一千枚近くの絵画で描くという膨大なプロジェクトがあると聞くが、それがどの程度の進捗状況にあるのか、寡聞にして知らない。

これ以外にも『ケサル王物語』に関する研究、様々なプロジェクトが進められているが、この紙幅でそれらに言及することはできない。

五　『ケサル王物語』の歴史的起源とモデル

次に『ケサル王物語』の歴史的成立の背景およびその中心的英雄であるリン国王ケサ

ルのモデルに関して簡単に論証しておきたい。

従来『ケサル王物語』の研究に携わった数多くの研究者は、主人公ケサルを、七世紀に始まるチベットの長い歴史の中のある一時期に、ある場所に歴史的に実在した人物に求めようとしてきた。しかしこうした動きは結局のところはっきりした結論に到達できるものではない。チベット民族の黄金期は、七世紀前半に突如として東ユーラシアの西半分の覇者として登場した、東の大唐帝国と敵対・匹敵した騎馬民族軍事国家吐蕃帝国（六四〇年頃から八五〇年頃まで）の時代である。その後二世紀ほどの没落・暗黒期を経て十一世紀に再び東アジアの歴史上に登場したチベットは、かつての軍事国家とは全く趣を異にした仏教国家となっており、現在に至るまでダライ・ラマを頂点に東アジアの仏教界に確たる存在感を持っている。『ケサル王物語』は、こうした異なった側面を持ち、長い歴史を誇っているチベット民族が、歴史の中での様々な要素を寄せ集め、集積し醸造してきたものである。

時代・地理設定から考えると、『ケサル王物語』は明らかに吐蕃時代のものである。リン国を吐蕃国に置き換え、それと敵対する西のタジク国（＝イランの古名で、「大食」はその中国語の音写）、北のホル国（＝トルコ系の突厥国）と南のジャン国（＝南詔）などは、まさにこの時代の地政学的状況を忠実に反映している。そしてリン国王ケサルは、吐蕃の歴代皇帝(ツェンポ)の中でも秀でていたソンツェン・ガンポ(生年未詳—六四九/六五〇年没)あるいはティソン・デツェン(七四二—七九七/八)をモデルにしていると考えられる。この時代の吐蕃は伝聞によりローマのことにも通じており、スタン教授は、チベット語のケサル(Ge sar)は最初はラテン・ギリシャ語、ついでトルコ語のタイトルであるカイサル(kaiser、「王」あるいは「皇帝」の意)の音写であり、チベット語のトム(Khrom、「街」あるいは「国」の意)は、東ローマ帝国(ビザンツ)とトルコ・アナトニアを意味したルム(Rūm)のイラン語形の音写である、と考えた。吐蕃のチベットにローマの将軍カエサル(シーザー)が知られていたことは十分にあり得ることであり、この説は一般に考えられるほどには荒唐無稽ではない。ケサル王は、時としてトム・ケサルと呼ばれることがあるが、その理由はこうした古い時代に遡るのかもしれない。しかしローマがトム、カエサルがケサルと変形して、トム(国)・ケサル王の原型になったとするのは、ユニークな発想であるが、断定できるだけの十分な学問的根拠に欠けると言わざるを得ない。

それに比べ、もう少し歴史的根拠がありそうなのが、十一世紀に現在の青海省の西寧(せいねい)(チベット語ではツォンカ)辺りに建国された国の国王で、中国語では唃厮囉(かくしら)という称号で知られる人物である。この王国のことは『宋史』吐蕃伝にかなり詳しく述べられているが、吐蕃帝国の末裔が建国したもので、その王はチベット語でゲルセ(rgyal sras、「王子」

の意味であり、音韻的にはケサルに通じる）であり、喰厮囉はその中国語音写であった。しかしこの王は、歴史上それほど華々しい活躍をした人物ではなく、彼がケサル王のモデルとなったとは考えにくい。

もう一つ考えられるのはケサル王がよくリン・ケサルと呼ばれることと関係している。リンは実際にカム（東チベット地方）に存在する地名で、デルゲ（徳格）王が治める五王国のうちの一つとしてチベット語ではリンツァン（嶺倉）として知られ、北のジェクンド（玉樹）と南の徳格の中間に位置している。この地は十三世紀頃から栄え、一つの王国として二十世紀まで存在していた。この国王の家系は、ケサル王（の養子）の子孫であると称し、歴史上に実在したモデルがあったかどうかはわからないが、『ケサル王物語』がこの地方で生まれ、発達したことは間違いないであろう。そしてスタン教授によれば、『ケサル王物語』は遅くとも十六世期末にはその初期版が成立しており、その後おもに語り部により発達し、各地に広まったと思われる。『ケサル王物語』中には「オン・マニペメ・フン」というチベットでは最もポピュラーな観音菩薩の真言が登場する。しかし『ケサル王物語』の中では観音菩薩もこの真言も、全く副次的な役割しか果たしておらず、中心はあくまでパドマサンバヴァ師である。この師は八世紀後半を中心にヒマラヤ地域に仏教を広めたインド系の密教僧として知られており、チベット仏教ニンマ（古派の開祖であり、第二のブッダとして、ことに東チベットで崇められている。このことから『ケサル王物語』が発祥したのは、観音菩薩がチベット人の国民的菩薩となり、その化身として十四世紀以後に歴代ダライ・ラマがチベットの覇権を掌握するようになった以前であり、地理的には中央チベットではなく、ニンマ派が広く流布していた東チベットであるとする、先に触れたスタン教授の意見を傍証する要因の一つである。

少し後代になるが、二代ブータン国王ジクメ・ワンチュック（一九〇五―一九五二）の時代にブータンとリン国の間に絆が結ばれ、『ケサル王物語』はブータンでも非常に流行するようになった。四代ブータン国王ジクメ・センゲ・ワンチュック（一九五五―）の側近の一人に、リン王家の血筋を引く者がいたこともよく知られている。先に三十一巻本の『ケサル王物語』集がブータンで出版されたと述べたが、両家の関係からブータンにケサル王関係の書物が多く集められていたことがその理由の一つであろう。

六　フランス語版『ケサル王物語』の成立と重訳の理由に関して

本書の原本は、チベット語で文字化されたものではなく、チベットの語り部が朗唱したものの筆録を基にしたものである。文字化されたチベット語版が数多くあるのに、本日本語訳が直接チベット語からではなく、ことさらフランス語版から重訳されたことに疑問を抱かれる方は多いであろうし、それは当然である。にもかかわらず、私たちがフランス語版からの重訳を選んだ――というよりは選ばざるを得なかった、と言った方が適切であろう――のにはいくつかの正当な理由がある。

アレクサンドラ・ダヴィッド＝ネールとアプル・ユンテンは、長年に及んだチベット滞在期間中、一九二二年に東チベットのジェクンド（玉樹）に向かっていた時、ケサル王（実際には養子ダプラ）の子孫でリン・ツァン（リン王）と称される首長との知遇を得た。アレクサンドラは、その称号から即座に、十年ほど前シッキムでチベット語を習っていた時、学識高い教師であるダワ・サムドゥプがよく口遊（くちずさ）んでいたのが、実はリン国王ケサルの物語であることに気が付いた。そして彼女はリン・ツァンの先祖である民族的英雄ケサル王に関する情報を多く得るとともに、美しく彩色された『ケサル王物語』の写本も実見させてもらった。

それからしばらくして二人は、ディクチェン・シェムパ（ケサル王の兄）の化身と称する語り部がジェクンドの街中で『ケサル王物語』を朗唱しているのに出会った。ところが朗唱は標準的チベット語ではなく東チベットのカム方言であり、押し寄せた聴衆を前にしてであったので、聴衆の感嘆の声とか合いの手が入り、物語をはっきりと理解するのは難しかった。それゆえに、アレクサンドラは語り部に丁重にお願いし、彼が要求する様々な条件に応じ、相応の報酬を払って、彼女の家で個人的に朗唱してもらうことにした。

ディクチェン・シェムパの化身と称する語り部はトランスに入ったかのような状態で、一枚の白紙を前にして朗唱を始めた。それは毎回三時間、一日二回、六週間の長きに及んだ。アレクサンドラとユンテンは、それを聴きながら、速記のように懸命に(フランス語で？ チベット語で？)書き留めた。驚嘆に値することである。二(四九六頁)で『ケサル王物語』全体が通して語られたことはおそらく一度もないであろうし、当然の結果として全体を聴いたチベット人もモンゴル人もいないであろう」と記したが、これは知られる限りにおける唯一の例外であろう。この千載一遇の機会は、アレクサンドラとユンテンの「宿世の福徳」のおかげであり、語り部を含めた三者の「宿世の業縁」としか説明できないものである。その後二人は時間をかけてフランス語訳を用意し、朗唱に特有なくり返しなどを省いて凝縮したものがフランス語版である。この版は朗唱に基づいたもの(しかし写本等を参照して、補ってある箇所もある)なので、生き生きとしており、読みやすい。そして何よりも重要な点は、現在までに知られているチベット語版、モンゴル語版の全てを含めて、ケサル王の神界から人間界への誕生から始めて、人間界での征伐活動を終え、一旦人間界を去る(死亡ではないことは、既に最初の概要で述べた)までの一貫した物語として完結している唯一無二のものであり、『ケサル王物語』の全体を知るのに最上のものである。

これが重訳の理由である。

こうしてチベット語『ケサル王物語』は、フランス人、日本人二人の女性「語り部」のおかげで、フランス語を仲介してようやく日本語で紹介されることになった。喜ばしいことである。

著者について

富樫瓔子

一　アレクサンドラ・ダヴィッド＝ネールについて

〈初のフランス人仏教徒〉アレクサンドラ・ダヴィッド＝ネールは一八六八年十月二十四日、パリ近郊のサン・マンデで生まれ、一九六九年九月八日、南仏ディーニュで没した。百歳と十か月の生涯だった。

三十余冊の著書はフランス語版、英語版をはじめ各国語版により欧米諸国で広く読まれ、その多くが版を重ね、あるいは装いを改めて、今も流通している。また、フランスの作家で禅僧でもあったジャック・ブロスによる評伝『アレクサンドラ・ダヴィッド＝ネール　冒険と精神性』(*Alexandra David-Neel, aventure et spiritualité*, par Jacques Brosse, Albin Michel, 1991)をはじめ幾種もの関連書や写真集が編まれ、映画やドキュメンタリーも制作された。

わが国では『パリジェンヌのラサ旅行』(中谷真理訳、平凡社、東洋文庫、一九九九年)によって、禁断のチベットに潜入した女性探検家として知る人も多いだろう。しかし、ジャック・ブロスの評伝のタイトルが示すとおり、彼女は何よりもまず精神の領域において、果敢な冒険家であった。

父方のダヴィッド家は、代々ユグノー(カルヴァン派プロテスタント)の家系だった。「マラーの死」やナポレオンの「戴冠」を描いた画家ジャック=ルイ・ダヴィッドは祖父のいとこに当る。父ルイ=ピエール・ダヴィッド(一八一五—一九〇四)は筋金入りの共和党員で、教師からジャーナリストに転じて一八四八年の二月革命に加わり、一八五三年一月、第二帝政が始まるとヴィクトル・ユゴーらとともに国外追放された。そして亡命先のベルギーで〈終生の伴侶〉と出会う。

アレクサンドラの母アレクサンドリーヌ・ボルクマン(一八三二—一九一八)はルーヴァン市長の養女で、カトリックだった。理想家肌の革命家の夫と堅実なブルジョア女性の妻とは、年齢の差に加え宗旨もちがい、まったくそりがあわなかった。

一八五九年の特赦を受けてフランスで暮らすこの夫婦に、結婚十四年ではじめて生まれたのがアレクサンドラだった。ルイーズ=ユージェニー=アレクサンドリーヌ=マリーと名付けられ、カトリックの洗礼を受けた。父は五十三歳での娘の誕生に当惑し、男の子が授かったら司教にしたいと願っていた母は、育児も使用人に任せがちだった。

一八七一年五月、ペール・ラシェーズ墓地に立てこもったコミューン兵士が銃殺され、パリ・コミューンは崩壊する。二歳半になる彼女は父に手を引かれ、おびただしい遺体が急ごしらえの壕に投じられるのを目撃した。父は何を思ってこの凄惨な光景を幼い娘に見せたのか。

一八七三年一月、結婚十九年めにして待望の男子が生れたが、わずか六か月の命だった。亡弟への母の期待と悲嘆が、幼心をいかばかり屈折させたか。

一八七四年、一家はブリュッセルに引っ越した。ジュール・ヴェルヌの冒険小説に読みふける少女は、自分の意志でプロテスタントの洗礼を受けた。母の意向でカトリックの寄宿学校に入ってもその信仰を貫き、〈異端者〉として朝夕の祈りを免除された。十二歳の時、同じ〈異端者〉のアメリカ人の少女から三位一体の教義について尋ねられ、自分なりの直観で即答したという。両親の不和と信仰の対立が、孤独で早熟な宗教的思索につながったのだろう。

十代後半には、抜きがたい脱出願望からか、オランダを経てイギリスへ、スイスを経てイタリア北部の湖へと、二度の〈家出〉を決行した。『伝道の書』やエピクテトスの

『提要』（このほど岩波文庫から六十二年ぶりに新訳が刊行された國方栄二訳『人生談義』所収）に親しみ、中世の聖人苦行者伝を読んで黙想や断食、苦行の鍛錬を積んでいた。

二十歳でイギリスに遊学、その背を押したのは、父の友人の地理学者で無政府主義者のエリゼ・ルクリュだった。ロンドンでは神智学協会の「至高のグノーシス」に入会、東洋の宗教や哲学を読み漁った。しかし翻訳を介しての読解に飽き足りず、パリで基礎から本格的に学ぶことにした。大学や高等研究院、コレージュ・ド・フランスでシルヴァン・レヴィ、エドゥアール・フーコー、エルヴェ・ド＝サン＝ドゥニやエドゥアール・シャヴァンヌら錚々たる東洋学者の講義を聴講し、開設間もないギメ美術館の図書室に通い、勉強に打ち込んだ。

その背景には、誕生以来なめてきた不如意や葛藤、疎外をいかに克服すべきか、との問いがあったのではないか。『失われた時を求めて』や『魔の山』、『チボー家の人々』に延々とくりひろげられるような、十九世紀末から第一次世界大戦前夜にかけてブルジョアの青年たちが抱いた〈生〉に対する根源的な問いとそれゆえの果てしない精神的彷徨は、彼女にも共通するように思われてならない。

だから彼女がめざしたのは歴史的考証や文献批判学の分野での学術的な成果ではなく、また、神智学協会のような〈東洋の神秘〉への現実逃避的な憧れでもなく、真に人間的な生き方を仏教をはじめ東洋の教えに学び、体得することだった。

一八九一年、はじめて東洋に行き、ベナレス（ヴァラナシ）では薔薇の園に住む裸形の老修行者バシュカラナンダのもとでヴェーダーンタの奥義の手ほどきを受けた。

一八九三年二十五歳のとき、アレクサンドラ・ミリアルという筆名で最初の著書『生のために』を著した。宗教や教育をはじめとする社会的規範や制約に対して、内面的、本源的な直観の優位を主張し、「服従は死である。一瞬たりとも、人が自分以外のものの意志に従うとき、それはその人の生から切り離された瞬間となる」と説いた小冊子に、エリゼ・ルクリュは「誇り高い女性の手になる誇り高い書」との序文を寄せた。

彼女は音楽の才能にも恵まれていた。ピアノに加え、ブリュッセル音楽院では声楽を、パリでは作曲を学んだ。一八九二年パナマ運河会社が破綻し、おそらくそのあおりでダヴィッド家も資産が傾いた。彼女は収入を得るためオペラ歌手のオーディションを受け、ヴェトナムのハノイとハイフォンの劇場と契約を結び、一八九五年の秋から舞台に立った。作曲家のマスネーや詩人のミストラルに信任され、「タイス」「マノン」「ミレイユ」などに主演、ブザンソン、ポアティエを経て一八九九年冬にはアテネの劇場に転じ、ギリシャ各地の隠遁修行者を訪ね歩いた。その一方で、一八九七年創刊のフェミニズム機関紙『ラ・フロンド』の共同執筆者に加わった。

一九〇〇年にはチュニスの劇場と契約を結び、同地でのちに夫となるフィリップ・ネール(一八六一―一九四一)と出会う。フィリップはアレス(フランス南部)出身、やはり先祖代々カルヴァン派で、アルジェリアとチュニジアを結ぶ鉄道会社の技師長をしていた。後年にはアレクサンドラから〈世紀末グノーシス派〉と揶揄されてもいるが、教養ある人物で、ヴァイオリンを弾き、アレクサンドラのピアノと合奏した。一九〇四年八月四日チュニスで結婚、九月にかけてフランス各地をともに旅行した後、アレクサンドラは八十九歳の父が病臥するブリュッセルに向かい、十二月に父の弔いを済ませた後もパリにとどまった。

彼女は早くも結婚を後悔していた。その理由は、独立自尊のフェミニストとして、また煩悩を放下すべき仏教徒として、人妻であること自体が耐えがたい束縛だったということに尽きるだろう。別居がちの奇妙な夫婦関係は、その後も何度か決裂寸前になりながらも、フィリップの死まで続く。閉塞感に苦しむ妻に「旅に出たら」と勧め、旅立ったきりいっこうに帰らない妻に送金を続けて、自分にはちんぷんかんぷんの東洋研究を支え、妻の頼みに応じて旅先からの(ときには不愉快な)手紙を丹念に保管していたフィリップのふるまいは、誰にでもできることではあるまい。

結婚生活に倦んだ彼女は、著作に活路を求めた。墨子の〈兼愛〉に普遍的な博愛と連帯の可能性を探った『哲学者墨子と連帯の思想』(一九〇七年)、不可知論者、無政府主義者としての楊朱(楊子)を論じた『中国哲学における個人主義の理論』(一九〇九年)は、古代中国の思想に現代を生きるための指針を見出そうとするもので、その姿勢は仏教を扱った著作にも一貫している。

一九一一年、一般読者のための平易な入門書『仏教的近代主義とブッダの仏教』を出版、仏教とは「自身の内面にある性向を照らし出し、自身の解放への欲求にはかけがえのない価値があると確信させる」点で、近代的な心性に最適の合理的な教えであると説いた。

一九一一年八月九日、アレクサンドラはチュニジアを発った。現代ヒンドゥー教文献収集の名目でフランス公教育省の助成を受け、一年程度の予定だったが、帰国したのは十四年後だった。

旅の軌跡をたどると、コロンボ、マドラス(チェンナイ)、カルカッタ(コルカタ)を経て、一九一二年四月、カリンポンでダライ・ラマ十三世(一八七六―一九三三)に謁見。「いつ、いかにして仏教徒になったのか、師は誰か」との問いに、「仏教に帰依したとき、知人に仏教徒は皆無でした。たぶん私はパリで唯一の仏教徒だったでしょう」と答えたところ、ダライ・ラマは破顔一笑、「師を持たずに済ませたことへの、実に秀逸な言い訳だ」

と返した(一九一二年四月十四日起筆の夫あて書簡より)。

秋までシッキムに滞在。十一月から翌一九一三年二月にかけてブッダガヤー、ルンビニー、サールナートの仏跡を巡礼し、ベナレスへ。十一月、ふたたびシッキムへ。同地の仏教界の改革を志す開明派の王子クマール(一名シキョン・トゥルク・ナムゲル、一八七九—一九一四)の招きによると思われる。翌一九一四年二月シッキム王位を継いだクマールは、アレクサンドラの協力を得て原点回帰と因習打破を試みるが、既成勢力の権威と既得権を侵すことになるこの企ては、陰に頑強な抵抗にあい実を結ばぬまま、十二月、クマールは在位一年に満たずに急逝した。

同じく一九一四年七月、第一次世界大戦勃発。同年九月、アレクサンドラは十四歳の見習い僧アプル・ユンテンとともにチベット国境に近い山あいの村ラチェンに向かい、一九一六年八月まで同地の瞑想修行者を師として標高三九〇〇メートルの岩稜の洞窟で主に般若経典類を読み習い、隠遁瞑想し、また、トゥンモという、呼吸法と高度の精神集中によって体内に熱を生み出す秘法を修得、イシェ・ドンメ(智慧の灯)という法名を授かる。

一九一六年七月、シガツェのタシルンポ寺訪問、パンチェン・ラマ九世(一八八三—一九三七)に謁見。てきめんにチベット密入国のかどでイギリス公使チャールズ・ベルからシッキム退去の通告を受け、海路、極東に向かう。一九一七年二月神戸着、七月まで京都・東福寺の塔頭に仮寓し、高野山にも参詣。河口慧海(一八六六―一九四五)、鈴木大拙(一八七〇―一九六六)と旧交を温めた。

一九一八年一月北京を発ち、辛亥革命後の内戦と混乱が続く中、七月、青海省西寧郊外のクンブム寺へ。二年半滞在し、般若経の研究と瞑想に専念した。一九二一年二月から二年半、アムド地方からゴビ砂漠まで、交戦中の中国とチベットのはざまを遍歴。

その間、ジェクンド(青海省玉樹)に向かう途中で、リン国王ケサルの末裔を名乗る城主から城館に招かれ、ケサル王の叙事詩を朗唱する吟遊詩人がいると聞き、写本を見せてもらった。ジェクンドの町では、ホル国の大臣でケサル王の兄ディクチェン・シェムパの転生者とされる叙事詩人に出会い、口演を聴き、特別に席を設けて全章を朗誦してもらった(今枝「解説」五〇八頁以下参照)。また、複数の写本を収集した。

一九二三年十月、雲南省の奥地から、年若な盟友アプル・ユンテンとふたりきりでラサをめざし、乞食(こつじき)巡礼のラマとその老母に扮して雪深い山岳地帯を歩き抜き、一九二四年二月着。「ラサには何の興味もなかった。たまたま経路上にこの街があったから、それに入国を禁じる面々(=イギリス官憲)の鼻を明かすのがパリっ子流のジョークだから、行ったまでである」(一九二四年二月二十八日ごろラサからの夫あて書簡より)。

一九二五年五月に帰国した彼女は、禁断の国を踏破した探検家として熱狂的に迎えられた。一九二七年刊の『パリジェンヌのラサ旅行』フランス語版・英語版はたちまち版を重ね、各国語に訳された。続編を求められ、シッキム滞在以降のチベット文化圏での体験を一九二九年『チベットの神秘家と魔術師たち』(邦訳は『チベット魔法の書――「秘教と魔術」永遠の今に癒される生き方を求めて』林陽訳、徳間書店、一九九七年)、一九三三年『強盗と紳士たちの国』に著した。

パリの喧騒を離れて研究や瞑想に専念するため、一九二八年、アルプス西南麓の町ディーニュにささやかな邸を購入し、サムテン・ゾン(チベット語で「瞑想の館」の意)と名づけた。一九三〇年『ラマ教入門』、一九三一年『リンのケサルの超人的生涯』(本書『ケサル王物語』)、一九三五年小説『五智のラマ』(ラマ・ユンテンと共著)を上梓した。シベリア地方の調査旅行を企て、ルナチャールスキーらソヴィエトの要人と交渉するが、実現には至らなかった。

一九三七年一月、六十八歳のアレクサンドラはユンテンとシベリア鉄道でアジアに向かった。北京に足止めされ、七月七日盧溝橋事件勃発。日本軍の進撃の中、九月まで五台山に滞在、小説『愛の魔術と黒魔術』を脱稿した。交戦地帯から離れて戦争の終結を待とうと、避難民があふれ交通が途絶する中、一年がかりで一九三八年七月、チベットへの玄関口、打箭炉（ダルツェムド）（四川省康定）にたどり着いた。戦時下の困難な旅を『暗雲のもとで』に綴り（一九四〇年刊）、引き続きこの地方の多様な先住民族の地誌、民族誌、宗教、民間伝承などを記録した『広大な中国の未開の西部で』（一九四七年刊）を書き進めた。一九三九年九月、第二次世界大戦勃発。一九四一年二月、夫フィリップの訃報が届いた。打箭炉にも戦火がおよぶ中、一九四四年までの六年間、同地にとどまった。一九四五年五月、成都で大戦の終結を知った。

一九四六年七月帰国。サムテン・ゾンにもどり、以後一九六九年までの二十三年間に十余冊の著訳書を著し、旧著を増補改訂した。未刊の膨大な文献を公刊するには百年はかかるとつねづね言っていたが、そのことばどおり、没する二週間前まで仕事を続けた。以下に列挙すると、『ヒマラヤのふところで――ネパール』（一九四九年）、『インド昨日今日明日』、『アシュターヴァクラ・ギーター　ヴェーダーンタの不二一如』（訳）、『チベット仏教徒の秘密の教義、透徹した洞察』（以上、一九五一年）、『未刊のチベット諸文献』（一九五二年）、『新生中国に直面する老チベット』（一九五三年）、『ラマ教入門』増補三版（一九五七年）、『チベットの経典と評釈に基づく超越的認識』（般若経典群の紹介、ラマ・ユンテンと共著、一九五八年）、『アヴァドゥータ・ギーター　ヴェーダーンタ・アドヴァイタの神秘主義的詩』（訳、一九五八年）、『ブッダの仏教　その教義と方法およびチベットにおける大乗的、密教的発展』(旧著の増補、一九六〇年)、『不死と転生　教養と実践　中国―チベット―インド』(一九六一年)、『中国拡張の四〇〇〇年』(一九六四年)、『私の生きたインド、独立の前後』(『インド昨日今日明日』の増補、一九六九年)、『神秘の呪文』(回想記、一九七二年)などである。

一九六八年、五月革命の報道に接して、若き日の著『生のために』『哲学者墨子と連帯の思想』『中国哲学における個人主義の理論』の再刊を思い立ち、改訂に着手し、これらは没後の一九七〇年、『中国で　普遍的愛と徹底的個人主義　墨子と楊朱』にまとめられた。

一九七五―七六年、『旅の日記――夫あて書簡集』全二巻が刊行された。

一九七三年、遺灰がベナレスでガンジス川に流された。彼女が各地で収集した資料はフランス国立図書館、ギメ美術館、人類博物館に収められた。ディーニュ・レ・バン市にある旧居サムテン・ゾンは記念館になっている。

二　アプル・ユンテンについて

アプル・ユンテン(欧米での通称はラマ・ユンテン)は一八九九年十二月二十五日、当時はイギリスの保護領であったシッキムのマンドに生まれた。一九一四年五月、十四歳でアレクサンドラ・ダヴィッド＝ネールの弟子となり、以後終生、行をともにした。一九一六年、ラチェンの師からニンジェ・ギャムツォ(慈悲の大海)という法名を授けられた。

一九一六年八月、アレクサンドラがシッキム退去を通告されたときには、十六歳の彼が人々の動揺を抑え、万端とりしきって彼女を首都ガントクまで無事送りとどけた。そして、カルカッタからともに船出し、二度と故郷に帰ることはなかった。

北京からクンブムへ、クンブムからラサへ、北京から打箭炉への、戦乱をかいくぐっての長く困難な旅と、打箭炉での六年間の耐乏生活は、彼の聡明さや機転、語学の才(チベット語、英語はもとより、行く先々で現地のことばをすぐ習得した)、そして献身なしには、到底なしえなかっただろう。とはいえ、ふたりに悲壮感はまるでなく、どんなに深刻な状況でも諧謔に富んだやりとりを交わしつつ乗り切ってきたことが、

アレクサンドラ・ダヴィッド＝ネール(左)とアプル・ユンテン，1920年，チベット(クンブム？)にて

『パリジェンヌのラサ旅行』を読めばわかる。

一九二九年二月、アレクサンドラの養子となり、アルベール＝アルチュール＝ユンテン・ダヴィッド＝ネールという名でフランス国籍を得た。

一九三五年、小説『五智のラマ』をアレクサンドラと共著で出版した。同書の序文によれば、この作品は一九二一―二三年、ふたりが中国とチベットの境界地方を旅していたころ、すでに着想されていた。野営地の夕べ、とりとめないおしゃべりの折、西洋人の書いたチベットに関する書物はでたらめだらけだ、と辛辣にこき下ろすユンテンを、アレクサンドラが「それなら自分で書いてごらんなさい」と挑発した。「チベット語で書いてもしかたないさ、欧米人には読めっこないのだから」とユンテンが困惑していると、アレクサンドラはしばらく考えた末に、「ラマ様、貴僧のご本をやつがれがフランス語にいたしましょう」とまじめくさって申し出た。そして、手始めに題材をノートに書き留めるよう勧めたところ、「実は、ちょっと書いてみたんだ」と出して見せたのが、この作品の草稿だったという。

〈主人公ミパムが生まれたとき、瑞祥が現れ、両親は息子が高僧の転生者(トゥルク)にちがいないと思ったが、結局、その認定はされなかった。俗人として波瀾に富んだ放浪生活を送り美女ドルマと恋仲になるが、あるとき師にめぐり会い、抗いがたい力に導かれてみずからの使命を受け入れ、転生者の座に着く。彼の資質を見抜いて身を引き、尼となっていたドルマは、それを祝福しつつ他界する〉という物語で、チベットの人々のものの見方や感じ方、深い宗教性がうかがわれる。さらには、著者自身の内面の旅路を虚構を借りて綴った作とも読める。

ほかに、いずれもアレクサンドラ・ダヴィッド＝ネールと共著で、『リンのケサルの超人的生涯』(本書)、小説『無の力』(一九五四年)、『チベットの経典と評釈に基づく超越的認識』の著がある。

一九五五年十一月七日、一夜の病(急性腎不全)により急逝した。遺灰はサムテン・ゾンの礼拝堂に安置され、一九七三年、アレクサンドラ・ダヴィッド＝ネールのそれとともにガンジス川に流された。

＊

アレクサンドラ・ダヴィッド＝ネールに筆者が興味を持ったきっかけは、フレデリック・ルノワール『仏教と西洋の出会い』(今枝由郎・富樫瓔子訳、トランスビュー、二〇一〇年)でその破天荒ぶりを知ったことだった。今回もまた今枝由郎先生とご一緒に、彼女の著作を日本の読者に紹介することになった縁(えにし)を、まことにありがたく思う。

さらにまた、チベットの英雄叙事詩という、筆者にとってはまったく未知の広漠たる世界におぼつかないながらも挑むことができたのは、ひとえに今枝先生のご教導の賜(たまもの)である。巻を閉じるに当たり、「ああ、おもしろかった!」という思いとともに、心からの感謝を申し上げます。

ケサル王物語(おうものがたり)―チベットの英雄叙事詩(えいゆうじょじし)
アレクサンドラ・ダヴィッド＝ネール／
アプル・ユンテン著

2021年3月12日　第1刷発行

訳　者　富樫瓔子(とがしようこ)

発行者　岡本　厚

発行所　株式会社　岩波書店
〒101-8002 東京都千代田区一ツ橋 2-5-5

案内 03-5210-4000　営業部 03-5210-4111
文庫編集部 03-5210-4051
https://www.iwanami.co.jp/

印刷・三陽社　カバー・精興社　製本・牧製本

ISBN 978-4-00-320621-8　　Printed in Japan

読書子に寄す

——岩波文庫発刊に際して——

岩波茂雄

真理は万人によって求められることを自ら欲し、芸術は万人によって愛されることを自ら望む。かつては民を愚昧ならしめるために学芸が最も狭き堂宇に閉鎖されたことがあった。今や知識と美とを特権階級の独占より奪い返すことはつねに進取的なる民衆の切実なる要求である。岩波文庫はこの要求に応じそれに励まされて生まれた。それは生命ある不朽の書を少数者の書斎と研究室とより解放して街頭にくまなく立たしめ民衆に伍せしめるであろう。近時大量生産予約出版の流行を見る。その広告宣伝の狂態はしばらくおくも、後代にのこすと誇称する全集がその編集に万全の用意をなしたるか。千古の典籍の翻訳企図に敬虔の態度を欠かざりしか。さらに分売を許さず読者を繫縛して数十冊を強うるがごとき、はたしてその揚言する学芸解放のゆえんなりや。吾人は天下の名士の声に和してこれを推挙するに躊躇するものである。このときにあたって、岩波書店は自己の責務のいよいよ重大なるを思い、従来の方針の徹底を期するため、すでに十数年以前より志して来た計画を慎重審議この際断然実行することにした。吾人は範をかのレクラム文庫にとり、古今東西にわたって文芸・哲学・社会科学・自然科学等種類のいかんを問わず、いやしくも万人の必読すべき真に古典的価値ある書をきわめて簡易なる形式において逐次刊行し、あらゆる人間に須要なる生活向上の資料、生活批判の原理を提供せんと欲する。この文庫は予約出版の方法を排したるがゆえに、読者は自己の欲する時に自己の欲する書物を各個に自由に選択することができる。携帯に便にして価格の低きを最主とするがゆえに、外観を顧みざるも内容に至っては厳選最も力を尽くし、従来の岩波出版物の特色をますます発揮せしめようとする。この計画たるや世間の一時の投機的なるものと異なり、永遠の事業として吾人は微力を傾倒し、あらゆる犠牲を忍んで今後永久に継続発展せしめ、もって文庫の使命を遺憾なく果たさしめることを期する。芸術を愛し知識を求むる士の自ら進んでこの挙に参加し、希望と忠言とを寄せられることは吾人の熱望するところである。その性質上経済的には最も困難多きこの事業にあえて当たらんとする吾人の志を諒として、その達成のため世の読書子とのうるわしき共同を期待する。

昭和二年七月